CISNE

Biblioteca

Adele
Ashworth

Adele Ashworth

Encantos ocultos

Traducción de
Martín Rodríguez-Courel

Título original: *Stolen Charms*
Diseño de la portada: Departamento de diseño de Random
  House Mondadori / Yolanda Artola
Ilustración de la portada: © Alan Ayers

Primera edición: abril, 2008

© 1999, Adele Budnick
© 2008, Martín Rodríguez-Courel Ginzo, por la traducción
© 2008, Random House Mondadori, S. A.
  Travessera de Gràcia, 47-49. 08021 Barcelona

Printed in Spain – Impreso en España

ISBN: 978-84-8346-639-1 (vol. 75/1)
Depósito legal: B-10.775-2008

Fotocomposición: Revertext, S. L.

Impreso en Liberdúplex, S. L. U.
Sant Llorenç d'Hortons (Barcelona)

M 8 6 6 3 9 1

Este libro está dedicado a Mary Ann Townshend,
mi maravillosa suegra,
por ser mi mejor seguidora y promotora
y haberse erigido en mi principal propagandista,
y a todos los clientes y empleados de Mr. Marvin's
Barber Shop de Port Charlotte, Florida.
¡Gracias, gracias y gracias!
Y, por supuesto, mi más cariñoso agradecimiento
a Ron, Andrew y Caroline

Prólogo

Inglaterra, 1842

—Esmeraldas.

Ella parpadeó.

—¿Decía algo?

El hombre esbozó una débil sonrisa.

—Estaba pensando, señorita Haislett, que sobre esta pista de baile, bajo la luz de miles de velas, sus ojos centellean como esmeraldas.

Ella tragó saliva con nerviosismo y le miró fijamente a los ojos. La voz del hombre era tan profunda y sonora, casi acariciadora, que de repente sintió un arrebato de intensa timidez, un sentimiento que la señorita Natalie Haislett, de Sherborne, no había experimentado nunca antes en presencia de nadie.

—Gracias —susurró ella, y bajando la mirada la clavó en los botones de marfil de la camisa del hombre.

Él continuó sonriendo, pero no dijo nada más mientras la hacía girar expertamente por la pista al compás del vals. Natalie no era capaz de entender la causa de la inquietud que sentía, pues, en resumidas cuentas, aquel era el baile de disfraces de su padre, y el caballero en cuestión, nada más que un huésped invitado que le había pedido gentilmente que bailara con él. Lo había visto antes en diversas ocasiones, aunque nunca se habían dirigido la palabra. Pero en esta ocasión el hombre parecía haber reparado especialmente en ella, y la había observado con detenimiento, se diría que con excesivo detenimiento, y el interés de un hombre tan atractivo la había dejado sin resuello.

—Me gustaría verla sin la máscara.

Las palabras, dichas con voz ronca y suave al mismo tiempo, la sobresaltaron hasta hacer que levantara la mirada una vez más. Con aquella espesa mata de pelo casi negro, un cuerpo alto y duro y unos ojos de un gris azulado de lo más cautivadores, el hombre resultaba irresistiblemente atractivo.

Natalie se quedó mirándolo de hito en hito durante varios segundos, al cabo de los cuales contestó en voz baja:

—Me gustaría verlo sin la suya. —Y después de echar un prudente vistazo alrededor, se inclinó hacia él y murmuró audazmente—: Reúnase conmigo fuera, en el jardín de flores, debajo de la galería sur, dentro de quince minutos.

El hombre inclinó ligeramente la cabeza y entrecerró los ojos tras la seda negra.

—¿Habla en serio, Natalie?

La inesperada utilización sin permiso de su nombre de pila hizo que Natalie recordara, dicho en el sentido más estricto de la expresión, su delicada situación.

—Se… se me acaba de ocurrir que sería un buen lugar para hablar en privado.

—Entiendo.

Durante un instante el hombre mantuvo la mirada fija en la cara parcialmente oculta de Natalie, y justo cuando esta empezaba a sentirse un poquitín avergonzada por su descarado comportamiento, él se inclinó sobre ella para susurrarle:

—Espero impaciente… nuestra conversación.

El cálido aliento del hombre en su mejilla hizo que Natalie se estremeciera, y entonces el vals cesó con demasiada rapidez. Él se detuvo y, taladrándole los ojos con la mirada, rozó con la boca el dorso de la mano de Natalie. Acto seguido, se dio media vuelta y se alejó.

Natalie lo observó un instante mientras desaparecía entre la muchedumbre variopinta y risueña, intentando sacudirse las extrañas sensaciones que había despertado en ella. No debía haberle pedido que se reuniera con ella en el jardín sin carabina, lo sabía, pero en su fuero interno algo la había impulsado a hacerlo.

Se reuniría con él. El hombre la atraía.

Se abrió camino lentamente hasta la parte posterior del salón de baile, deteniéndose de vez en cuando para charlar con aparente desenfado con diversos miembros de la alta burguesía. Tardó casi quince minutos en llegar a la galería, y entonces, escabulléndose sin ser vista, bajó corriendo sin disimulo las escaleras y salió al jardín.

El frío aire nocturno le rozó la piel, pero el vivo resplandor de la luna y la ansiedad de sus pensamientos la calentaron por dentro.

Tras mirar cuidadosamente en derredor, recorrió el sendero de puntillas con la esperanza de no ser vista ni oída por nadie. A buen seguro que su madre se moriría del susto, si supiera donde estaba y qué estaba haciendo su hija en ese instante, y a esta le entristeció saber que no podría permanecer mucho tiempo en presencia del desconocido sin que alguno de los presentes en el salón de baile advirtiera su ausencia.

—Realmente no pensé que vendría.

Natalie se volvió hacia el sonido de la voz, que procedía de una zona de sombras a escasos metros de donde se encontraba.

—Sobre todo —continuó él acercándose—, puesto que nadie más parece deseoso de pasear por el jardín en esta perfecta noche otoñal. Según parece, estamos solos.

—Sí —admitió débilmente Natalie. Las expectativas que se abrían ante ella le aceleraron el pulso. Él se había quitado la máscara, y todo lo que ella pudo ver de su cara bajo el pálido resplandor de la luna fue una vaga expresión meditabunda.

—Quítesela.

—¿Como dice?

—Su máscara, Natalie. Quiero verle la cara, ¿recuerda? Él se había movido hasta detenerse justo delante de ella, pero en ese momento Natalie estaba de cara al claro de luna, de manera que, una vez más, las sombras le ocultaban los rasgos del hombre. Incapaz de apartarse, Natalie pudo percibir su calor y sentir la penetrante mirada. Tímidamente, se llevó las manos a la parte posterior de la cabeza y se desató la máscara, bajándola para sujetarla en el costado, y su timidez y temor a mirar al hombre empezaron a aumentar gradualmente. Sin embargo, alzando la palma de la mano para agarrarle suavemente la barbilla y levantándole la cabeza en el proceso, él la obligó a mirarlo.

El hombre guardó silencio, contemplándola con intensidad, lo que provocó que los latidos del corazón de Natalie aumentaran por momentos hasta terminar convertidos en un estruendo.

—Preciosa… —susurró el hombre.

Entonces, le deslizó el pulgar por los labios, y Natalie se ensimismó en el roce, cerrando los ojos e inclinando la cabeza hacia atrás en respuesta, mientras la máscara se le caía de las manos al suelo sin darse cuenta. Durante un momento ella no supo qué hacer ni qué decir, y de repente sintió la cálida boca del hombre en la suya mientras la atraía entre sus brazos.

No había esperado realmente que la besaran. ¿O sí? Tal vez eso fuera lo que ella había estado deseando desde que lo viera por primera vez hacía meses, ahogarse en la magnificencia de aquel cuerpo recio, en la fuerza que emanaba de él. La lengua del hombre, inquieta, juguetona, le separó los labios provocativamente para invadir su calidez y buscar la suya. ¡Dios bendito, qué sensación tan maravillosa! Era cálido, incitante, sumamente masculino. Mucho más de lo que ella habría imaginado jamás.

Natalie apoyó el cuerpo en el del hombre de manera instintiva, a medida que el beso se fue haciendo más y más exigente. Se puso de puntillas y le rodeó el cuello con los brazos para poder juguetear con el pelo de su nuca con los dedos. Natalie gimoteó de puro y salvaje placer mientras unas sensaciones que jamás había experimentado se fundían en sus entrañas.

Con un gruñido profundo él le colocó una de las manos en el trasero y empujó audazmente las caderas de Natalie hacia él, sujetándola allí acogedoramente, mientras le deslizaba la mano libre por la mejilla hasta el cuello, que acarició con los dedos.

Natalie era absolutamente consciente de la tensión y dureza en todos y cada uno de los puntos del hombre, así como de la pasión salvaje que iba creciendo entre ellos, pero no era capaz de detenerse. Todavía no. Solo quería estar bajo el claro de luna, en un jardín fragante, y permanecer así con él toda una eternidad: besándose, tocándose, sintiendo, deseando... La oleada de emociones era perfecta, maravillosa, y cualquier insidiosa duda sobre lo que estaba haciendo se desvaneció de sus pensamientos cuando los labios de él continuaron torturándole la boca con un placer irresistible.

Ella se oyó jadear ligerísimamente cuando, sin previo aviso, el hombre le bajó la mano sobre el vestido para colocarle el pulgar contra el pezón, rozándoselo con dulzura, acariciándoselo, provocando el ansioso ápice a través de la fina capa de seda de Florencia. Abandonada al impulso, Natalie empezó a mover las caderas contra las de él, rozándole dulcemente con el vientre.

La acción hizo que el hombre reviviera con entusiasmo. Agarró entonces el pecho en toda su plenitud con la mano caliente, mientras que con la que sujetaba el trasero de Natalie, y sin que esta fuera totalmente consciente del hecho, empezó a levantarle la falda.

Con una rapidez de experto que ella ni siquiera pudo empezar a comprender, el hombre le colocó la palma en la pierna, y ya fuera por inseguridad, ya por el mero instinto, lo cierto es que Natalie se puso tensa de inmediato.

Aparentemente, él también lo notó, porque su boca aflojó el beso y empezó a mover las manos por todas partes para acariciarle la cara interior de los muslos.

—¿Qué está haciendo? —murmuró ella, echando la cabeza hacia atrás.

—Lo que ambos llevamos soñando durante semanas —respondió él con voz áspera, mientras sus labios empezaban a trazar una senda de besos livianos como plumas por el cuello de Natalie.

El hombre bajó aún más la cabeza, y más, hasta que su boca le rozó la parte superior de los pechos justo por encima del borde del vestido. Natalie empezó a relajarse de nuevo, cerrando los ojos a las lujuriosas sensaciones que él creaba con pericia, hasta que le sintió mover la mano para acariciarle íntimamente aquella zona sensible de su entrepierna.

Aquello la devolvió a la realidad de golpe.

—No. —Natalie jadeó, empujándole por los hombros, tremendamente avergonzada y abrumada de inmediato por la culpa.

Él retiró lentamente las manos y se irguió para mirarla fijamente, y su respiración se hizo rápida y jadeante por el repentino parón. Aunque Natalie sabía que él estaba tan afectado por ella por la fuerza de la atracción mutua, no fue capaz de leerle los pensamientos en la cara a través de las sombras.

El hombre permaneció allí quieto largo rato antes de que la dureza de su voz penetrara el frío aire nocturno.

—¿Por qué me pidió que me reuniera con usted, señorita Haislett?

Natalie no podía pensar con claridad. Respiraba con dificultad, y le temblaba el cuerpo.

—Yo… yo solo quería hablar.

El hombre permaneció en silencio durante uno o dos segundos, al cabo de los cuales exhaló un largo y lento suspiro.

—Nunca ha hecho esto, ¿no es así?

Natalie se agarró los codos con las palmas de las manos en una tímida actitud defensiva, pero ni se movió ni apartó la vista de la expresión oculta del hombre.

—Me han besado con anterioridad, si es a eso a lo que se refiere, pero…

—Pero ¿qué?

Natalie bajó la vista para estudiar lo que podía ver de sus bailarinas de satén azul.

—Duró tres segundos y fue en mi mejilla derecha.

Durante una fracción de segundo Natalie pensó que realmente era posible que él se echara a reír. Pero no lo hizo. En su lugar, se movió para volver a plantarse directamente delante de ella, colocándole la mano debajo de la barbilla para levantarle la cara hacia él. Cerró los ojos con fuerza para evitar la mirada del hombre, aquejada de repente de una aguda y rezumante sensación de vergüenza.

—Míreme —le exigió con una voz oscura y aterciopelada.

Natalie tomó aire rápidamente y abrió los ojos.

—Lo siento —dijo ella en un susurro—. De verdad que no quería…

—¿Cuántos años tiene?

Ella hizo una pausa, queriendo parecer madura e independiente, pero al final decidió que lo mejor era ser sincera.

—Diecisiete. Cumplo dieciocho dentro de un mes.

—Entiendo…

El hombre empezó a frotarle el perfil del mentón con el pulgar, atrás y adelante, atrás y adelante, y ella cerró los ojos ante aquella sensación, sucumbiendo una vez más a su habilidad.

Al final, él le echó el brazo por detrás, la atrajo contra su pecho y la abrazó con fuerza contra él, con una mano en la cabeza y la otra en la espalda, mientras le recorría la columna vertebral con los nudillos.

Natalie podía oír el latido regular de su corazón bajo la mejilla, podía sentir su respiración lenta y uniforme, y supo que se estaba volviendo a perder en aquel abrazo. Estar entre sus brazos, estar haciendo exactamente, como él había dicho, lo que ella había estado soñando con hacer durante semanas, era una sensación perfecta.

—Así que solo quería hablar —repitió él con calma, pensativamente.

—En realidad, creo que quería que me besaran —admitió

ella tímidamente, acurrucándose aún con más fuerza contra su pecho—. Me gusta la manera que tiene de besar.

El hombre soltó un suave gruñido y negó con la cabeza.

—Sin duda alguna es usted la cosita más dulce con la que me he cruzado en años, señorita Natalie Haislett.

Ella levantó la barbilla, mirándole fijamente a la cara.

—¿Le ha gustado?

El hombre bajó la mirada bruscamente.

—¿Besarla?

Natalie asintió con la cabeza.

—Me ha gustado más de lo que probablemente debería haberme gustado.

Aquello la reconfortó sobremanera.

—¿Cree que podríamos volver a besarnos así alguna vez?

El cuerpo del hombre se puso tenso mientras miraba una vez más hacia el jardín en penumbra.

—No creo que fuera buena idea.

Sintiéndose incómoda, clavó la mirada en el pecho del hombre.

Él volvió a mirarla.

—¿De qué quería hablar cuando me pidió que viniera aquí?

Natalie, no habiendo sido nunca de las que controlan sus sentimientos, no fue capaz de pensar en nada que decir excepto la verdad, que confesó en voz baja.

—Creo que es usted el hombre más encantador que he conocido en mi vida, y yo… —Sintió que le ardían las mejillas al ruborizarse. Intentó soltarse del abrazo del hombre con naturalidad, pero él no la soltó.

—¿Usted qué, Natalie?

Su voz fue sumamente aterciopelada, y el nombre de Natalie se deslizó de su boca cargado de intimidad y anhelo. Ella no pudo aguantar más.

—Si se lo digo, ¿me promete no reírse?

—No, a menos que sea divertido.

Ella suspiró con determinación, cerró los ojos y levantó la cara al claro de luna.

—Creo que lo amo.

Él no dijo nada. Pero tampoco se rió, ni la soltó, y gracias a ello, Natalie sintió un tremendo alivio. Aunque no fue capaz de abrir los ojos; no podía, sencillamente. No, hasta que él dijera algo.

Durante un largo minuto Natalie no oyó nada, excepto el tranquilo aire nocturno cargado de la música y las risas lejanas procedentes del salón de baile situado por encima de ellos. Entonces sintió que los labios del hombre volvían a tocar suavemente los suyos, rozándolos, sin pasión, pero con una dulce ternura. Ella quería más de él, pero en cuanto el hombre percibió que ella empezaba a corresponder, se apartó.

—Debería entrar antes de que alguien salga a buscarla —le susurró él sobre la boca.

Natalie no sabía qué sentir. De algún modo sabía que él estaba siendo bastante razonable, y que probablemente no le diría que la amaba en contrapartida, pero, no obstante, se vio invadida por una oleada de tristeza.

Se apartó de él cuando la soltó. Entonces, sin mirarle a la cara siquiera, recogió su máscara, se dio media vuelta y huyó por el jardín.

1

Londres, 1847

—Esmeraldas.

—¿Esmeraldas? —repitió él, sorprendido.

—Una rara e inestimable mezcla de oro y valiosísimo verde.

Jonathan William Rayburn Drake, segundo hijo del difunto y muy respetado conde de Beckford, resopló con fuerza y se recostó contra la suave piel burdeos de su sillón Luis XIII para contemplar pensativamente a su invitado. Robar esmeraldas se estaba convirtiendo en una pesadilla.

—¿Cuánto valen? —preguntó con prudencia.

Sir Guy Phillips, un hombre muy rubio, cuyo rostro de mediana edad solo podía ser descrito como común y corriente, se rascó las espesas y largas patillas y se encogió de hombros.

—En este momento no podría poner una cifra a su valor.

—Mmm. Conozcamos la historia, pues.

Phillips hizo una pausa para ordenar sus ideas, y empezó por el comienzo.

—En un principio pertenecieron al acaudalado duque de Westridge, que las compró legalmente a un Austria, probablemente a Carlos VI, hacía el final de la década de 1720. Luego, el duque se las regaló a su esposa, Elizabeth, como regalo de bodas, y ella las tuvo en su poder durante casi sesenta años, hasta su muerte en el invierno de 1781. Aunque Westridge tuvo un hijo, este era un niño enfermizo y murió en 1740, a los doce años de edad, dejando al duque sin un heredero que reclamara su inmensa fortuna. Se cree que la encantadora Elizabeth, que murió quince años después que su marido, legó todas sus posesiones personales a su prima Matilda, una soltera que, casualidades de la vida, tenía una remota relación de parentesco con el rey Jorge.

Phillips se dio unas palmaditas en los volantes de su camisa de seda blanca y se levantó, con la copa de brandy en la mano, y empezó a dar vueltas por la habitación.

—Nadie sabe con certeza dónde estuvieron guardadas las joyas ni quién tenía realmente derecho a ellas después de que Matilda muriera a los noventa y dos años, pero corre el rumor de que el rey entró en posesión de ellas en algún momento con anterioridad a que el idiota de su hijo fuera nombrado regente en 1811. Prinny* heredó las esmeraldas, y para ayudar a pagar sus horribles deudas cuando fue coronado rey en 1820, las vendió al duque de Newark por una no revelada, aunque hay quien dice que indecente, cantidad. Y ahí permanecieron, en poder del duque, durante más de veinticinco años, a buen recaudo en una cámara de seguridad en su propiedad, hasta hace tres meses, cuando su esposa descubrió que habían desaparecido...

—Robadas por unos profesionales, por lo tanto —terció Jonathan mientras se llevaba su copa a los labios.

Sir Guy dejó de dar vueltas para mirarlo directamente.

—Tenemos razones para creer que las esmeraldas se encuentran actualmente en Francia, robadas, tras meses de minuciosa planificación, por sicarios de los altos funcionarios que desean desesperadamente derrocar al actual gobierno de Francia.

* Apodo de Jorge Augusto de Hannover, príncipe regente desde la incapacitación de su padre hasta su coronación como Jorge IV. (N. del T.)

Jonathan se dejó caer en su sillón y profirió un lento silbido.

—¿Y cómo demonios podría saber yo que los franceses están involucrados, Phillips?

El hombre rubio rió entre dientes.

—Siempre parecen estarlo, ¿no es así?

—Continúa —insistió Jonathan.

Phillips suspiró.

—Bueno, corre el rumor de que las joyas han llegado a manos de los legitimistas franceses que, por supuesto, consideran a Enrique como el verdadero rey y quieren volver a verlo sentado en el trono. —Negó con la cabeza, y su expresión se tornó grave cuando bajó la voz—: La corte de Luis Felipe se desmorona, Jonny. El país entero aún tiene que encontrar la estabilidad. Los legitimistas quieren a Enrique; el pueblo, siempre insatisfecho, habla de otra revolución…

Después de una prolongada pausa, Jonathan preguntó con aire pensativo:

—Así pues, ¿por qué robar esas joyas, aparte del hecho de ser tan valiosas? Cualquiera que las birle se arriesga una barbaridad viniendo aquí a hacerlo.

El hombre mayor resopló y empezó a dar vueltas de nuevo.

—Porque (y esto es solo una suposición) los implicados en su desaparición creen que las esmeraldas pertenecen legítimamente al pueblo francés. Un robo justificado.

—¿Justificado?

Sir Guy tamborileó con los dedos sobre su copa.

—Según parece, los legitimistas han llegado a su propio convencimiento de que las esmeraldas no fueron compradas a los Austrias, sino confiscadas ilegalmente. Robadas, vamos. Creen que las joyas jamás pertenecieron a los británicos, porque en realidad se suponía que tenían que haber pasado de Carlos a María Teresa, y de esta a su hija María Antonieta, y que, en el momento del desgraciado fallecimiento de esta última, las joyas deberían haber pasado a ser propiedad del pueblo francés.

—Qué conveniente para los franceses.

—Sí, bastante.

Jonathan vació el contenido de su copa, la colocó en la pequeña mesa situada junto a su sillón y estiró las piernas por delante de él.

—Solo me cabe concluir que recientemente has recibido información relativa al paradero del collar, ¿me equivoco?

Phillips asintió con la cabeza mientras se acercaba a una licorera para volver a llenarse la copa hasta el borde.

—Hace dos semanas uno de nuestros contactos en París asistió a una ceremonia de gala cuyo único propósito era recaudar dinero para la causa legitimista. En dicha recepción, el mismo contacto oyó al azar una conversación insólitamente sincera en relación con las joyas que habían sido robadas recientemente en las mismísimas «narices de esos altivos ingleses». Tras un hábil interrogatorio, nuestro contacto se enteró de que las esmeraldas están en Marsella a buen recaudo hasta el momento en que sea necesario derrocar a Luis Felipe.

Phillips volvió a su sillón, colocó la copa en la mesa y se metió la mano en el bolsillo de la camisa para sacar un pequeño pedazo de papel. Se lo entregó a Jonathan.

—Lo lamento muchísimo por el duque de Newark y su encantadora esposa, que perdieron su collar de esmeraldas a manos de los ladrones franceses —prosiguió en tono sombrío—. Pero el motivo de que te envíe a Francia y pongas en peligro tu vida, Jonny, es el de ayudar, si podemos, a que Luis Felipe conserve unido su gobierno. Si las esmeraldas son desmontadas y vendidas, los legitimistas podrían percibir una suma descomunal que utilizarían para promover su causa. Ahora mismo Inglaterra no anda necesitada de otra guerra. No hay ninguna necesidad de que vuelvan a morir nuestros chicos por culpa de la arrogancia francesa.

Jonathan echó un vistazo al papel. La letra era cuidada y meticulosa.

Madeleine DuMais, rue de la Fleur, 5. Veintisiete de junio, 10 de la mañana.

Sir Guy vació rápidamente su copa por segunda vez, la colocó en la mesa, y se levantó para recuperar su abrigo del perchero que había junto a la puerta.

—Creo que ya conoces a la encantadora señorita Du-Mais.

—Mmm… En realidad solo la he visto una vez.

—Bien. Cuando llegues, te tendrá preparada una nueva identidad y puede que alguna pista. ¿Cuándo puedes partir?

Jonathan también se levantó, frotándose los ojos cansados con las yemas de los dedos.

—Confío en poder embarcar el viernes. Esto me daría tiempo suficiente para concertar el encuentro.

—Estaremos esperando noticias. —Phillips abrió la puerta principal y se volvió hacia Jonathan sonriendo—. Eres consciente de que, puesto que estarás en Francia, te perderás la recepción de lady Carlisle.

El baile de lady Sibyl Carlisle era el acontecimiento más aterrador de la temporada para los solteros cotizados. Junto con las cuatro arpías de sus hijas, la dama se empeñaba en que la fiesta no tuviera más objetivo que el de convertirse en una reunión de casamenteras. Tener una excusa para no asistir era una bendición considerable.

Jonathan sonrió burlonamente.

—Qué coincidencia más desdichada, sin duda. Tendrás que saludarla, a ella y a sus encantadoras hijas, de mi parte.

Phillips negó cansinamente con la cabeza.

—Por supuesto. Supongo que este año tendré que volver a aparecer. Al menos, la dama no repara en gastos en lo tocante a la buena comida y la buena bebida.

—Eso, lo reconozco, sí que lo echaré de menos.

—Hablando de buena comida —añadió Phillips—, la cena estaba excelente. Dile a Gerty que esta vez el asado estaba perfecto.

—Le encantará saber que te has comido hasta el último trozo.

Con una leve inclinación de cabeza y un taconazo, Phillips

se dio media vuelta, bajó los escalones delanteros y desapareció en la niebla nocturna.

Jonathan permaneció en la entrada varios minutos, respirando el húmedo aire nocturno hasta que el frío empezó a calarle los huesos. Cerró la puerta con lentitud, aunque no echó el cerrojo, puesto que Marissa llegaría antes de una hora para pasar otra noche retozando entre las sábanas. Ella era la única amante que había tenido, la única que había conocido, que prefiriese encontrarse con sus amigos caballeros en las casas de estos, siempre y cuando, por supuesto, sus amigos caballeros fueran solteros. A decir verdad, a él no le importaba. Jonathan no tenía que ocultar sus correrías sexuales a ninguna esposa entrometida, ni a nadie, en realidad, y si Marissa quería disfrutar de sus relaciones en su casa, en lugar de en la de ella, pues por él, perfecto.

Sin embargo, esa noche Jonathan se sentía inquieto, y realmente no le hacía ninguna gracia la visita de Marissa. Hasta hacía muy poco tiempo Marissa había sido capaz de satisfacer todas sus necesidades, pero, a la sazón, y por más que él odiara admitirlo, se estaba cansando de ella. Bueno, Marissa era una mujer de una belleza nada corriente y era incuestionablemente experta en la utilización de su cuerpo. Pero, de repente, y para su desconcierto, Jonathan se encontró deseando más; más de la vida y más de una mujer. Marissa era la querida de cualquiera dispuesto a darle lo mejor, las baratijas más bonitas, y Jonathan no tenía ningún reparo en darle baratijas. Era buena en lo que hacía. Pero ahí, por extraño que pareciera, radicaba el problema, porque por primera vez en años, en toda su vida en realidad, Jonathan quería darle más importancia al sexo que la mujer con la que se acostaba.

Con un brusco tirón para aflojarse el fular, Jonathan se dirigió de vuelta al estudio, cogió la botella medio vacía de brandy y las copas, y las llevó a la cocina, situada en la parte posterior de su casa de la ciudad.

Como siempre, Gerty había dejado el lugar inmaculado antes de marcharse para ir a dormir a su casa, así que lo único que quedaba sobre la encimera era los platos de la cena de los dos caballeros. Jonathan colocó lo que llevaba al lado del resto de las cosas para lavar, se desabrochó los tres botones superiores de la camisa, bajó la intensidad de la lámpara de la mesa de la cocina y volvió a su estudio para sentarse a pensar delante de la pequeña chimenea.

Tenía que admitir que cada vez estaba más cansado y aburrido. Cansado de las mujeres que conocía, y aburrido de todo lo demás. A sus veintinueve años de edad había hecho muchas cosas, pero en ese momento se sorprendió envidiando a aquellos hombres que nunca había pensado que envidiaría. Durante los últimos meses había dedicado realmente su tiempo a considerar dónde estaba y qué estaba haciendo, y de repente había descubierto que echaba de menos, incluso que anhelaba, la estabilidad. Nunca habría imaginado que un día querría tener una familia. Hasta fechas muy recientes, había considerado risible semejante idea. Había conocido a muchos hombres, incluso amigos, que eran innegablemente desdichados en sus matrimonios, y durante mucho tiempo había asumido que todos los matrimonios habrían de ser así, dificultosos hasta en el detalle más nimio y en absoluto merecedores del esfuerzo. Pero, tras pensarlo detenidamente, se dio cuenta de que, aunque el matrimonio era un verdadero problema, resultaba que para muchos era más enriquecedor que cualquier otra unión. Lo había visto en el matrimonio de sus padres, y en el de su hermano, y, aunque casi de la noche a la mañana, lo quería también para sí. Lo que más le molestaba era saber que jamás podría hacerlo compatible con su trabajo. Tendría que escoger entre los dos.

Recostándose en el sillón, cruzó las manos sobre el vientre, estiró las piernas y se quedó mirando fijamente el baile de la titilante luz de la lumbre en el oscuro techo.

Deshacerse de Marissa no sería realmente un problema. Ella pasaría sencillamente al siguiente miembro acaudalado de la alta sociedad que pudiera mantenerla confortablemente alojada y enjoyada. Tanto él como ella sabían que lo que obtenían el uno del otro era puramente físico y lo hacían de común acuerdo, y desde el principio él había dejado claras sus intenciones en cuanto a la naturaleza de su relación. Marissa estaba acostumbrada a eso, porque había aceptado a muchos hombres antes que a él, y los que seguirían serían exactamente iguales. Técnicamente, el trabajo de la mujer era darle placer en la cama a cambio de una vida elegante, y sin duda alguna ella era toda una experta en su campo de estudio.

Sin embargo, la pregunta que Jonathan se había estado haciendo una y otra vez en los últimos tiempos no tenía nada que ver con su querida, sino con si podría vivir sin la emoción de su trabajo, si tomaba una esposa. Había estado actuado por toda Europa durante seis años, y aquellos que utilizaban sus servicios estaban, de eso no cabía duda, en deuda con él y deseaban de manera desesperada que siguiera con lo que estaba haciendo; y por lo que hacía, le pagaban bien. Pero que muy bien. Sin embargo, dejando a un lado el dinero, no estaba seguro de que pudiera renunciar a todo, al menos no absolutamente, y si no lo hacía, no estaba seguro de que pudiera casarse. Ninguna dama querría un marido que no estuviera cerca para satisfacerle los caprichos o acompañarla a las reuniones sociales, y ninguna mujer que él hubiera conocido había sido capaz de igualar su sentido de la aventura y su deseo de experimentar lo mejor de la vida.

Jonathan cerró los ojos. Tal vez acabara convirtiéndose en un viejo solterón cascarrabias. Solo él y su perro. ¡Bonita pareja que harían los dos!

—¿Querido?

La voz ronca de Marissa lo sacó de golpe de sus pensamientos. Se volvió en dirección a la puerta sonriendo débilmente para darle un aire menos grave a su estado de ánimo.

—No te he oído entrar.

Haciendo deslizar el chal de lana blanca por su cuerpo con unos dedos perfectamente cuidados, se acercó a él con aire despreocupado.

—¿Por qué hay tan poca luz aquí? —susurró ella con picardía—. ¿Estabas esperando a hacerme el amor delante de la chimenea?

Jonathan sonrió burlonamente, recorriendo arriba y abajo el largo y grácil cuerpo de la mujer con la mirada. Sin duda la iba a echar de menos.

—Tenemos que hablar, Marissa.

Ella se detuvo en seco y le dedicó una mueca.

—¡Dios mío!, parece serio.

Jonathan la observó durante un instante. Luego, respirando hondo para armarse de valor y con la sensación de que estaba haciendo lo correcto, dijo en voz baja:

—Esto no tiene nada que ver contigo, cariño, pero creo que ha llegado el momento…

—No vayas a creer que no he pensado en que llegaría este día, Jonathan —le interrumpió alegremente, arrojando el chal sobre el banco con respaldo de madera noble que tenía a su izquierda—. Me he dado cuenta de algunos cambios en ti últimamente, y los he visto antes.

Marissa se acercó a su lado, mirándole fijamente a los ojos y sonriendo mientras posaba su trasero en el brazo del sillón de Jonathan.

—Puedes creértelo o no —prosiguió ella pensativamente, entrelazando los dedos en la espesa mata de pelo de Jonathan—. Yo también estuve pensando que probablemente era hora de seguir adelante, y no te vas a creer quién me está persiguiendo, querido, nada menos que el acaudalado y generoso vizconde Willmont.

Jonathan levantó las cejas en señal de sorpresa.

—¿El viejo Chester?

Ella asintió con la cabeza.

—¿Todavía… puede caminar?

—¿Celoso, querido?

Jonathan volvió a sonreír burlonamente, colocando la palma de su mano en un muslo que conocía demasiado bien y aspirando el familiar olor del perfume de Marissa.

—Mucho.

Marissa soltó una suave carcajada y le cogió la barbilla con el índice y el pulgar, con su cara a escasos centímetros de la de él.

—Nadie podrá compararse a ti jamás, ni dentro ni fuera de la cama, y envidio a la mujer que acabe robándote el corazón.

Jonathan le rodeó la cintura y la empujó para sentársela en el regazo.

—Estoy seguro de que todavía podemos aprovechar esta noche —la provocó con voz ronca—. De todas maneras, es probable que Chester ya se haya tomado su leche caliente y se haya ido a dormir hasta mañana.

Marissa bajó el brazo, lo envolvió total y descaradamente con la mano e, inclinándose sobre él, le susurró junto a la boca:

—Vayamos arriba.

2

Natalie Haislett asumió el riesgo mientras se ceñía la capucha de la capa, miró a ambos lados con discreción y descendió en silencio los escalones de la casa de su padre en Londres, para dirigirse al final de la calle, donde le esperaba su vehículo.

Sabía que estaba siendo impetuosa, tal vez incluso irracional, pero por fin había llegado el momento de que diera el paso, y no era capaz de discurrir otra manera. Estaba preparada para encontrarse con el hombre de sus sueños, el que la sacaría de su existencia encorsetada y banal. Y nunca se había sentido más deseosa de algo en la vida.

Incluso a través de la espesa niebla matinal descubrió el coche de alquiler que le había pedido su siempre impagable doncella, y caminó rápidamente hacia él. Y antes de que el sol empezara a calentar el día, Natalie se dirigió a la casa de él, loca de contento y muerta de miedo.

Jonathan Drake era el último hombre en la tierra al que quería ver, el último hombre con cuya ayuda quisiera contar. Pero él era todo lo que tenía; era su única pista. El hermano mayor de Jonathan, lord Simon, duodécimo conde de Beckford, estaba casado con la mejor amiga de Natalie, Vivian, y esta le había prometido sin asomo de duda que Jonathan conocía personalmente al infausto Caballero Negro, el hombre que ella sabía, desde hacía ya casi dos años, era con quien estaba destinada a casarse.

Drake, independiente y rico por derecho propio, era una especie de espíritu libre, un trotamundos, aunque gozaba de la consideración general de ser uno de los solteros más cotizados de Inglaterra. Se dedicaba al comercio de artículos refinados, a la compraventa de antigüedades y artefactos insólitos por mera satisfacción personal, lo cual, para Natalie, significaba que no era más que otro noble con demasiado dinero y tiempo que malgastar. Pero eso era asunto de él. El interés de Natalie por Drake se centraba exclusivamente en el conocimiento que este tenía del paradero del ladrón más famoso de Europa.

De acuerdo con Vivian, parecía ser que Jonathan Drake había conocido y entablado relación con el Caballero Negro tanto en razón de sus viajes como de sus negocios. Aunque el Caballero Negro era una leyenda viva, aquello no resultaba tan difícil de creer para Natalie, porque el hombre seguía siendo de carne y hueso y por fuerza tendría amigos que conocieran su identidad. No era más que una extraordinaria coincidencia que el hombre con el que ella pretendía casarse conociera a Drake, el único hombre en la tierra por el que habría dado la vida con tal de evitarlo.

Arrellanándose en los cojines, Natalie cerró los ojos en un intento de sustituir la ansiedad que le provocaba ver a Jonathan por la esperanza y la excitación de reunirse por fin con su futuro marido.

El Caballero Negro era un misterio en toda Europa. Natalie había seguido sus aventuras en Inglaterra y el continente durante más de dos años, siguiendo el rastro de su paradero por los artículos de las gacetas y, sí, aunque le daba vergüenza admitirlo, por los chismes. Se le asignaban muchos nombres —el Caballero Negro, el Ladrón de Europa, el Caballero de las Sombras—, la mayoría de ellos debidos, suponía ella, al hecho de que solo trabajaba en la oscuridad, en operaciones clandestinas. Aunque la mayoría de la gente pensaba que no era más que un bribón indecente y un desvalijador de mujeres, Natalie estaba bastante segura de que la mayor parte de todo lo que había oído estaba adornado o inventado por aquellos que sencillamente sentían envidia de sus habilidades.

La primera vez que Natalie había oído hablar de él fue cuando se le atribuyó el robo de una delicada colección de jarrones de Sèvres a una importante familia alemana. Que dicha colección hubiera sido robada inicialmente a un aristócrata francés durante la Revolución de 1792 quedó en cierta manera soslayado por el hecho de que el ladrón fuera el infame Caballero Negro. Natalie no estaba segura, pero se rumoreaba que los jarrones habían acabado finalmente en manos de sus legítimos dueños, que se habían establecido de nuevo cerca de Orange, y que el ladrón solo había actuado por dinero, haciendo un trabajo que aquellos que estaban investidos de autoridad no eran capaces de realizar por razones de decoro y discutibles legalismos.

Después de eso había oído mencionar de pasada su nombre varias veces, pero solo en el último mes de enero Londres entero se convirtió de nuevo en un hervidero de especulaciones cuando lord Henry Alton fue detenido y acusado de intentar vender los pendientes de rubíes robados a la condesa de Belmarle. Cuando se procedió al registro de la propiedad de lord Henry, las autoridades no solo encontraron encima de la repisa de la chimenea una caja de rapé con el anillo y el collar a juego, sino pruebas evidentes de que el hombre dirigía un lucrativo negocio de contrabando de whisky. Los rumores se desataron, pero se dijo que el Caballero Negro era el que le había vendido a lord Alton aquellos primeros rubíes que acabaron con su detención.

Los demás podrían burlarse, pero Natalie, por ingenua que fuera, sabía en el fondo de su corazoncito que el famoso Caballero de las Sombras trabajaba para el gobierno, y que si hacía cosas de dudosa legalidad era para atrapar a los criminales y reparar los daños que no se podían enmendar mediante los procedimientos convencionales. Y así tenía que ser, porque, ¿qué ladrón avezado devolvería los objetos robados a sus legítimos dueños? Sin embargo, todo lo relacionado con él no eran más que rumores, desde los ejemplos citados hasta la falsificación de obras de arte y el robo de oro, pasando por la propia identidad del hombre. Lo único seguro era que existía.

Así que, durante los últimos meses, Natalie se había dedicado con gran interés a aprender cuanto había podido, y excepto por el aspecto físico, del que solo había conseguido una idea general, sabía todo lo que había que saber, incluyendo el hecho evidente de que era el hombre destinado a ella. Fascinante e inteligente, había estado en todos los sitios a los que ella quería ir, y había hecho todas las cosas notables que ella admiraba. Pero, por encima de todo, no era un sujeto estirado, como todos esos almidonados caballeros ingleses que la obsequiaban con dulces y flores, y la llevaban a dar paseos anodinos por St. James Park mientras hablaban de las pistolas de bolsillo con percutor de sílex que coleccionaba el noble fulanito de tal o de la caza con todo lujo de detalles sanguinarios. Si se casara con esta clase de hombre, la clase de hombre que sus padres querían para ella, su vida (y, por supuesto, sus posaderas) se convertiría en un enorme e improductivo trozo de grasa. Se merecía más de la vida, y puesto que estaba a punto de cumplir los veintitrés años y todavía no había escogido marido, lo cual, por sí solo, estaba a punto de conseguir sembrar el pánico en su padre y su madre, por fin se sentía preparada para buscar al hombre que el destino había escogido para ella. Que Dios la pillara confesada cuando sus padres se enterasen, pero se iba a casar con el Ladrón de Europa. Y Jonathan Drake la iba a ayudar a encontrarlo.

Cuando el cochero se detuvo por fin delante de la vivienda de este último, Natalie se subió el cuello de la capa y se lo ajustó al rostro; no le gustaba el frío ni la idea de que alguien pudiera verla entrar en la casa de Drake sin carabina, por remota que pudiera ser esta última posibilidad.

Pagó con premura al cochero para que la esperase, subió los escalones y golpeó suavemente pero sin vacilación la aldaba de la puerta principal. Era inconcebible estar llamando a una hora tan indecorosa, cuando probablemente no fueran ni las seis de la mañana, pero realmente no tenía elección. Debía verlo temprano, para poder volver a su cama antes de que su madre se despertara y le entrara el pánico por su desaparición.

Después de esperar un buen rato y de llegar a la conclusión de que los sirvientes del hombre estaban desatendiendo gravemente sus obligaciones, y de que él, evidentemente, estaría durmiendo como un leño, Natalie probó a girar el pomo. Para su absoluta sorpresa y satisfacción, la puerta sin pestillo se abrió lentamente con un chirrido al ser empujada con suavidad.

Sin hacer ruido, nerviosa y entusiasmada ante las perspectivas, entró en el vestíbulo en sombras, dándole a sus ojos solo un segundo para que se acostumbraran a la penumbra, y avanzó rápidamente en dirección a lo que ella supuso era el salón de Drake. En su lugar, se encontró con el estudio, y qué maravilla de habitación que era el tal estudio, porque bajo el resplandor de los primeros rayos de sol, que entraban a raudales a través de la abertura entre las cortinas de gasa, Natalie se vio repentinamente sorprendida por la colección más soberbia de extraños tesoros que hubiera visto nunca.

Cuadros, grandes y pequeños, de todos los puertos, ciudades y paisajes imaginables, adornaban las paredes cubiertas de madera de roble. Esculturas de bronce y jarrones orientales de todos los colores, tamaños y estilos reposaban en arcones de roble, mesas de caoba y pedestales, así como en el espectacular escritorio Sheraton de Drake, cubierto en ese momento de papeles, péñolas, un tintero de cristal y un abrecartas con mango de marfil. Un magnífico retrato de terciopelo español en azules, dorado, rojo y negro de gran viveza colgaba sobre la chimenea, desde lo alto del techo hasta la repisa. El lustroso suelo de roble estaba cubierto de delicadas y excelentes alfombras orientales bordadas, y sobre la pared más alejada colgaba un minucioso y exótico surtido de artilugios de matar.

Natalie levantó la mano para ahogar una carcajada, pero realmente eso era lo que eran.

Drake tenía cuchillos y espadas de todos los tipos, algunos con los bordes dentados, otros lisos, pistolas con culatas de diferentes formas y tamaños cubiertas de marfil, jade y extraños caracteres que ella no había visto jamás. Y colgando precariamente del techo por delante de la pared, pendía una enorme espada curva con unas marcas negras que se entrecruzaban por toda la superficie de la cara de la hoja.

No podía contenerse. Tenía que tocarla.

Al pasar los dedos por el frío borde metálico, Natalie consideró curioso que Vivian no le hubiera comentado jamás que su cuñado fuera un caballero tan sumamente raro.

Con la cabeza puesta en otra cosa, Natalie no reparó en el ruido de pasos detrás de ella. Hasta que un gruñido feroz rompió el silencio.

Tan repentino e inesperado fue el ruido que giró en redondo sobre sus talones para hacerle frente, cortándose con la punta de la espada.

Durante un aterrador segundo Natalie miró fijamente a los ojos a un enorme pastor alemán que estaba quieto a solo un metro de ella. Fue entonces cuando sintió la calidez de la sangre que le manaba de la mano y goteaba sobre su capa de viaje azul oscuro; de inmediato, se sintió abrumada por el dolor y completamente indignada, a partes iguales.

Tras respirar profundamente varias veces para sofocar el grito que brotó de su interior, Natalie se miró la palma de la mano. El corte era superficial, aunque medía casi ocho centímetros de largo, y se extendía desde el dedo índice hasta la muñeca. Sin pérdida de tiempo se envolvió la mano en la capa para detener la hemorragia, hecho lo cual empezó a moverse hacia la puerta.

Al ver eso, el animal dio inicio a una muestra interminable de ladridos, mientras la arrinconaba bajo la espada.

—¡Cállate, fiera! —susurró nerviosamente Natalie, intentando apartar al perro con su mano sana.

No sirvió de nada. El animal volvió a gruñir, asustándola sobremanera cuando, sin previo aviso, enterró el hocico en su vestido, nada menos que entre las piernas, y la empujó de espaldas contra la pared.

—¿Qué está haciendo aquí, Natalie?

La aludida se quedó quieta, con los ojos brillantes y las mejillas sonrosadas por la vergüenza mientras volvía la atención a la puerta del estudio.

Allí estaba él, con una aspecto absolutamente espléndido, como Natalie sabía que tendría, más atractivo de lo que podía recordar, vestido solo con unos pantalones negros ceñidos que moldeaban indecentemente la estrechez de sus caderas y piernas.

—¿Le he despertado? —preguntó ella con dulzura, a falta de algo mejor que decir—. La puerta estaba abierta, y yo… —Las palabras le fallaron entonces porque su nerviosismo iba en aumento, sintiéndose cada vez más impotente por el lento discurrir de los segundos y porque aquella fiera de animal se negaba a apartar su prominente hocico de entre sus muslos.

Y él estaba observando al perro. Natalie quiso gritar.

Indiferente a lo que sucedía, Drake apoyó su cuerpo duro y elegante contra el marco de la puerta y cruzó los brazos a la altura del pecho, saboreando, de eso estuvo segura, el insólito y sumamente entretenido apuro en el que se encontraba.

—¿Señor? —rogó ella, empujando en vano la cabeza del pastor alemán con la mano ilesa.

Drake sonrió perezosamente.

Natalie no era capaz de discurrir nada adecuado que decir, así que se limitó a permanecer en su sitio manteniendo valerosamente la mirada de Drake. Las mejillas le ardían, pero no estaba segura de si era a causa de la profunda humillación o de la incomodidad que siempre sentía en presencia de aquel hombre.

Finalmente, Natalie ya no pudo soportar por más tiempo lo embarazoso del momento.

—Qué… casa tan pintoresca tiene —reconoció en tono agradable, arriesgándose a echar un vistazo por la habitación.

—Gracias.

—¿La ha decorado usted mismo o…?

—Natalie, ¿qué está haciendo en mi casa a las seis de la mañana?

Casi pegó un respingo a causa de la brusquedad del tono empleado por Drake mientras volvía a mirarle a la cara. Él no había movido el cuerpo, pero la sonrisa se había quedado en su boca.

—La puerta estaba abierta —contestó con total naturalidad, como si eso lo explicara todo—, y pensé que quizá podríamos hablar.

—¿Se pasó para charlar?

Ella asintió con la cabeza y le dedicó la más dulce de sus sonrisas.

—Pero el tiempo de las relaciones sociales no empieza hasta dentro de varias horas, señorita Haislett. ¿Qué pretendía hacer conmigo hasta entonces?

La formal y, en apariencia, inocente pregunta provocó que Natalie empezara a notar calor debajo de las enaguas y, presa de un palpable y creciente desconcierto, se agarró la mano herida con la otra.

—¿Le… le importaría muchísimo si nos sentamos? —murmuró Natalie al fin.

Jonathan continuó mirándola fijamente durante un instante, gruñó y se frotó los ojos con los dedos.

—El café ya estará listo a estas alturas.

—El café es asqueroso —respondió ella sin pensar.

Drake volvió a mirarla con dureza y le dedicó una sonrisa cínica.

—O café o nada.

—El café estará riquísimo —contestó Natalie con muchísima rapidez, no deseando arriesgarse a que la echara de su casa por un comportamiento descortés.

—Espina. —Drake indicó con la mano el rincón de la habitación, hacia dónde se dirigió el perro rápidamente para tumbarse con los ojos cerrados, como si no pensara en otra cosa en este mundo que en la necesidad acuciante de dormir.

—Es un animal muy grande, sin duda —dijo Natalie en tono agradable.

La comisura derecha de la boca de Drake se elevó de manera casi imperceptible mientras continuaba observándola sin ambages. Eso no hizo más que aumentar la ya insoportable tensión.

—¿El café, señor?

—Creo que nos conocemos lo bastante bien el uno al otro para que me llame Jonathan —dijo, arrastrando las palabras.

Natalie no supo qué decir a eso, y realmente estaba empezando a sentirse no solo nerviosa, sino extremadamente incómoda. ¿En qué estaba pensando para entrar en casa de aquel hombre como si viviera allí, sin carabina y al amanecer, nada menos? De repente, deseó fervientemente estar metida debajo de su sedoso edredón, o incluso avanzando por el pasillo de St. George para casarse con el aburrido Geoffrey Blythe. Cualquier existencia banal sería mejor que aquello.

Él debió de advertir el temor de Natalie, los pensamientos de salir corriendo que se traslucían en su rostro, porque en ese momento se relajó.

—No pasa nada, Natalie —dijo en tono tranquilizador, haciendo un gesto con la cabeza para que lo siguiera—. Hablemos en la cocina.

Por extraño que pareciera, Natalie se acercó a él sin ningún pensamiento de lo contrario, agarrándose todavía su ya ardiente palma con la capa, confiando en que el dolor remitiera y pudiera conseguir resolver sus asuntos sin revelar el incidente. No quería que él pensara que era una idiota por tocar una espada sin considerar las consecuencias.

No se fijó demasiado adónde se dirigían, teniendo dificultades para apartar la mirada de la espalda desnuda de Drake mientras caminaba delante de ella. Tenía un cuerpo firme, maravillosamente musculado, y observar la mera elegancia de su cuerpo y la tensión de su espalda hizo que Natalie sintiera aún más calor bajo su ropa. De pronto, lo absurdo de la situación le arrancó una leve risita.

Drake se paró en seco, volviéndose en la dirección del inesperado sonido, y el movimiento provocó que Natalie se diera de bruces contra su pecho. Agarrándola por la cintura, la atrajo hacia él para evitar que se cayera, supuso Natalie; y en ese momento el regocijo de esta se desvaneció, al tiempo que aumentaban los latidos de su corazón de manera drástica a causa tan solo del caliente tacto del hombre.

—¿Qué le hace tanta gracia? —preguntó él, divertido.

—Yo... —El nerviosismo volvió a apoderarse de ella cuando lo miró detenidamente a los ojos, dándose cuenta con extremada lentitud de que en ese momento su pecho estaba aplastado contra el de Drake.

Natalie se enderezó lo mejor que pudo.

—Es que se me ocurrió que mi madre se moriría del susto si supiera que apenas lleva usted algo encima.

—Su madre se moriría si supiera que está aquí, Natalie —la corrigió con voz pastosa, intensificando su abrazo sobre la espalda de Natalie al tiempo que adelantaba la mano que tenía libre para quitarle la capucha de la capa de la cabeza. Antes de que ella pudiera volver a poner una distancia razonable entre ellos, Drake alargó la mano hasta su nuca y le sacó la larga melena de debajo de la lana suave, permitiendo que le cayera libremente por la espalda.

Natalie abrió los ojos como platos. El gesto era demasiado íntimo, y le entraron ganas de darse de cabezazos contra la pared por no haberse tomado la molestia de sujetarse con pinzas aquellos rizos ingobernables. Sin pensarlo, le puso las manos en el pecho y le empujó para soltarse.

La mirada de Drake se endureció, y la soltó, dándose la vuelta bruscamente para seguir caminando hacia la parte posterior de la casa. Sin embargo, apenas dio unos cuantos pasos, se detuvo una vez más y giró sobre sus talones para mirarla.

Su expresión se tornó seria cuando la agarró por las muñecas y le levantó las palmas de la mano.

—¿Cuándo se ha hecho esto?

Natalie parpadeó, aturdida, porque casi le estaba gritando. Intento desasirse de un tirón, pero él no la soltó.

—Respóndame, Natalie —exigió.

—Lo siento —le soltó, no muy segura de qué otra cosa decir, mientras se daba cuenta de, que al tocarle el pecho, le había manchado de sangre sin darse cuenta—. Su perro me asustó, y deslicé la mano…

La voz de Natalie se fue apagando, mientras su rostro iba adquiriendo una palidez evidente.

—No me duele nada —le susurró.

—¿Con cual? —preguntó Drake en voz muy baja.

—¿Cómo dice?

—¿Que con cual se cortó?

Natalie estuvo a punto de sonreír por la demostración de preocupación de Drake.

—Con la grande que está colgada del techo. Lo lamento mucho. —Después de un violento silencio, añadió tímidamente—: Sé que tocarle el pecho desnudo sería un tanto atrevido, pero, si quiere, se lo limpiaré por usted.

Él continuó mirándola fijamente a los ojos durante un segundo o dos, tras los cuales le soltó las muñecas sin contestar, la cogió por el codo y la condujo al interior de la cocina.

—Es probable que esto le vaya a doler un poco —advirtió Jonathan, llevándola directamente a la fregadera.

Antes de que ella tuviera tiempo de pensar en lo que él estaba haciendo, Drake le cogió la mano herida, se la puso con la palma hacia arriba y le vertió brandy de una botella sobre el corte.

Un dolor abrasador la atenazó, y se mordió el labio inferior para sofocar el grito. Respiró hondo y tragó saliva, y de manera instintiva intentó liberar la mano de las garras de Jonathan. Él no la soltó; antes al contrario, esperaba su reacción, lo que hizo que Natalie se enfadara.

—¿Era necesario? —dijo con voz ahogada Natalie, apretando los dientes en actitud desafiante.

—Sí, lo era —contestó él tranquilamente, sin dejar de mirarla ni un instante.

Esa fue la gota que colmó el vaso.

—¿Por qué diablos me mira con tanta insistencia, señor?

Natalie creyó percibir un atisbo de sonrisa en Drake al oír eso. Entonces, sin duda decidido a ignorar la pregunta, él se volvió hacia un lado, metió la mano en un cajón, sacó un pequeño trapo de cocina y procedió a envolverle la mano con él.

—¿Por qué no se sienta a la mesa y sirvo el café? Mantenga esto bien firme contra la herida.

Natalie hizo lo que se le decía, agradecida porque Drake volviera su atención a cualquier otro sitio y no siguiera observándola más. En el silencio momentáneo que siguió, se tranquilizó un poco, mientras le observaba moverse con soltura por la cocina. Había olido el agradable aroma del café al entrar en la pieza, pero lo que le llamó la atención fue que, según parecía, lo había hecho él.

—¿No tiene sirvientes, señor? —preguntó al fin.

Drake le lanzó una rápida mirada.

—Tengo un mayordomo, Charles Lawson, que ha ido a pasar fuera la semana para cuidar de su madre, que está delicada de salud. Y tengo una cocinera y ama de llaves externa, Gerty Matthews, que no llega hasta las once. —Se dio la vuelta hacia ella—. No estoy mucho en la ciudad, como sin duda ya sabe.

—Pues sin duda no lo sabía —repuso con demasiada rapidez, admirándolo sin recato. Nunca antes había visto a un hombre con una complexión tan magnífica, tan atractivo de pies a cabeza, tan… masculino.

—¿Por qué me mira con tanta insistencia, Natalie?

Ella parpadeó, ruborizándose hasta la raíz del cabello. Con valentía, y felicitándose por la rapidez de su contestación, admitió:

—Nunca había visto a un hombre con el pecho desnudo, y si usted no se exhibiera de manera tan indecente, no lo miraría fijamente.

—Apuesto a que lo haría —refutó él con brusquedad, girando todo el cuerpo para darse la vuelta hacia ella. Se recostó entonces contra la encimera, cruzó los brazos delante de él y la miró de forma insinuante.

Natalie tuvo el convencimiento de que aquel momento era ya uno de los más incómodos de su vida. Y empezó a devanarse los sesos, no sabiendo exactamente qué contestarle. Quizá debería salir corriendo.

—¿Por qué no me explica exactamente la razón de que esté aquí?

Drake tuvo que percibir por fuerza la señal de evidente alivió que cruzó la frente de Natalie ante el brusco cambio de tema.

—Una maravillosa sugerencia —convino ella, irguiéndose en su asiento mientras recuperaba el valor—. Necesito que me ayude a encontrar a alguien.

—En serio —afirmó, más que preguntó—. ¿Y conozco yo a esa persona?

—Creo que la conoce, sí.

Jonathan se volvió una vez más hacia la encimera, sirvió dos tazas de café, las colocó en una bandeja de plata y lo llevó todo a la mesa.

—¿Ha tomado café alguna vez, Natalie? —preguntó, sentándose en la silla contigua a la de ella y entregándole una taza.

Natalie negó con la cabeza.

—Mi madre afirma que es una bebida de paganos.

La boca de Drake se torció en una sonrisa.

—Eso me sorprende.

Ella observó el líquido negro y espeso y tuvo un escalofrío.

—Por las mañanas suelo preferir chocolate. Es uno de mis deseos más insaciable. Adoro el chocolate.

Jonathan se llevó la taza a los labios.

—¿Y cuáles son algunos de sus otros deseos insaciables?

Natalie abrió los ojos desmesuradamente, mientras su pulso empezaba a acelerarse. Por encima de todo debía tener presente la reputación de Drake, ignorar y pasar por alto sin inmutarse cualquier insinuación indecente que saliera de su boca.

Recuperando su voz, Natalie proclamó sin apasionamiento:

—Le pagaré por ayudarme a localizar…

—¿Jonathan?

La amable interrupción provino de la puerta de la cocina. Natalie miró a su izquierda para ver entrar en la cocina a una mujer de pelo oscuro y apabullante belleza que no llevaba puesto nada más que una chinelas de terciopelo azul y un salto de cama de seda oriental blanco, atado a la cintura por un fino fajín de seda, que casi no le tapaba nada del cuerpo, y lo que menos el contorno de su figura, espigada, ágil y elegantemente sinuosa.

Natalie jamás se había quedado tan atónita, y según parecía tampoco la mujer, porque ambas se quedaron mirando mutuamente sin ambages durante un rato largo y extremadamente violento.

Entonces Jonathan gruñó, y ambas se volvieron para mirarlo.

Drake cerró los ojos, se apretó el puente de la nariz con los dedos, y se hundió en la silla.

—La señorita Natalie Haislett, la señorita Marissa Jenkins —dijo a modo de presentación.

Natalie se preguntó fugazmente si la mujer se merecía el tratamiento, y decidió que eso no venía al caso. Enmudecida de repente, llegó lentamente a la conclusión de que la criatura de aspecto exótico que estaba parada delante de ellos era la querida del hombre. Natalie era, por supuesto, una dama de esmerada educación, pero había oído rumores y sabía que muchos caballeros las tenían. Por lo tanto, no se escandalizaría. Pero en el transcurso de varios largos y silenciosos segundos el pobre hombre sentado junto a ella devino en un estado de tan adorable desconcierto que Natalie apenas pudo evitar echarse a reír. Decididamente, debía aprovechar el instante en lo que valía.

Recuperándose con rapidez, se quitó la capa para permitir que se viera completamente su vestido de muselina color melocotón, provisto de un amplio escote que mostraba la suave curva de su pecho generoso. En un principio, no había tenido intención de quitarse su prenda exterior, pero aquella situación exigía que se hiciera una excepción. En ese momento, se sintió más que contenta de haberse puesto algo un poquito atrevido.

Y con una pequeña dosis de sutileza, dejó caer en cascada su espesa mata de pelo por delante de los hombros, tras lo cual dedicó a los otros dos una sonrisa encantadora.

—Así que usted debe de ser la amante de Jonathan.

Drake levantó la cabeza con un respigo inmediatamente, los ojos como platos, rebosantes de asombro, sin duda atónito por oír semejante vulgaridad de boca de una dama soltera de su condición.

Marissa cayó en la cuenta con rapidez.

—He sido su amante, señorita Haislett, hasta esta noche, en la que me ha despedido. —La mujer caminó con garbo hasta el otro extremo de la mesa y se sentó—. ¿Ha tomado café alguna vez? Está bastante bueno con un poco de nata y azúcar.

—Creo que lo probaré como dice, gracias —respondió dulcemente Natalie, ignorando al hombre que estaba a su lado y alargando la mano hacia la bandeja. Se sirvió una cantidad generosa de nata de la jarrita y una gran cucharada de azúcar—. ¿Y por qué la ha despedido, Marissa?

La mujer suspiró.

—Bueno, creo que Jonathan está preparado para encontrar a alguien que le caliente la cama de manera más permanente.

—¿El pobre hombre no se puede permitir unas mantas? —preguntó Natalie con fingida preocupación.

Marissa apoyó un codo en la mesa y la barbilla en la palma de la mano.

—Tengo la abrumadora certeza de que está pensando en alguien más vivo y más excitante que las mantas.

—Entonces, tal vez debería dormir con su enorme y cariñoso perrazo…

—Esta conversación es la más absurda que he oído en toda mi vida —acabó por terciar Jonathan, exasperado, llevándose la taza a los labios para evitar mirarlas.

Pero las dos mujeres se volvieron hacia él, como si hubieran reparado en su presencia por primera vez.

—¿Es ella la escogida? —preguntó Marissa con aire calculador.

Natalie salió en su propia defensa con presteza.

—Le aseguro, señorita Jenkins, que no calentaré otra cama que no sea la mía.

—Por supuesto que no —murmuró la mujer muy lentamente, devolviéndole la mirada con curiosidad. Tras una incómoda pausa, se levantó para marcharse—. Bueno, creo que me vestiré y seguiré mi camino. Si cambia de opinión, señorita Haislett, sepa que prefiere el lado izquierdo.

—¿El lado izquierdo?

—De la cama.

—¡Ah!, estoy segura de que ese no es asunto mío, Marissa. Pero puedo decir que el hombre tiene, sin duda, un gusto para la belleza…

—No me puedo creer que esto esté sucediendo en mi cocina —terció Jonathan con creciente asombro, inclinando de nuevo la taza hacia sus labios y bebiéndose el líquido de dos largos tragos.

Las dos mujeres lo miraron con inocencia, y Marissa se acercó para darle un beso en la mejilla.

—Adiós, querido.

Drake gruñó, pero no dijo nada mientras mantenía la mirada fija en la mesa.

Marissa caminó hasta la puerta, lanzó a ambos una sonrisa divertida y salió rápidamente de la cocina, que quedó sumida en un silencio sepulcral.

Natalie bajó la vista a su regazo, agarrando el trapo con su mano palpitante, mientras que con la otra se puso a juguetear atentamente con la tela de su vestido. Sabía que él había movido su mirada para observarla, pero sencillamente no pudo mirarlo, tan absorta como estaba en la calidad de la delicada muselina color albaricoque.

—Le pido disculpas por esto —masculló al fin Jonathan.

Natalie se encogió de hombros, pero no dijo nada.

—Natalie, míreme.

Ella alzó la mirada para mirarle a los ojos, y le costó Dios y ayuda mantener la expresión neutral.

—No hay ningún problema. Lo que haga en su casa es asunto suyo, señor.

—Deje de ser tan formal —le ordenó, enfadado de repente.

Ella ignoró su arrebato y volvió a concentrarse en su vestido.

—Solo me preguntó por qué diantres estaba ella aquí esta mañana, cuando se deshizo de ella anoche.

Natalie no se esperaba que él se echara a reír, y lo repentino de la reacción le hizo levantar la vista bruscamente. Drake la miró de hito en hito con una amplia sonrisa en la boca, y se inclinó hasta quedar muy cerca de la cara de Natalie.

—¿Confiaba en que la estuviera esperando, mi amorcito?

La pregunta la alarmó, y a todas luces no supo cómo contestarle. Aunque no podía dejarlo plantado porque coqueteara con ella, dado que estaba en juego algo más importante. Eso es lo que tenía que recordar. Estaba allí con un propósito y tenía que volver al motivo de su intempestiva visita.

Manteniendo una expresión de absoluta indiferencia, Natalie susurró:

—Yo no soy su amorcito.

Jonathan entrecerró los ojos entre divertido y malicioso.

—Todavía no.

Natalie tuvo un escalofrío. Su corazón empezó a latir furiosamente de repente, pero, para su absoluta frustración, no encontró fuerzas para moverse. Estaba sentado tan cerca de ella que Natalie podía sentir el calor de su cuerpo, podía ver cada veta azul de sus ojos intensamente grises, podía percibir el aroma almizcleño del sándalo y la voluptuosa masculinidad.

—No seré la querida de nadie —le aseguró ella con cierto tono de desafío.

—Tiene un pelo precioso, Natalie —susurró él con aire seductor, levantando la mano para rozarle las puntas con los dedos—. Ni muy rojo, ni muy rubio y tan abundante y sinuoso como su...

—¿Cree que podría tomar más café? —soltó Natalie, poniéndose fuera de su alcance con una sacudida, consciente, no sin irritación, de que Drake inferiría que la pregunta no era más que una simple evasiva, puesto que solo había tomado cuatro o cinco sorbos.

Él no se movió durante un instante. Y finalmente, con un exagerado suspiro de derrota, se levantó con las dos tazas en la mano y volvió a la encimera.

—Bueno, volvamos al motivo de su visita.

Esa era la razón de que aquel hombre tuviera semejante reputación, caviló Natalie. Podía, si así lo decidía, seducir a una dama con unas cuantas palabras y una sonrisa, y entonces, reducía la intensidad como si tal cosa y llevaba la conversación hacia algo trivial en un abrir y cerrar de ojos. Dada su inclinación natural al flirteo, Natalie necesitaría una dosis extraordinaria de cautela si Jonathan Drake andaba cerca. Si lo consideraba con total franqueza, la atracción que sentía hacia él era notablemente poderosa, y la dejaba estupefacta incluso a ella, porque siempre había sido una chica de una acusada sensibilidad. Y sabía en lo más profundo de su alma que aquel hombre le rompería el corazón sin ninguna dificultad y difundiría la noticia de su conquista sin el menor rastro de otra emoción que no fuera la indiferencia. Y ella jamás podría permitir que eso sucediera.

Deseosa de avanzar y de volver a casa, a la seguridad de su dormitorio, Natalie mostró su conformidad con un movimiento de su sensata cabecita.

—Sí, por supuesto. El motivo de mi visita. —Y con todo

el valor del que pudo hacer acopio, dijo—: Necesito que me ayude a encontrar al Caballero Negro.

Jonathan se volvió bruscamente hacia ella y se la quedó mirando de una manera rara.

—¿Al Caballero Negro?

Natalie se enderezó.

—Sí, al Caballero Negro.

Volviendo a la mesa lentamente para sentarse de nuevo, Drake le puso la taza delante.

—¿Qué le hace pensar que sé dónde está?

Natalie se sintió ligeramente desconcertada. Había esperado que el hombre se sorprendiera o que mostrara su incredulidad, pero, por el contrario, solo parecía sentir una ligera curiosidad.

—Vivian me dijo que usted lo conocía personalmente. Como es natural, no la creí…

—Le conozco —admitió él.

Los ojos de de Natalie centellearon de excitación.

—¿Sí? ¿De verdad conoce a ese hombre?

—¿Qué es exactamente lo que quiere de él, Natalie? —preguntó Drake con prudencia.

Natalie hizo una pausa para beber ya a grandes tragos su café casi abrasador, pensando con denuedo. Se dio cuenta de que tenía que desvelar por lo menos algunos de sus deseos, aun a riesgo de que Drake la echara de su casa entre carcajadas por estar completamente desequilibrada.

Natalie se humedeció los labios y se irguió completamente en la silla.

—Tengo intención de casarme con él.

Después de un instante eterno de mirarla sin comprender, Drake se recostó en su silla y estiró las piernas por delante de él.

—¿Y qué le hace pensar que él querrá casarse con usted?

Ella jamás habría esperado aquella salida. La estupefacción la sumió en un silencio dócil, lo cual, a su vez, provocó la sonrisa cómplice y diabólica de Jonathan.

—Es usted innegablemente encantadora, Natalie, aunque, por alguna razón, ha de existir algo más que la atracción para casarse, ¿no lo cree usted así? —Drake bajó la voz—. Quizá él solo quiera que le caliente la cama. ¿Está preparada para conformarse solo con eso?

Natalie sintió que se volvía a ruborizar.

—Ya le dije que no seré la querida de nadie, pero la verdad es que eso no es asunto suyo. Solo quiero que me ayude a encontrarlo.

—Mmm…

—¿Qué significa eso?

—Nada.

Ella lanzó un suspiro.

—¿Me llevará hasta él?

Jonathan la observó fijamente con aire pensativo.

—Por favor —suplicó ella.

Finalmente, él se inclinó hacia delante sobre la mesa, colocó los brazos en la superficie de madera y se quedó mirando de hito en hito su taza de café mientras le daba vueltas entre las manos.

—¿Qué piensa hacer con relación a nosotros?

Debía reconocer que tenía una idea bastante aproximada acerca de lo que Drake quería decir con eso, pero, al final, decidió hacerse la tonta.

—¿Acerca de nosotros?

Drake frunció los labios, pero no apartó la mirada de la taza.

—Acerca de usted y de mí, Natalie. Ambos nos sentimos poderosamente atraídos el uno por el otro, y no sé si podríamos estar juntos todos los días sin que surgiera el mutuo deseo físico.

Ante lo descarado de tales consideraciones, el corazón de Natalie empezó de pronto a latir con furia, y a ella no le cupo ninguna duda de que Jonathan podía oír cómo le golpeaba en el pecho. Recobrando la compostura, susurró:

—Eso es absurdo.

Drake la miró por fin, levantando una ceja burlonamente.

—Estoy bastante seguro de que ha pensado en ello, así que, ¿no cree que debería ser un poco más honrada con sus sentimientos?

Natalie no se podía creer que él estuviera hablando con tanta intimidad de los dos, como si su relación fuera más allá de un mero y superficial conocimiento, y lo único que pudo discurrir para tomar el control de la situación fue ignorar sencillamente lo que él había dicho.

—Necesito que me ayude a localizar al Caballero Negro —insistió—, y eso es lo único que quiero de usted, señor. Aparte de eso, no hay nada entre nosotros.

Con parsimonia, con aire meditabundo, Drake empezó a trazar círculos con el dedo índice alrededor del borde de su taza.

—Creo que usted me quiere por muchas cosas, amorcito, y para entender algunas de las ellas opino que tal vez sea demasiado inocente.

Natalie se levantó con rigidez.

—Ni soy ahora, ni nunca seré, su amorcito. —Y haciendo una inspiración muy profunda, preguntó con sorprendente desenvoltura—: ¿Me ayudará o no me ayudará a encontrar al Caballero Negro?

—La ayudaré.

La rapidez de su respuesta la dejó perpleja.

Drake se levantó con rapidez y se detuvo al lado de Natalie con una expresión de total naturalidad.

—Embarco hacia Marsella el viernes, Natalie, y estaré encantado de que venga conmigo con una condición.

Ella adoptó un aire reflexivo durante un instante, preparándose para la discusión.

—¿Y de que se trata?

—Que haga exactamente todo lo que yo diga. Que siga todas las instrucciones que le dé, que sea discreta y que bajo ningún concepto cuestione mi autoridad. ¿Entendido?

Ella cruzó los brazos a la altura del pecho.

—Eso es más que una condición.

—O lo toma o lo deja —replicó él, cruzando también los brazos sobre el pecho.

—¿Y el Caballero Negro está en Marsella?

—Estará cuando lleguemos allí.

—¿Sabe usted eso?

—Sí.

—¿Y nos presentará?

—Sí.

—¿Y cómo se llama? —preguntó Natalie en un repentino arrebato de excitación.

Drake guardó silencio durante uno o dos segundos y arrugó el entrecejo de manera casi imperceptible.

—Creo que sería mejor que primero hablara con él, antes de divulgar nada sobre su persona.

A Natalie se le cayó el alma a los pies. Pues claro que así tendría que ser, pero eso era todo lo que tenía.

—Acepto sus condiciones, señor…

—También debe empezar a llamarme Jonathan.

—Bueno —concedió ella de manera insulsa—. ¿Algo más?

Él se encogió de hombros.

—¿Y qué hay de sus padres?

Natalie quitó importancia al tema con un gesto de la mano.

—Se marchan a Italia dentro de dos días a pasar allí la temporada, comprar obras de arte y tomar baños de sol. —Alargó la mano para coger la capa—. Jamás sabrán nada.

—Permítame.

La repentina caballerosidad de Jonathan la sorprendió, mientras él le quitaba la capa de la mano ilesa y se la echaba sobre los hombros. Haciéndola girar para ponerse frente a él, empezó a abotonársela.

—¿Por qué le intriga tanto ese hombre, Natalie? —preguntó él pensativamente.

Natalie consideró durante un instante hasta dónde responder aquella pregunta tan directa.

—Porque es libre —confesó al fin. Y dedicándole una leve sonrisa ante su cara de perplejidad, explicó—: Lo único que quiero decir es que no está constreñido por las convenciones sociales. Es fascinante, viaja y… vive para la aventura. —Se inclinó aún más hacia él con los ojos brillantes y bajó la voz hasta convertirla casi en un susurro—: Sé qué parece un poco extraño, pero creo que él también me está buscando.

Jonathan titubeó, observándola con tanta intensidad que pareció que sus ojos taladraran los de ella. Luego, levantó la palma de la mano hasta el cuello de Natalie y empezó a bajarle lentamente la yema del pulgar por la mejilla hasta llegar al cuello de lana, deteniéndolo finalmente sobre el retumbante pulso de debajo del mentón. El desasosiego de Natalie retornó en pocos segundos con toda su fuerza mientras permanecía tan cerca de él, mirándose mutuamente a los ojos, que sus cuerpos casi se tocaban.

Pero fue Jonathan el primero en romper el hechizo. Dejó caer la mano con rapidez y volvió su atención a la mesa, colocándolo todo en la bandeja para volver a llevarlo a la encimera.

—No me cabe duda de que habrá oído que ese hombre es un empedernido donjuán —afirmó Drake con brusquedad.

—Estoy segura de que hay mucha exageración en todo eso —replicó ella.

Jonathan esbozó una sonrisa de suficiencia, pero no dijo nada más, mientras colocaba las tazas vacías en la fregadera.

—¿Y lo es? —le pinchó ella.

—¿Si es qué?

Natalie soltó un suspiro de exasperación.

—Un donjuán.

—Estoy seguro de que hay mucha exageración en eso.

Aquello le hizo soltar una carcajada.

—¿Qué es lo que le hace tanta gracia ahora? —preguntó él, divertido, volviéndose de nuevo para mirarla.

Ella negó con la cabeza.

—Desde que usted y yo nos conocemos, señor, no hemos tenido más que conversaciones absurdas.

—Jonathan.

Natalie se rindió.

—Jonathan.

Este le lanzó una sonrisa llena de encanto y avanzó hacia ella.

—Eso se debe a que es usted la mujer más rara que jamás he conocido, Natalie Haislett.

—Y debe de haber conocido muchas, de eso estoy segura —insistió ella sin pensar.

La sonrisa de Jonathan se hizo más amplia cuando se detuvo justo delante de ella, acorralándola y atrapándola contra la mesa al colocar los brazos a ambos lados de su cintura para apoyar las palmas sobre la superficie de madera.

—Estoy seguro de que hay mucha exageración en eso —le susurró él con voz ronca.

Natalie tragó con dificultad, y en un susurró le respondió:

—Vivian me dijo que tiene una reputación de calavera bien merecida.

—Vivian miente.

Natalie se estiró tanto para evitar tocarlo que a punto estuvo de tumbarse sobre la mesa.

—¿Sabe lo que más me gusta de usted, Natalie?

Podía sentir cómo el calor del cuerpo de Drake le penetraba la ropa, podía percibir la dureza de su pecho desnudo junto al suyo y la fuerza de los brazos que la rodeaban y, sin embargo, fue incapaz de apartar la mirada.

—Es evidente que no lo sé.

Sin previo aviso, se inclinó sobre ella y le rozó la boca con la suya, moviéndola de un lado a otro, una, dos veces, dulcemente. De manera instintiva y ya sin resuello, Natalie cerró los ojos y sucumbió a aquel tacto, mientras Drake le deslizaba los labios por la mejilla colorada.

—Me gusta como besa.

Natalie abrió los ojos con fuerza.

—Y desde aquella primera vez —le susurró él al oído—, no he dejado de soñar con volver a hacerlo.

Natalie estaba al borde del desmayo. Las más de las veces lo único que pedía en sus oraciones era que él olvidara por completo el beso que habían compartido hacía años en aquel baile de disfraces o que al menos fuera lo bastante caballero para no sacarlo jamás a colación. Qué noche tan espantosa aquella del jardín; cómo deseaba que no hubiera sucedido jamás.

—Tengo que irme —dijo Natalie con voz temblorosa, haciendo presión con la mano sana entre los pechos en contacto de ambos.

Indiferente a la incomodidad de Natalie, Jonathan se fue echando hacia atrás poco a poco.

—Primero déjeme ver el corte.

Natalie se apartó rápidamente de él, se quitó el trapo y levantó la palma de la mano para exponerla a la vista de Drake.

—Está bien —dijo ella alegremente—. ¿A qué hora debemos encontrarnos el viernes?

—Venga aquí.

Ella negó con la cabeza.

—No voy a violarla, Natalie, solo quiero verle la mano.

Antes de que ella pudiera contestar, Jonathan se acercó dos pasos, alargó la mano para cogerla, y la atrajo hacia él. Con la palma herida de Natalie en su mano, la examinó con atención.

—Debería cerrar sin dejar cicatriz, pero le dolerá bastante. Yo la mantendría limpia y tapada durante dos o tres días.

Ella asintió con la cabeza y se zafó.

—Siento que haya ocurrido esto —dijo Natalie.

Jonathan frunció el ceño.

—Podría haber muerto ahí dentro. Debería ser yo quien lo sintiera.

—Se me hace difícil imaginar que un pequeño corte como este hubiera acabado conmigo, señor.

Él se pasó los dedos por el pelo negro y abundante, se puso las manos en las caderas y la miró fijamente a los ojos.

—Varios de los cuchillos que cuelgan de mi pared proceden de países de los que usted probablemente no ha oído ni siquiera hablar, Natalie, y algunos de ellos estuvieron en su día cubiertos de venenos que no siempre desaparecen con un simple lavado. Esas armas fueron fabricadas con la intención de causar la muerte mediante un simple rasguño en la piel. Casi me caigo del susto cuando vi la herida de su mano, porque jamás querría tener que explicarle a su dominante madre cómo exactamente encontró usted la muerte en mi casa a las seis de la mañana.

Natalie se cubrió la boca con el dorso de la mano para reprimir una sonrisita tonta.

—La mayoría de las damas bien educadas se habrían desmayado al oír tales explicaciones —dijo él con asombro.

Ella sonrió maliciosamente.

—No es la idea de la muerte… sino la de ser descubierta. —Y con los ojos brillantes, se irguió para susurrarle—: Mi madre también es mi mayor temor.

Él le dedicó una amplia y encantadora sonrisa.

—Le mandaré recado sobre lo del viernes…

—Por Amy, mi doncella —le interrumpió ella—. Lleva dos años ayudándome a planear esta aventura.

Drake enarcó las cejas.

—¿Dos años?

Natalie se calló de golpe. Su entusiasmo se estaba desbordando, y tenía que controlarlo.

—Bueno, quiero decir que hemos estado planeando qué decirle a los sirvientes y a los amigos, para que nadie se extrañe de mi ausencia. En cuanto mis padres salgan para el continente, seré totalmente libre.

—¡Ah…! Bueno. —Jonathan se rascó la barba de un día—. En ese caso, le enviaré recado pasado mañana por Amy. Tendremos que viajar con poco equipaje, así que no cuente con llevar… demasiadas cosas.

—Gracias —susurró ella, tocándole el brazo con las yemas de los dedos—. Esto lo representa todo para mí.

Se dio la vuelta y se dirigió a la entrada. Deteniéndose ante la puerta, echó un vistazo más hacia Drake y le obsequió con una sonrisa maravillosa.

—El café estaba delicioso —dijo con dulzura.

Y con un gesto de la mano a modo de despedida, se marchó.

3

Natalie estaba en la parte de estribor del vapor *Bartholomew Redding* al aire húmedo del crepúsculo, arrebujada en su capa de viaje verde oscuro como si fuera una acogedora manta, cuando volvió la cara hacia el sol que se ocultaba en ese momento hundiéndose por debajo de la línea del horizonte. Habían abandonado ya el canal de la Mancha, después de dejar atrás las islas Sorlingas, y se dirigían en mar abierto hacia el sur; y las expectativas, asaltándola a la desbandada, le provocaron un estremecimiento.

Jonathan estaba de pie a su lado, alto y poderoso, vestido de manera informal con un pantalón castaño oscuro y una camisa de lino color crudo desabotonada en el cuello, su única protección contra el frío viento marino, lo cual no parecía importarle. En realidad no hacía frío, y en uno o dos días, tendrían bastante calor. Natalie ya había tenido eso en cuenta a la hora de hacer el equipaje para la aventura, y llevaba con ella solo cinco baúles, en lugar de los habituales ocho o diez. Jonathan había puesto cara de incredulidad, o quizá de enfado, cuando se habían encontrado en el puerto, pero ¿qué esperaba? Ella era una dama, y había algunas cosas sin las que una no podía pasar, así de sencillo. Solo cinco baúles para un viaje de duración indefinida por Europa era algo increíble desde cualquier punto de vista.

Ese mismo día, por la mañana temprano, justo después de

poner pie en el barco, Jonathan la había acompañado hasta su camarote sin dirigirle más que unas cuantas palabras. La pieza era cuadrada y pequeña, pero bonita en realidad, con un ojo de buey al fondo lo bastante grande para permitir que entrara abundante luz, cubierto con unas cortinas blancas de gasa que conferían a la estancia un aspecto más que decente. A la derecha de la puerta había una silla de respaldo recto hecha de caoba brillante y tapizada en terciopelo rugoso color burdeos, una mesa de noche pequeña y una lámpara y, junto a esto, una cama del tamaño adecuado, lo bastante larga para que uno pudiera dormir con comodidad y cubierta con una colcha gruesa bordada en rosa. A la izquierda, extendiéndose en paralelo a la pared y atornillado al suelo, se levantaba un biombo de seda oriental que cerraba discretamente una zona de aseo y vestuario. El camarote era perfecto para ella, y enseguida se encontró cómoda, tomándose su tiempo para deshacer el equipaje e instalarse para el viaje, porque Jonathan, después de conducirla a su interior, la dejó sola durante casi tres horas, y solo había regresado hacía un rato con una cena fría de *mousse* de salmón, queso, pan y fruta, de la que habían dado buena cuenta en el camarote de Natalie.

De ahí en adelante ella tendría que satisfacer todas sus necesidades, puesto que no la acompañaba ninguna doncella. Viajar sin una era una indecencia, al menos en esa situación, aunque Natalie rezaba para que nadie preguntara por qué había abandonado Inglaterra sola, soltera y sin acompañante. Se valdría por sí misma hasta que llegaran a Francia, que, de todas maneras, era lo que Jonathan le había pedido.

Pero en ese momento, instalada cómodamente al fin y entusiasmada por la aventura que se abría ante ella, consiguió que sus pensamientos se desviaran hacia su más atractivo compañero de viaje, a la sazón quieto y en silencio a su lado sobre la cubierta mientras escudriñaba también el mar abierto, sin tocarla del todo, pero allí. Natalie era claramente consciente de la presencia de Drake, y probablemente él tuviera plena conciencia de la circunstancia.

Aunque lo que complacía a Natalie era la creciente seguridad de que él sería un maravilloso protector de su inocencia mientras durase su pequeño viaje. El hombre era corpulento e imponente, probablemente temible e intimidante cuando decidiera serlo, mas al mismo tiempo caballeroso y elegante. Tal cosa la había demostrado bien de mañana ese mismo día, cuando ella había llegado al muelle, y él la había saludado cortésmente con la cabeza, indicando adónde debían llevarse las pertenencias de Natalie, ofreciéndole el brazo y ayudándola a subir a bordo, sujetándole apenas los dedos con la palma de la mano.

Natalie suponía que le había pagado el pasaje, puesto que ella todavía no le había dado el dinero. Pero lo haría. Llevaba ahorrando hasta el último penique de su asignación desde hacía dos años, y tenía mucho, repartido prudentemente entre los baúles, el bolso de viaje y el bolso de brocado. Incluso había escondido parte bajo las suelas y los tacones huecos de un número seleccionado de sus siete pares de zapatos, donde era sabido que su abuelo y luego su madre habían llevado dinero en casos de emergencia. Natalie ignoraba quién había sido el primero en pensar lo de meterse dinero bajo los pies, pero supuso que si una iba a cruzar el océano o tierras extrañas y exponerse a ser víctima de piratas o gitanos, el escondite serviría a sus propósitos de manera excelente.

Sintió que Jonathan cambiaba de posición, acercándose ligeramente, y se percató con timidez de que en ese momento observaba con detenimiento el perfil de su cara, y el calor que irradiaba era tan punzante como el aire salobre.

—Es hora de que discutamos algunas cosas.

Sabía que Drake acabaría sugiriendo que tuvieran una conversación seria. Aunque no había necesidad de llamar la atención al respecto.

—¿Discutir? —repitió ella con timidez fingida—. Hemos estado hablando todo el día…

—¿Dónde creen todos que está? —la interrumpió, ignorando su evasiva al ir directamente al grano.

Natalie miró hacia todas partes con nerviosismo. La cubierta se había despejado de gente al anochecer, aunque en algún lugar distante oyó risas, la risa bullanguera de una mujer, seguida del vozarrón de un hombre, unas palabras que no comprendió. Fue entonces cuando se percató de que Jonathan Drake era lo único que la unía a su patria. En ese momento eran un equipo, les gustara o no, y tendrían que confiar el uno en el otro, aunque, no le quedaba más remedio que admitirlo, más ella que él. También tendría que ser un poco más comunicativa.

—¿Natalie?

Irritada, se volvió para ponerse frente a él. Jonathan la estaba observando, divertido, petulante, y a ella le entraron ganas de abofetearlo. Cada vez que pronunciaba su nombre, se le antojaba que la palabra era una caricia suave como la seda, y deseaba realmente que dejara de hacerlo. Pero ¿dejar de hacer qué? ¿De hablarle? Eso era una tontería.

Natalie cruzó los brazos a la altura del pecho; un gesto inútil, porque sabía que su capa de viaje, bien abotonada en torno a su figura, realmente no hacía más que destacárselo. Varías veces ya a lo largo de ese día, los ojos de Jonathan se había desviado hacia allí, entreteniéndose en su busto de manera inadecuada.

—Todos creen que estoy visitando a mi tía abuela Regina en Newburn —reveló finalmente.

Drake levantó una ceja y apoyó la cadera en la barandilla.

—¿No cree que sus mentirás acabarán siendo descubiertas?

—No. La tía Regina tiene setenta y siete años, y no le funciona muy bien la cabeza. Jamás recordará si he estado o no allí. Y mis padres se creerán a pies juntillas cuando les cuente, a la vuelta de su viaje a Italia, que me fui allí una temporada para meditar y decidir con quién debería casarme.

—Lo ha planeado todo muy bien —la elogió, tras reflexionar durante un instante.

Natalie sonrió con satisfacción.

—Creo que sí.

Jonathan bajó la voz.

—¿Y lo está?

—¿Si estoy qué?

—Meditando sobre alguien real para casarse —le aclaró.

Ella lo miró fijamente con una deliberada mirada de confusión.

—¿Se refiere a alguien distinto al Caballero Negro?

—Sabe exactamente a lo que me refiero.

Natalie se rodeó con los brazos para combatir la fría brisa marina.

—Si se refiere a un inglés convencional, no. —Y con una risita pícara, añadió—: Pero mis padres se lo creerán, y eso es lo que importa. Están desesperados por casarme, puesto que, a punto de cumplir los veintitrés años, suelo ser un tema frecuente de conversación en las fiestas. He rechazado a cuatro respetables caballeros en el transcurso de igual número de años. Y mucha gente lo encuentra un poco extraño, por no decir divertido.

Jonathan volvió a esperar uno o dos segundos sin dejar de observarla con atención.

—¿Y qué hay de lord Richard Mydell o de Geoffrey Blythe de Guildford?

Natalie atrapó un rizo rebelde que se agitaba por su mejilla y se lo sujetó detrás de la oreja.

—Richard es un vago, y el pobre Geoffrey, aunque puede que sea una monada, tiene la personalidad de una tachuela… —Su voz se fue apagando mientras volvía a mirarle a la cara. Jonathan había pronunciado el nombre de los caballeros casi con desagrado, pero lo que la sorprendió fue que supiera que tanto Richard como Geoffrey la habían pedido en matrimonio.

—¿Cómo sabía…?

—Yo sé muchas cosas —insinuó él, dejando que su voz disminuyera hasta convertirse en un susurro de indiferencia. Alargó la mano hacia el cuello de su capa y empezó a acariciarlo con el pulgar—. Pero lo que no soy capaz de imaginar-me es a ninguno de los dos… besándola a satisfacción, Natalie.

Esta empezó a sofocarse de repente, incómoda por seme-jante impertinencia. Sobre todo, proviniendo de él.

—Pero, claro, los dos son ricos —continuó Jonathan con naturalidad—. El pequeño Richard incluso tiene título, y esas dos cosas suelen ser lo que más busca una mujer en el matri-monio.

Natalie se apartó de él con firmeza, y Jonathan dejó caer la mano.

—Richard es sus buenos quince centímetros más alto que usted. No tiene nada de pequeño.

Él sonrió diabólicamente.

—Pero es enfermizamente delgado. Un hombre que, a no dudar, podría morir de tisis o de fiebres a una edad temprana, dejándola a usted con todo el dinero…

—No me importa nada la fortuna en un marido —le cor-tó ella, frotándose la frente con la palma de la mano a causa de la irritación y sin saber muy bien a santo de qué sentía la ne-cesidad de defenderse.

—Pues claro —afirmó él sin ningún convencimiento—. Entonces, ¿qué es lo que busca en un marido, Natalie, mi vida? ¿Qué es lo que tiene el legendario Caballero Negro que pueda querer usted?

La estaba provocando, y ella apenas era capaz de mos-trarse desagradable con él, dada la forma casi delicada con que Jonathan había abordado el tema. Pero Natalie no estaba dispuesta a que se alargara aquella conversación durante todo el viaje al extranjero; sus padres ya le daban bastante la lata al respecto.

Drake permaneció en silencio a su lado, esperando una explicación, y puesto que estaban solos en cubierta, Natalie ordenó sus ideas y decidió confiar en él y sacarlo todo a la luz de una vez, a fin de que pudieran pasar a otra cosa.

—Hace cosa de un par de años —empezó ella con un sus-piro— llegué a la conclusión de que si vivía la vida que mi madre quería para mí, me convertiría en una vieja gorda y aburrida que acudiría a tés, comería tartas y bombones y pasaría el rato chismorreando ociosamente con otras damas sobre cosas como quién llevaría qué espantoso tono de rojo a según qué baile y qué hija necesitaría casarse a toda prisa antes de un mes para ahorrarle la vergüenza a su familia.

Natalie le lanzó una mirada rápida para ver cómo había reaccionado al oír sus palabras, pero Jonathan siguió callado, con expresión neutra, dedicándole ya toda su atención en el silencio del creciente crepúsculo.

—Ya que se empeña en saberlo, Jonathan —continuó con aire pensativo—, no se me da nada bien ni el bordado ni la jardinería ni la elección del postre adecuado para una comida ni ninguna de las pequeñas tonterías que se supone que una dama bien educada ha de hacer correctamente o, cuando menos, de manera eficiente. Esa es la razón de que mi madre y yo estemos en permanente desacuerdo desde hace tanto tiempo. Lo que mis padres quieren es que siente la cabeza y tenga hijos con alguien aburrido que espere que yo haga las cosas aburridas que detesto. —Natalie resopló de indignación—. Mi madre «adora» a Geoffrey Blythe.

—Prosiga —la apremió Jonathan con voz ronca.

Natalie alzó los ojos relucientes hacia él, acercándose tanto a Jonathan que el calor de su cuerpo la rozó.

Ella susurró con fervor:

—Quiero vivir, Jonathan, viajar y ver mundo. Me niego a casarme con un inglés anodino que no me valore, que espere que yo hable solo cuando sea apropiado, y que reciba invitados cuando sea necesario e ignore sus devaneos conyugales. No soy un trofeo que haya de ganar nadie para ser colocado convenientemente en un estante.

Su voz se hizo más intensa, al tiempo que subía los puños a la altura del pecho para hacer hincapié en sus palabras.

—Quiero estar enamorada y sentir la pasión como una… como una princesa de cuento de hadas que conoce a un príncipe guapo y extraordinario y es arrollada por una oleada de poderosas emociones. Quiero envejecer con alguien que me quiera como mujer, como persona, y no como una esposa consciente de sus deberes.

Natalie se irguió, recobró la compostura y añadió con decisión:

—El dinero no puede comprar la vida, Jonathan, y me niego a desperdiciar la mía deseando los caros obsequios que me proporcione mi marido para que ignore sus variados caprichos infantiles. Aunque me convirtiera en una mendiga, no me conformaré con menos de un romance con amistad y un matrimonio lleno de felicidad.

A medida que su voz se fue apagando hasta silenciarse, con la cara brillante de emoción, o quizá de vergüenza por la enorme sinceridad de su reconocimiento —él no estuvo seguro por cual de los dos sentimientos—, a Jonathan se le ocurrió que Natalie iba ser una auténtica fuente de problemas, vaya que sí. De hecho, ya se había dado cuenta de eso en cuanto ella se presentó ante él en el puerto aquella mañana temprano, con una sonrisa deslumbrante separándole los labios y su deliciosa figura envuelta en una capa a juego con sus ojos brillantes.

Era una mujer fascinante, la verdad, con una piel reluciente y sedosa, una cabellera abundante y ondulada del color de una puesta de sol estival. Y Jonathan sabía que ella intentaba, si no ocultar su figura, al menos atenuarla con la utilización de una ropa sencilla, aunque fracasaba estrepitosamente en su intento. Natalie Haislett poseía una belleza manifiesta y absoluta, tenía una mente traviesa y un carácter encantador y adorable, ribeteado de inocencia. ¿Y qué diablos pensaba él que estaba haciendo al llevarla consigo a Francia, para reunirse con el mítico Caballero Negro?

En ese momento se percató de que lo había cautivado en su casa de la ciudad al aparecer sin previo aviso, desarmándolo porque volvió a hacer lo que nadie se esperaba y pillándolo desprevenido, como ya había hecho hacía casi cinco años en el jardín de su padre. Las dos veces Natalie le había hecho actuar de manera irracional con solo unas cuantas palabras dichas con dulzura y una mirada de pura inocencia, aunque sincera, de sus preciosos ojos color avellana.

Pero la oportunidad no podía ser más perfecta. Él podría utilizarla, decidió, aunque «utilizar» no era realmente una palabra que le gustara para describir su comportamiento hacia una mujer, ni siquiera mediando la ignorancia de Natalie. «Ayudarlo» sería tal vez una manera mejor de contemplar la cuestión, porque, en el mismo momento de irracionalidad en su casa de la ciudad, se le había ocurrido que, de hacerse necesario, las esmeraldas cuya recuperación se le había encomendado podían esconderse con facilidad en el equipaje de Natalie, cuando volvieran a Inglaterra, sin que ella lo supiera. Bien sabía Dios que transportaba una buena cantidad de pertenencias. Y sin duda alguna, las esmeraldas colgarían de manera soberbia, en todo su incalculable esplendor, del cuello delicadamente esculpido de Natalie, si es que él optaba por permitírselo.

Jonathan soltó un leve gruñido y se pasó los dedos por el pelo, mientras se obligaba a desviar la mirada hacia el mar abierto, frustrado consigo mismo y con su debilidad —sobre todo con su debilidad— por el sexo femenino.

Natalie se enderezó a su lado y se arregló los rizos agitados por el viento, sujetándoselos en el recogido que llevaba en la parte posterior de la cabeza.

—Estoy segura de que cree que mis ideas son ridículas, señor, pero le aseguro…

—No creo que sean ridículas —le interrumpió en voz baja, limpiándose la cara con la palma de la mano en un estado de ligera inquietud—. Es solo que… —Se interrumpió durante un instante y lo volvió a intentar—. ¿De verdad cree que el Caballero Negro va a satisfacerle todas esas necesidades de idealismo? ¿Y si usted no le gusta; y si él no le gusta a usted? ¿Qué va a hacer cuando lo conozca y descubra que es mezquino o… de una fealdad grotesca? ¿Y si es un atorrante como Mydell o tan aburrido como Blythe? —Jonathan volvió a mirarla a los ojos—. Está poniendo en peligro todo su futuro por una fantasía.

Ella negó con la cabeza.

—Eso es imposible.

—¿Qué es lo que es imposible? —replicó él con brusquedad.

Con los labios fruncidos, Natalie dijo con rotundidad:

—Llevo dos años estudiando a ese hombre y sus aventuras, Jonathan. Sé que es reservado, sofisticado, encantador, inteligente, atractivo y que hace cosas buenas para ayudar a la gente. También corre el rumor de que tiene los ojos azules, lo cual, para que lo sepa, es lo que más me gusta en un hombre. —Natalie bajó las pestañas, como si de repente se diera cuenta de que estaba revelando demasiado.

—Tiene unas ideas bonitas y románticas —murmuró Jonathan con voz espesa tras varios segundos de silencio—. Pero la aventura y el color de los ojos no son razones para arriesgar…

—No he dicho que me casaría con él «porque» tuviera los ojos azules —le interrumpió ella, volviendo a mirarlo a la cara.

Jonathan sabía que la estaba sacando de quicio, pero se negaba a suavizar su punto de vista solo para contemporizar con su sensibilidad femenina. Era necesario decir esas cosas ya.

—No lo entiende —recalcó él—. Estoy hablando de su reputación, Natalie. Si se descubre que se ha ido al continente conmigo, acabará destruida socialmente, y de por vida. ¿Ha pensando en eso?

Aquellas palabras quedaron flotando en el aire como unos negros y amenazantes nubarrones. Jonathan siguió mirándola fijamente desde la escasa distancia que los separaba, tomando nota de la arruga de reflexión y perplejidad de su ceño; de su pelo brillante; de sus pestañas castañas, largas y sedosas; de sus labios, rosas y suaves, perfectamente delineados y deliciosamente seductores, que mantenía ligeramente separados. Era evidente que aquel día ella había llegado a una conclusión en cuanto a la naturaleza de la relación de ambos en ese viaje, porque no encontraba a Jonathan ni amenazante ni tedioso, sino más bien como un compañero. Casi fraternal. Sin embargo, presentarse como el hermano de Natalie no habría convencido a nadie, y saberlo hizo que Jonathan se regodeara en su fuero interno. Disfrutaría de la hora siguiente, incluso del resto de la noche, una barbaridad. Estaba a punto de aclarar a la perfección, sin el menor atisbo de duda, en qué iba a consistir la relación entre ambos. Y él tenía que hacerlo antes de que Natalie insistiera en que la dejara y se fuera al camarote que él realmente no tenía.

—Entonces deberemos tener sumo cuidado —susurró Natalie con sequedad, interrumpiendo los pensamientos de Jonathan—. Alguien de su reputación...

Su voz se fue apagando bajo el claro cielo nocturno, como si se le hubiera ocurrido gradualmente que no estaba con su hermano, sino con un hombre que muy bien podría querer más que su mera compañía.

—¿Y qué sabe de mi reputación, señorita Haislett? —preguntó él con seriedad, acercándose más en el instante en que Natalie se aferraba a la barandilla que tenía a su lado en busca de más apoyo.

Con toda la indiferencia de la que fue capaz, Natalie reconoció lo que era evidente para ella.

—Sé que adora a las mujeres, y que, por lo general, ellas le adoran a su vez. Sé que cambia de querida con la misma naturalidad que se cambia de botas. Sé que cree que ninguna mujer viva es capaz de resistírsele. —Natalie sonrió con picardía—. Sin embargo, yo soy la excepción, y lo seré el resto de nuestro viaje. Sé que usted se dedica a comerciar con mercancías valiosas, sea lo que sea lo que signifique tal cosa, y que eso lo ha convertido en un hombre rico... honradamente rico, lo cual es bueno. Sé que disfruta repartiendo esa riqueza con las mujeres que... recibe. Sé que procede de una familia respetable, y que sus integrantes se lo pasan muy bien con usted y que les gusta hablar mucho de sus aventuras.

Jonathan parpadeó, reprimiendo el impulso de soltar una carcajada al oír las absurdas generalizaciones de Natalie, pero sintiendo al mismo tiempo un entusiasmo conmovedor entreverado en algo parecido al triunfo cuando ella admitió sin ambages todo lo que sabía de él y de sus asuntos personales.

—Según parece me ha estudiado en cierta profundidad —respondió él con una delicadeza encantadora.

Natalie miró hacia el horizonte, como si de repente sintiera un repentino y vivo interés en el océano casi negro y ligeramente agitado.

—No con intención, se lo aseguro, aunque, de vez en cuando, tanto usted como otros caballeros solteros surgen en las conversaciones de sociedad. Como es natural, tales conversaciones no son fáciles de evitar.

—Naturalmente —convino él.

—La esposa de su hermano también es mi mejor amiga —enmendó Natalie para procurarse una vía de escape adicional—. Me resultaría imposible no oír al menos algunas cosas.

Una respuesta de lo más ingeniosa, como ambos sabían.

—¡Ah! —fue la única contestación de él.

Transcurrieron unos segundos de violento silencio. Entonces, previendo con agudeza la línea que estaba a punto de traspasar, Jonathan levantó la mano, ahuecó la palma en la mejilla de Natalie e hizo que esta volviera la cara hacia él, mirándola fijamente a los ojos, muy abiertos por la instantánea incomodidad.

—Pero hay una imprecisión que me veo obligado a corregir —dijo él con suavidad.

Natalie no se apartó, sino que agitó las pestañas con fingida inocencia.

—¿Una imprecisión? ¿En qué parte?

—En la parte de la resistencia.

Ella arrugó la frente con delicadeza, como si intentara recordar con exactitud lo que había dicho.

—¿Que ninguna mujer se le puede resistir? Apenas me puedo creer...

—Usted no puede resistirse a mí, Natalie, mi amor.

Y de pronto la estaba besando, suavizando cualquier atisbo de negativa con los labios, presionando con ternura al principio, sin ningún indicio real de movimiento, solo un toque. No la atrajo hacia él, sino que permaneció allí, envuelto en las sombras del anochecer, con el sonido de las olas al romper contra el barco por debajo de ellos, acariciándole con suavidad la mejilla con la palma de la mano, mientras su cuerpo revivía con entusiasmo nada más que por el calor de la boca que besaba.

Natalie se quedó tan anonadada que no pudo reaccionar de inmediato. Solo habían estado bromeando entre sí amigablemente, como viejos amigos, sin que mediara provocación alguna para que él hubiera hecho lo inconcebible.

De manera instintiva, tras varios segundos de conmoción por la osadía de Jonathan, Natalie se apartó. Fue entonces cuando él la rodeó por la cintura y la atrajo contra él, abrazándola sin ambages con un brazo de una fuerza incontestable. El primer pensamiento racional de Natalie fue que aquel no era un beso como el que él le había dado en su casa de la ciudad solo hacía unos días, aquel suave roce de sus labios calientes. No, el de ese momento era un beso de dulce deseo, contenido e intenso, y el repentino gusto que le dejó fue tan poderoso que la invadieron los recuerdos del primer e íntimo encuentro de ambos cinco años antes, de lo que él le había hecho entonces, tanto física como emocionalmente. Y con tanta pasión.

Temblando, Natalie subió la mano y empujó débilmente los hombros de Jonathan en un deseo desesperado por soltarse, porque sabía que no tardaría mucho en sucumbir. Y estaba en lo cierto. Ya no fue capaz de pensar con claridad cuando la abrazó firmemente contra él, acariciándole la espalda con una mano y la mejilla con la otra, interpretando la música perfecta de la belleza contra su boca.

Poco a poco Natalie se fue apoyando en él, dejando que las yemas de los dedos subieran por la camisa de Jonathan, disfrutando con el tacto de la piel caliente bajo el lino frío, de la dura e impecable masa de músculos contra las palmas de sus manos. Cerró los ojos con fuerza, expulsando de su mente todo excepto el poderoso abrazo de Jonathan, separando los labios un poco ante la insistencia de este. Le costaba respirar, el corazón le latía con fuerza en el pecho, la sangre le corría violentamente por las venas resonando en sus oídos, mientras se esforzaba en conseguir más de él, mientras se aferraba a su cuello y entrelazaba los dedos en el sedoso pelo de su nuca.

Jonathan explotó con un fuego interior casi incontrolable al sentir que ella se relajaba y se amoldaba a su cuerpo, tan rápida y ansiosa en su respuesta. Lo cierto es que había esperado que se pusiera tensa a causa de la indignación, incluso que lo abofetease, la reacción habitual de cualquiera con su educación. Pero él debería haberlo sabido. El deseo mutuo era abrumador, indescriptible, y había estado allí desde el mismo instante en que se juntaron por primera vez en la pista de baile, hacía años.

Pero no fue la pasión lo que tanto le sorprendió. Fue el darse cuenta de que nunca jamás en su vida se había sentido atraído con tanta fuerza por una mujer; por su suavidad, su sonrisa y sus ojos, por sus curvas delicadas, su olor a jabón, a flores y a mujer. Y aquel beso aparentemente inocente sobre la cubierta del *Redding*, bajo un cielo de estrellas titilantes y un tenue claro de luna, era el principio de algo que temía reconocer. Había confiado en que un beso pusiera fin a su necesidad, pero no fue así, ni lo sería, y se encontró en un apuro.

Pasó la punta de la lengua por los labios separados de Natalie y le masajeó la nuca con los dedos de la mano derecha, mientras abría la izquierda sobre la parte inferior de su espalda, sujetándola con firmeza contra su cuerpo rígido. Ella gimió suavemente entre sus brazos, e impaciente como estaba Jonathan por intensificar la magia, por tocarla con más plenitud, más posesivamente, en alguna parte de su fuero interno se le hizo dolorosamente patente que debía detener el encuentro antes de que llegara demasiado lejos. Ese no era el momento ni el lugar para aquello, y Natalie nunca daría por finalizado el beso por sí misma. Jonathan lo sabía.

Con una dificultad desmesurada, la respiración agitada mientras intentaba aclararse la mente liberándola del apremio que la dominaba, Jonathan hizo lo que no había hecho en su vida: ser el primero en sofocar la pasión.

—Natalie… —le susurró junto a la boca, arrastrando las manos para colocarle las palmas en las mejillas.

Ella no le oyó, no respondió de inmediato, y, muy a pesar suyo, Jonathan apartó los labios de los de ella.

—Natalie —repitió con voz áspera, levantando y apartando la cara. Ante de dejar caer la frente y apoyarla en la de Natalie, le depositó uno o dos besos allí, ahuecándole las manos en las mejillas con firmeza, sujetándola para impedir que saliera corriendo, respirando hondo para dominar sus nervios inflamados.

No quería decir nada hasta que ella se tranquilizara, hasta que su respiración se acompasara y recuperara el control. Probablemente estaría avergonzada, y Jonathan no estaba muy seguro de cómo manejar aquello, de cómo explicar sus actos e impedir que ella se sintiera rechazada.

Natalie se puso a temblar de repente. Retiró los brazos del cuello de Jonathan y le empujó el pecho.

—Natalie…

—Deje de pronunciar mi nombre de esa manera —susurró ella.

Jonathan frunció el ceño. ¿De qué manera?

La soltó poco a poco, esperando, y ella se apartó, abrazándose, la cabeza gacha, de manera que la luna se reflejó en su pelo, arrancándole unos reflejos relucientes. Incluso en la oscuridad, Jonathan pudo sentir la tensión que emanaba del cuerpo de Natalie. No tenía ni idea de si estaba enfadada con él por empezar el beso o consigo misma por mostrar un deseo tan temerario.

Natalie hizo una larga y temblorosa inspiración.

—No vuelva a confundirme de esa manera nunca más —le advirtió en un murmullo colérico.

¿Qué diablos significaba eso? Solo una mujer podía decir cosas que lo dejaran tan perplejo.

—¿Confundirla?

—Estoy prometida a otro —le explicó como si Jonathan fuera idiota, destilando furia por todos los poros de la piel.

La aclaración empapó a Jonathan de placer. Ya lo entendía, y envuelto en la penumbra se permitió una amplia sonrisa de satisfacción. Que ella manifestara su confusión era algo totalmente distinto a que expresara repulsión o miedo o a que lo abofeteara.

Él levantó el dedo para acariciarle el mentón.

—No está prometida a nadie —le corrigió en un ronco susurro.

Natalie levantó la cabeza con una sacudida y lo miró de hito en hito con ojos furiosos.

—Buenas noches, Jonathan.

Se recogió las faldas con dignidad y se alejó pasando por su lado.

Jonathan le dio casi veinte minutos para que se serenase y se preparara para acostarse. Entonces, asaltándole una especie de sentimiento de culpa por lo que se avecinaba, llamó con los nudillos a la puerta del camarote dos veces y la abrió sin esperar respuesta.

Pero ella no estaba en la cama ni haciendo nada de lo que las mujeres hacen antes de acostarse. Estaba sentada en el borde de la cama, absorta en sus pensamientos y totalmente vestida, aunque ya tenía la capa desabrochada.

Natalie se volvió al oírlo entrar y se lo quedó mirando con aire ausente al principio, y luego con lo que él solo pudo describir como creciente terror.

—¿Cómo ha hecho para…?

—Tengo una llave, ¿recuerda? —respondió Jonathan antes de que ella pudiera terminar.

Cerró la puerta y le echó el pestillo, encerrando a los dos en la intimidad del pequeño y atestado camarote, lleno ya de la presencia de Natalie, de sus pertenencias íntimas, del seductor aroma a lavanda y lilas de las cremas, polvos y perfumes. Después de solo unas cuantas horas juntos, Jonathan había llegado a la incómoda conclusión de que tenía por delante la misión más difícil que jamás había aceptado en su vida; y no consistía en robarles las preciadas esmeraldas a los peligrosos legitimistas franceses, sino en mantener intacta la virginidad de Natalie Haislett.

La oyó levantarse detrás de él mientras se desabrochaba los dos botones superiores de la camisa.

—Yo… yo suponía que usted dormiría en el camarote contiguo, Jonathan —tartamudeó en voz baja y temblorosa.

Se volvió hacia ella, y a punto estuvo de hincarse de rodillas ante la intensa súplica que había en los ojos de Natalie con la esperanza de que él se acabara marchando; por la turgencia de su pecho voluptuoso cuando la capa abierta puso al descubierto el vestido extremadamente entallado que se adhería a su figura; por el largo y abundante pelo, ya libre de pinzas, que le caía en cascada por delante en una lujuriosa oleada de suavidad.

Tan inocente y tan intocable.

Suspiró y confesó lo inevitable.

—Dormiré a su izquierda, Natalie.

—Oh. —El alivio que afloró a su rostro fue inconmensurable—. Entonces, ¿por qué está aquí?

Jonathan se puso las manos en las caderas, en absoluto seguro de cuánto disfrutaría con esa explicación, pero listo para darla. Sin rodeos, con el rostro inexpresivo, insistió:

—No me refería al camarote de nuestra izquierda. Me refería a la izquierda de su cama.

Lo primero que pensó Natalie fue que lo que estaba diciendo Jonathan carecía por completo de sentido. Entonces, la claridad de la imagen la impactó, y por primera vez en su vida, que ella pudiera recordar, estuvo a punto de sucumbir a un ataque de histeria. Sus ojos se abrieron hasta convertirse en unos enormes platos de incredulidad y asombro. No era posible que él estuviera hablando en serio.

—No puede dormir… —Natalie tragó saliva, incapaz siquiera de decirlo. Él observaba su reacción atentamente, mientras permanecía parado delante de la puerta, ocultándosela a la vista con su cuerpo grande e imponente, esperando para encajar el golpe.

Hablaba en serio. Y, sin embargo, no decía ni una palabra.

El pánico hizo que el pulso de Natalie se desbocara.

—No puede quedarse aquí, Jonathan.

—Tengo que quedarme aquí, Natalie —insistió sin alterarse y con gran parsimonia.

Transcurrieron unos segundos de silencio sepulcral antes de que Natalie consiguiera tener la voz suficiente para susurrar:

—¿Por qué?

Jonathan alargó la mano hacia la lámpara atornillada a la mesita de noche que había a su derecha, y subió la intensidad de la llama. Luego, se apoyó de espaldas contra la puerta, cruzando los brazos a la altura del pecho.

—Por dos razones, en realidad —contestó con aire pensativo—. La primera es que usted se ha puesto bajo mi cuidado, mi protección…

—¿Protección? —le interrumpió asombrada, con la preocupación creciendo en su ánimo por momentos—. ¿Va a protegerme después de abordarme solo unas horas después de haber zarpado?

—No la abordé, Natalie; la besé —reivindicó con cierto enfado—. Hay una enorme diferencia.

Ella lo miró con irritación.

—¿Y quién me va a proteger ahora de usted, señor?

—La segunda razón —prosiguió él, ignorando la pregunta— es que mi reputación también importa. Tengo un asunto importante que resolver en Francia que me obligará a alternar con la élite. Si quiere ir conmigo, deber estar dispuesta a hacerse pasar por mi esposa. Nadie puede empezar a sospechar siquiera que viajo con mi querida, y esa es la única conclusión que sacará la gente, si saben que la traje conmigo.

—Podríamos hacernos pasar… por primos —le espetó al borde de la desesperación, completamente consternada por la desvergüenza de Jonathan.

Él negó con la cabeza.

—No resultaría, y usted lo sabe. No nos parecemos nada, y a todo el mundo se le hará evidente la atracción que hay entre nosotros. Mejor obrar en consecuencia que intentar ocultarlo. —Y con una sonrisita de suficiencia añadió—: Es un reto, un papel que hemos de interpretar, y debemos empezar a interpretarlo ahora.

Se quedó boquiabierta al oírle, y le pareció del todo increíble que él hablara sobre ellos como si fueran amantes, que quisiera que se hicieran pasar por tales ante los extranjeros. ¡Era tan práctico, tan descaradamente taimado…! Lo había planeado todo desde el principio, lo había sabido todo el tiempo, y había permitido que se enterase de sus intenciones cuando ella ya no podía hacer nada y, menos que nada, salir corriendo. ¿Adónde iba a ir en un barco en plena noche? Su única opción parecía ser la cubierta.

—¿Por qué ha esperado hasta ahora para contarme que teníamos que compartir una…? —Hizo un rápido gesto con la muñeca—. Una…

Él se inclinó hacia ella.

—¿Una cama?

Jonathan se llevó la mano a la cara y se frotó el mentón con la palma.

—No quería que cambiara de idea y se bajara del barco —admitió prosaicamente.

—Usted… —Natalie balbució al oír la franqueza de la respuesta, ruborizándose muy ligeramente, cruzó los brazos delante de ella en actitud defensiva y se pasó las yemas de los dedos por el encaje de la manga—. Usted…

—Yo la necesito, Natalie —dijo, terminando la frase por ella una vez más. Tras un instante de titubeo, corrigió—: Necesito que se haga pasar por mi esposa.

—Planeó todo esto —le acusó ella con vehemencia.

Jonathan negó lentamente con la cabeza y entrecerró los ojos con malicia, dos seductoras cuchilladas azul grisáceo.

—Creo que fue usted quien entró en mi casa hace seis días en busca de ayuda. Yo solo me he aprovechado de la situación.

¡Oh, aquel hombre era un demonio! Pues bien, si quería jugar sucio, por ella perfecto. Podía interpretar cualquier papel a la perfección. ¡Pobre de él! Tal vez no supiera que ella era una de las mejores.

—¿Y qué hay del Caballero Negro? —preguntó Natalie con suspicacia—. ¿Sigue pensando en presentarnos?

Él se encogió de hombros.

—Eso pretendo, aunque todo se hará según mis condiciones y cuando a mí me convenga, tal y como acordamos antes de salir de Inglaterra.

Se miraron fijamente a los ojos, Jonathan con una expresión decididamente ausente e ilegible, Natalie sopesando el desafío, calculando los resultados posibles de las decisiones ya adoptadas, decisiones tomadas sin pensar en lo que depararía la relación que había entre ellos.

Entonces, por fin, con una sonrisita astuta que le curvó ligeramente los labios, Natalie se volvió con decisión y se quitó la capa, arrojándola sobre el biombo de seda.

—Puede quedarse, Jonathan, pero ni un beso más.

—Los maridos y las esposas se besan —replicó él sin gracia—. Me temo que tal vez tengamos que hacerlo de vez en cuando.

Natalie sabía que él volvería a la carga con eso. Pero no tenía ni idea de con quién se la estaba jugando.

—Los maridos y las esposas rara vez se besan en público. Y puesto que no lo vamos a hacer en privado, no veo ninguna razón para hacerlo en absoluto.

Natalie volvió a plantarle cara con aire desafiante, en una actitud elegante, los brazos en los costados, plenamente consciente de que Jonathan también tendría que resignarse a aceptar algunas de las condiciones de ella, si es que iban a meterse en aquella tonta representación urdida por él.

—También debe darme su palabra de que no actuará sino como un caballero, si llegamos a encontrarnos en una situación de intimidad —insistió ella con fortaleza.

Jonathan parpadeó, dando la sensación momentánea de que le hubiera sorprendido con tal afirmación, como si no pudiera creerse lo que ella acababa de decir. Natalie lo vio esforzarse en rechazar un pronto de arrogancia juguetona, o tal vez solo fueran las ganas de reírse. Pero en ese momento la expresión de Jonathan se ensombreció y adoptó un aire de profunda reflexión.

Volvió a apoyar la espalda en la puerta, observándola, con los ojos recorriéndole cada rasgo de la cara, el cuello y los senos. Y con prudencia y frunciendo el ceño, dijo:

—Por lo que a usted respecta, Natalie, he sido concienzudamente caballeroso desde la noche en que nos conocimos, hace algunos años. —Esperó—. ¿La recuerda como la recuerdo yo?

Natalie se quedó inmóvil de pies a cabeza, y el color le abandonó el rostro. En pocos segundos la atmósfera se tornó pesada y el aire se espesó, vibrante con la intensidad del momento, mientras él seguía contemplándola de manera provocativa desde el otro lado del pequeño y repentinamente sofocante camarote. De manera instintiva, ella se agarró los codos con las manos, sintiéndose expuesta sin remisión, pero incapaz de desviar la mirada.

Jonathan esbozó una sonrisa cómplice.

—La noche que inocentemente me pidió que me reuniera con usted en un jardín a la luz de la luna para hablar de sueños, y que yo erróneamente tomé por una invitación para besarla, lo que hice hasta que se quedó sin resuello. —Bajó la voz hasta convertirla en un áspero susurro, mirándola a los ojos con una mirada ardiente—. Me gusta besarla, Natalie. Mucho. Estuvo bien entonces, y es aún mejor ahora.

Natalie se agarró las mangas con manos temblorosas, respirando hondo para evitar tambalearse ante la intimidad, ante la manera grave y significativa con que aquellas palabras fluyeron de la boca de Drake. Le estaba dando una oportunidad, deseoso de que ella hablara de aquella noche. Pero Natalie no podía. No, en ese momento. Probablemente, nunca.

—Entonces no puedo hacer otra cosa que confiar en usted —murmuró Natalie con la boca seca, sosteniéndole todavía la mirada.

Después de un largo y pertinaz silencio, la cara de Jonathan se relajó.

—Bueno, supongo que es un principio.

Natalie se dio cuenta de que se había sentido molesto por su reacción, o quizá tan solo confundido porque ella no deseara hablar de lo que había ocurrido entre ellos hacía todos esos años. Pero el tema era demasiado familiar, demasiado humillante, y Natalie tenía que escapar de ello.

Con una honda inspiración para recobrar fuerzas y pasándose los dedos por su mata de pelo, ella intentó recuperar el humor.

—Tendrá que dormir en la silla, Jonathan. La cama es pequeña, y yo también prefiero el lado izquierdo.

La luz de la mesilla parpadeó, agitando las sombras en las paredes oscuras. Jonathan todavía no había apartado su mirada de la cara de Natalie, lo cual la estaba poniendo harto nerviosa. Empezó a moverse, como si se preparara para acercarse a ella, y entonces cambió manifiestamente de idea, mientras sus labios dibujaban una sonrisa desganada.

Con absoluta tranquilidad, levantó una mano y reanudó la tarea de desabrocharse la camisa, apartando por fin la mirada cuando dio dos pasos hacia la cama, se arrodilló junto a ella y sacó de debajo de esta lo que parecía ser su baúl.

—Voy a dormir en esta cama, Natalie —proclamó con decisión—. Y si prefiere el lado izquierdo, y yo prefiero el lado izquierdo, no tendré más remedio que dormir encima de usted, lo cual, añadiría, será difícil no estando permitido ningún beso en absoluto.

Natalie se ruborizó, furiosa, incapaz de imaginarle encima de ella por ninguna razón. Molesta consigo misma por la reacción que sin duda él advirtió, se dio la vuelta y se ocultó detrás del biombo.

—En ese caso seré yo quien duerma en la silla.

Debía de ser bien pasada la medianoche cuando Jonathan sintió que Natalie se metía cuidadosamente en la cama junto a él. Había supuesto que eso acabaría por pasar; hacía demasiado frío en el camarote.

No se movió por miedo a que Natalie volviera a marcharse de la cama. A él le gustaba dormir desnudo, pero, dadas todas las demás cosas que le había impuesto a Natalie, no podía ir tan lejos. Así que, allí tumbado, vestido solo con los pantalones incómodamente ceñidos, no había habido manera de que pudiera realmente dormir. Y por lo que pudo deducir, tampoco Natalie, que se había pasado casi dos horas intentando ponerse cómoda, antes de que, asumiendo finalmente su derrota, se metiera entre las sábanas.

Natalie se encogió detrás de él, temblando, cubriéndose la barbilla, los dedos y los tobillos con un camisón largo de austero algodón blanco, intentando robarle la manta a Jonathan y, sin duda, robándole su calor. Este casi se estremeció cuando sintió sus pies, unos gélidos bloques de hielo a esas alturas, cuando ella se los metió entre las piernas. Pero, cuando por fin empezaba a deslizarse hacia el sueño, se vio obligado a sonreír ante el gesto de comodidad de Natalie, extrañamente confiado y dulce.

4

Madeleine DuMais nació hermosa. No en el sentido clásico, ciertamente, porque a todas luces sus rasgos no eran refinados, aunque sí exóticos. Poseía una excelencia en el porte insólita en las clases bajas, e incluso en la clase media, pero quizá eso se debiera a que, en lo social, estaba entre una clase y la siguiente, si es que eso era posible. Su educación era desigual y ella lo sabía; y le sacaba partido.

De pie ante el espejo de su habitación, mientras un rutilante sol matutino se filtraba a través de las cortinas de cretona, aplicó un último toque de color a sus mejillas y labios, se puso un poco de kohl en los párpados y se arregló el pelo castaño apartándoselo de la amplia frente.

Sabía que, de los pies a la cabeza, resultaba excepcionalmente atractiva a la vista. En efecto, con frecuencia resultaba divertido ver cómo los hombres se deshacían en su presencia, pero, por extraño que pareciera, no le preocupaba demasiado lo relacionado con sus cualidades físicas. Estaba orgullosa de ellas, y le habían prestado un buen servicio a lo largo de los años.

Sonrió con satisfacción y deslizó las palmas de las manos por su vestido de mañana, de seda amarillo limón, sin otro adorno que algún detalle de encaje blanco, ceñido a la cintura y con una tupida cascada sobre el emballenado para que rozara de manera adecuada el suelo al caminar. Se sentía orgullosa de sus curvas, de su pecho considerable, y de una cintura que no mostraba ninguna señal de haber dado a luz, y que esperaba siguiera así en el futuro. También quería que Jonathan Drake se fijase en ella, porque él llegaría a su casa al cabo de diez minutos justos para la reunión que tenían concertada. Y sería puntual. Los ingleses siempre lo eran cuando se trataba de la seguridad nacional de su país.

Complacida con su aspecto, se dio la vuelta y salió del dormitorio, bajó la escalera con garbo y entró en el salón donde esperaría la llegada del inglés. La cálida atmósfera de la habitación siempre la animaba, decorado como estaba con valiosos muebles de caoba generosamente acolchados y cubiertos de satén color vino. Las cortinas del mismo color estaban totalmente retiradas, para que toda la pieza quedara inundada por el sol, que se reflejaba con un vago resplandor sobre el delicado papel floreado de la pared. Marie-Camille, la única doncella de Madeleine, había dejado el servicio de café para dos encima de la pequeña mesa redonda situada entre dos sillones, delante de la chimenea, a la sazón apagada, y el café sería servido, recién hecho, cuando él llegara. Madeleine tomó asiento en el sillón más próximo a la puerta y esperó.

De su madre francesa, una mujer de teatro, aunque en el mejor de los casos de discreto talento, Madeleine había heredado su excepcional belleza, su figura exquisita, la cara ovalada y los gélidos ojos azules. Pero de su padre, un capitán de la Marina Británica, había adquirido todo lo demás: la inteligencia, el sentido común, el humor y la pasión por la integridad. Él había querido casarse con su madre, mas, ¡ay!, Eleanora Bilodeau, egocéntrica y vulgar donde las hubiera, lo había rechazado, abandonándolo con el corazón roto; y no especialmente interesada en su vástago, arrastró a la hermosa niña de ciudad en ciudad, de un apestoso teatro lleno de humo a otro, y no porque se sintiera en la obligación de hacerlo, sino porque Madeleine le servía de esclava.

Durante casi doce años Madeleine suplicó que se le permitiera marcharse a Inglaterra para quedarse con la muy estable familia de su padre, pero su madre le había negado aquel sueño con creciente desprecio. Madeleine solo había visto a su padre cuatro o cinco veces en su vida, pero aquellos instantes maravillosos la habían hecho rebosar de alegría. El hombre había querido de verdad a su hija ilegítima. Entonces, en el verano de 1833, Madeleine encontró, escondida en un cajón lateral del ropero de su madre, una nota de su familia inglesa en la que les informaba a ambas, en un tono muy solemne, de que el padre de Madeleine había muerto de cólera el año anterior, mientras estaba destinado en algún lugar de las Indias occidentales. Y fue aquel mismo aciago día, mientras su madre se exhibía en un escenario de Colonia, medio vestida y sin un ápice de dignidad, que la devoción de Madeleine hacia su país murió. Solo ante sus ojos, que era lo que importaba, dejó de ser francesa para siempre.

Cuando cumplió los dieciséis años consiguió su primer empleo como corista de un abarrotado y caluroso teatro de variedades, donde los hombres civilizados de la mañana se convertían por la noche en animales borrachos, sudorosos y lascivos que proferían comentarios groseros mientras lanzabas monedas al escenario con la esperanza de intercambiar favores. Ese fue el único ingreso que ella pudo conseguir utilizando sus encantos naturales, pero ni una vez en cuatro años de bailarina se permitió vender sus favores sexuales. Por encima de todo lo demás, había conservado intacto el respeto por sí misma, tal y como siempre había hecho, y su padre había esperado que hiciera, negándose a caer en la desgracia personal, como su madre.

A los veinte años, con bastante dinero ahorrado y una satisfacción que no había sentido antes ni sentiría después, Madeleine comunicó con mucha tranquilidad sus planes de abandonar su anterior existencia como sirvienta de su ya gorda y opiómana madre, y le dio la espalda a Francia para siempre. Al principio, la actriz se asustó, y luego montó en cólera, gritando obscenidades a su hija mientras esta la abandonaba para siempre con los hombros erguidos y la barbilla alta. Eso había ocurrido hacía ocho años, y Madeleine no la había vuelto a ver ni a preocuparse siquiera de si la mujer seguía viva.

Primero se fue a Inglaterra, donde se presentó a su refinada familia de clase media, que la aceptó incondicionalmente, aunque con cierta callada reserva, pero ella no había esperado nada más; después de todo, era medio francesa e hija ilegítima de una actriz. Sin embargo, la habían tratado con un respeto que no había conocido jamás y que a ella le encantaba, aunque por esa época supo que jamás llevaría la vida de una dama inglesa. Con el tiempo, había aprendido el idioma de su familia bastante bien, pero jamás pudo perder del todo su marcado acento francés. Jamás podría ser uno de ellos. Aquel sueño había muerto con la madurez. Pero con esta llegó el íntimo descubrimiento de que quizá podía ofrecer algo bastante más valioso a la sociedad británica, a su herencia británica. Sus habilidades podían ser utilizadas para ayudar a la gente que quería y perjudicar a aquella otra que había llegado a odiar.

En consecuencia, a los veintiún años, entró tan campante en el Ministerio de Interior británico y se presentó tal cual era. Quería convertirse en confidente. Naturalmente, como recordaba a esas alturas con humor, los funcionarios responsables la habían echado del edificio entre carcajadas. «¡Por Dios bendito! Pero si es usted francesa… ¡y mujer!», le habían soltado al unísono, escandalizados. Pero no se desanimó. ¿Es que podía haber un disfraz mejor?

Más decidida que nunca, y después de intentar captar la atención de las autoridades otras dos veces y de no obtener más respuesta que algún cumplido en el mejor de los casos, Madeleine cambió de enfoque. Recogió sus escasas pertenencias y volvió a París, donde se infiltró por su cuenta en los círculos del gobierno, utilizando para ello su inteligencia, su belleza y sus cada vez mejores dotes interpretativas; bastante mejores, se dio cuenta, que las de la mujer que la había parido. Después de todo, había vivido sus primeros veinte años con una compañía teatral, y había sido una buena discípula.

Varias veces durante los siguientes tres años, Madeleine

descubrió secretos que envió, a su vez, a sir Riley Liddle a Gran Bretaña; nada ruinoso, ni siquiera escandaloso, solo pequeñas cosas para ayudar a la causa británica en Europa. Y siempre que lo hacía, empezaba aquellos retazos de información con la frase: «Un afectuoso saludo de la francesa». Nunca recibió contestación alguna, pero supo que sus descubrimientos detectivescos eran tenidos en cuenta, porque la información que pasaba empezaba a usarse, incluso de maneras sutiles. Aquello le proporcionó la satisfacción que necesitaba durante un tiempo, hasta que ellos se fueron acostumbrando a que Madeleine hiciera lo que hacían los hombres ingleses por norma, y ella sabía que ellos lo sabrían a tiempo.

Al final, después de establecerse en el seno de la élite francesa, de abrirse camino en la alta sociedad con encanto y sagacidad, se le había dado la inestimable oportunidad de ganarse el respeto de sus superiores británicos. En julio de 1843 se enteró por casualidad de que dos prisioneros políticos franceses muy prominentes iban a ser trasladados, sin demora y directamente, del tribunal a la lúgubre prisión de Newgate, y que había un plan en marcha para liberarlos en el trayecto, mediante la fuerza si fuera menester.

En efecto, el día de aquel traslado, y gracias a la despierta inteligencia de la francesa, se abortó una pequeña revuelta cuando un pequeño grupo de interesados y atónitos franceses fuertemente armados fueron hechos prisioneros sin ningún incidente. Cuando Madeleine se enteró de la noticia de la victoria, supo que estaba dentro.

Cuatro días después, el 2 de agosto de 1843, Madeleine Bilodeau, antigua corista e hija de una actriz (que muchos pensaban era aún peor), se convirtió en espía del gobierno británico. Se pusieron en contacto con ella de manera bastante informal durante un paseo matutino por la avenida De Friedland, en las cercanías de su casa de París, y al cabo de veinticuatro horas había sido enviada a toda prisa a Marsella, con todas sus posesiones mundanas a la zaga, para convertirse en Madeleine DuMais, la acaudalada viuda del mítico Georges DuMais, comerciante en tés de renombre mundial desaparecido en el mar. La instalaron en el impresionante puerto meridional, en una preciosa vivienda urbana, para que pudiera estar al servicio de la Corona en los temas relacionados con la amenaza siempre creciente del contrabando. Durante los últimos cuatro años se había ganado la veneración de la alta sociedad y había sido aceptada en todos los círculos sociales ni más ni menos que por lo que aparentaba ser, siendo de gran utilidad a su país de adopción, donde aquellos que importaban vinculaban su nombre a una especie de honor sofisticado.

Madeleine se enderezó y se alisó la falda. El sordo rumor de la voz de un hombre procedente del vestíbulo hizo que su mente dejara de vagar por el pasado, mientras miraba el reloj de la repisa de la chimenea. Jonathan Drake había llegado, tres minutos después de las diez, y ella estaba preparada para recibirlo.

El inglés entró cuando Marie-Camille abrió la puerta del salón, y una vez más Madeleine se sintió sobrecogida por su aspecto. Solo lo había visto una vez antes, haría cosa de un año, en una ceremonia de gala cerca de Cannes, y en el momento de ser presentados, ella se descubrió soltando una risita tonta motivada por la burda y comedida descripción que sus superiores le habían hecho de Drake. Lo habían descrito como «un tipo de lo más normal, gallardo en el mejor de los casos; de pelo negro y todo eso».

Pero Jonathan Drake era hermoso, si es que una podía utilizar esa palabra para describir a un hombre. No en el sentido de la elegancia, en realidad, aunque vestía de manera impecable. Mas con un estilo tosco y descaradamente masculino.

Hasta que sonrió como lo hizo en ese instante. Entonces, «hermoso» era lo más apropiado.

—Madame DuMais. —Jonathan fue el primero en hablar, al tiempo que cogía la mano extendida a Madeleine y se llevaba el dorso a los labios—. Nos encontramos de nuevo. Tiene un aspecto encantador. Es usted como la brisa de la mañana.

Madeleine sintió que se ruborizaba, algo que casi nunca le ocurría delante de los demás. Pero él se había tomado su tiempo para observar sutilmente su figura, que era exactamente lo que la francesa había esperado que hiciera cuando se había tomado su tiempo para acicalarse. ¿Y cómo podía no fijarse? Era un hombre después de todo, y eso es lo que había esperado ella. La reputación de Jonathan lo precedía.

—Monsieur Drake. Es un placer. Por favor, tome asiento. —Madeleine señaló el sillón que tenía enfrente, se volvió hacia Marie-Camille, que esperaba pacientemente junto a la puerta, y le ordenó que trajera el café de inmediato.

Volvió a centrar su atención en Drake, que ya estaba sentado cómodamente enfrente de ella. Parecía encontrarse a sus anchas vestido con un terno de mañana gris paloma que acentuaba el color de sus llamativos ojos. La camisa blanca y el fular gris claro eran de la mejor seda, y su pelo negro como la noche se había despeinado un poco al quitarse el sombrero, que sin duda había dejado en el perchero de la puerta principal. Jonathan se pasó los dedos por las puntas para peinarlas hacia atrás, y Madeleine no pudo por menos que clavar la mirada en el movimiento mientras hablaba.

—¿Puedo suponer que su viaje transcurrió sin incidentes? —preguntó, con más cortesía que curiosidad.

Jonathan dejó caer los brazos con rapidez y movió su corpachón en el sillón, cruzando las manos en el regazo.

—Aquí estoy de una pieza.

Madeleine arqueó las cejas fugazmente, pero puesto que Jonathan no dijo nada más, se limitó a añadir:

—Pero sin duda, no se le notan los efectos de una noche en vela.

Jonathan volvió a asentir con la cabeza ante el comentario, mirando a la mujer con franqueza, mientras Marie-Camille regresaba trayendo una cafetera china con incrustaciones de oro y marfil encima de una bandeja de plata. Dado que el juego de café ya había sido dispuesto con anterioridad, la doncella no tuvo más que servir un par de tazas hasta el borde, dejar la cafetera en la mesa y marcharse de nuevo con discreción, cerrando la puerta tras ella.

Madeleine se sirvió leche caliente y azúcar; él se llevó la taza a los labios.

—¿Y cómo va todo por casa? —preguntó ella con aire despreocupado, removiendo el café con gesto remilgado.

Él se encogió de hombros y le dio un sorbo al café.

—Bien, supongo. Excepto por el asunto que me trae al sur de Francia en pleno verano.

Madeleine apartó la mirada y bajó las pestañas para observar el líquido marrón que le teñía las yemas de los dedos, golpeando ligeramente la cucharilla sobre el lateral de la taza, un tanto consternada porque él pasara con tanta rapidez al objeto de su reunión.

—Supongo que querrá que le dé ya los detalles —afirmó en voz baja.

—Como guste, señora —respondió él con cordialidad.

Madeleine volvió a levantar la vista para mirarle a los ojos y le dio un sorbo al café. Jonathan la observaba con atención, y esa fue la oportunidad de Madeleine para cambiar de tema.

Con mucha delicadeza, señal de sus muchos talentos, insinuó:

—Tengo la esperanza, monsieur Drake, de que durante su estancia en Francia lleguemos a ser algo más que meros conocidos... —Colocó la taza y el platillo sobre la mesa—. Así que nada me complacería más si me llamara Madeleine.

Ella era perfectamente consciente de que Jonathan podría sentirse confundido ante semejante invitación, y de hecho eso era lo que parecía haber ocurrido. Él parpadeó rápidamente dos o tres veces, sonrió de un modo absolutamente encantador, mientras dejaba también la taza y el plato sobre la mesa, y se recostó con total indiferencia para observarla.

—Me siento muy honrado, Madeleine —admitió de manera elocuente—. Y usted debería llamarme Jonathan. Vamos a trabajar juntos, así que supongo que la formalidad podría resultar pesada.

Ella mostró una sonrisa deliciosa, casi segura ya de que él estaba correspondiendo al interés, aunque estaba siendo tan sutil como ella. Era inglés, y en consecuencia un poco más formal que el francés típico. Después de todo, quizá no estuviera perdiendo su tacto y tan solo necesitara ser más directa.

Lenta, insinuantemente, se inclinó hacia él, y los ojos azules de Madeleine chispearon con los pensamientos íntimos.

—Estaré encantada, Jonathan. De hecho, confiaba en que quizá pudiéramos encontrar tiempo para… relajarnos juntos. Cuando el trabajo haya terminado, por supuesto. —Madeleine subió y bajó los dedos sensualmente por el pelo, que se le enroscaba sobre el pecho derecho en una gruesa y brillante trenza—. Estoy segura de que disfrutaría de la compañía de una mujer que conoce… bien la zona y cómo entretener a un hombre todo el tiempo. Estoy igualmente segura de que yo disfrutaría de sus encantos.

Jonathan se la quedó mirando sin ambages durante uno o dos segundos. Luego, con la misma rapidez con que había bajado la vista hasta sus pechos, se movió de nuevo en el sillón, incómodo, y desvió la mirada hacia la ventana.

La verdad es que Madeleine había esperado que él respondiera de inmediato de una manera positiva. Era un hombre al que le gustaban las mujeres, y ella sabía, como lo sabría cualquier mujer astuta, que la encontraba particularmente atractiva. Pero en ese momento, mientras se recostaba de nuevo en el sillón para contemplar la figura silenciosa del inglés, empezó a caer en la cuenta de que, aunque él pudiera haber admirado fugazmente su belleza, sus pensamientos habían estado en otra parte desde el momento en que había entrado en la habitación. Drake parecía… ¿preocupado?

Por fin, Jonathan volvió su atención hacia ella y sonrió con decisión, la mirada atenta mientras juntaba las manos, los codos en los brazos del sillón y las yemas de los dedos en ligero contacto formando un triángulo delante de su rostro meditabundo.

—Mi querida Madeleine —empezó con determinación—,

si hubiera recibido una invitación tan generosa de una mujer tan bella hace solo unas semanas, me habría encontrado aceptando el placer de su encantadora compañía sin reservas. —Carraspeó y bajó la vista para observar la gruesa y elaborada alfombra—. Sin embargo, durante estos últimos días han ocurrido varias cosas que harían que tal aceptación resultara... incómoda.

—¿En serio? —masculló Madeleine, completamente sorprendida y sin saber si debía sentirse abatida o halagada. Jamás en su vida había sido rechazada con tanta elegancia.

Jonathan respiró hondo y levantó la vista para mirarla fijamente a los ojos una vez más.

—No estoy solo en Francia...

Los ojos de Madeleine se abrieron desmesuradamente.

—Oh...

Él volvió a echar un rápido vistazo a la ventana, según parecía con impaciencia, y Madeleine se preguntó fugazmente si la mujer estaría esperando fuera. Y tenía que ser una mujer, decidió. El Caballero Negro siempre trabajaba solo; Jonathan Drake nunca viajaba acompañado. También sabía que ningún hombre en la flor de la vida rechazaría una oferta tan evidente de cariño femenino, si su única complicación fuera que viajara con otro hombre.

Suspirando con resignación, Madeleine alargó la mano hacia su taza y se la llevó a los labios con cuidado.

—Debe de confiar en ella sin reservas.

Por primera vez desde su llegada, Jonathan pareció sobresaltarse por las palabras de Madeleine.

Ella mostró una sonrisa astuta.

—¿Sabe ella quién es usted?

Jonathan titubeó.

—No exactamente.

—Mmm... —Madeleine hizo una pausa para dar otro sorbo al café—. ¿Y la razón de que esté usted aquí?

Él frunció los labios y negó con la cabeza.

—No.

—Entiendo.

Jonathan soltó un ruidoso suspiró y juntó los dedos. Madeleine hizo un gran esfuerzo para evitar reírse.

—Tal vez llegue incluso a conocerla —sugirió con sincero interés.

Él le dedicó una sonrisita de complicidad.

—De eso estoy absolutamente convencido.

Al oír eso Madeleine se rió, volviendo a colocar la taza sobre la mesa.

—Entonces estaré encantada de conocerla.

Ella se levantó con elegancia y cruzó la estancia hasta un pequeño armario de caoba situado al lado de la ventana.

—Supongo que, puesto que ella es la única que mantiene su atención, Jonathan, deberíamos ir al grano.

Abrió la puerta de cristal y sacó varias hojas de papel del interior de una caja de música situada dentro.

—Las joyas se guardan en la caja fuerte del despacho de Henri Lemire, conde de Arlés. —Madeleine se dio la vuelta y volvió hasta él con paso lento pero decidido, estudiando atentamente sus notas—. En su finca de la costa, a unos diecinueve kilómetros al oeste de la ciudad. Tiene cuatro hijos (tres niños y una niña, la mayor) y una esposa ingenua pero encantadora, con la que se casó en segundas nupcias hace tres años y a la que le dobla la edad.

Jonathan alargó la mano hacia la taza de café, vació el contenido de dos tragos y se levantó cuando ella se detuvo a su lado. Contempló la cara de la mujer, el pelo negro reverberando al sol, los ojos brillantes y despiertos, la piel blanca y con un ligero olor a musgo. Madeleine suspiró, consternada. ¡Qué lástima no poder disfrutarlo!

Tras entregarle los documentos, ella siguió con el asunto que se llevaban entre manos.

—Me he informado sobre él y su familia todo lo que he podido durante las últimas semanas. Tiene cuarenta y ocho años, es inteligente y mantiene viejas relaciones, aunque se sabe que ha cometido errores. Es respetado, y en general goza de la simpatía de los de su generación, y quiere a sus hijos, en especial a su hija. Adora a su mujer, aunque prefiere mantenerla en casa mientras él atiende otros asuntos que juzga más importantes, incluida, si es cierto el rumor que corre, alguna amante ocasional. Es un legitimista furibundo, aunque no alardea de ello. Desprecia a Luis Felipe; piensa que el rey es en el fondo un pelele, un hombre incapaz de controlar a la gente. Quiere que Enrique vuelva al trono por razones evidentes, pero no he logrado determinar hasta dónde es capaz de llegar en su empeño ni si está planeando alguna acción inmediata o ninguna.

Dio unos ligeros toques sobre el papel con una uña perfectamente cuidada.

—He incluido un breve informe sobre el conde de Arlés, lo que he podido encontrar de la historia de la familia, así como un plano bastante fidedigno de los jardines y de la casa. He estado dentro dos veces. También encontrará una invitación para un baile en conmemoración del decimoctavo cumpleaños de su hija la semana que viene. No creo que intente vender las esmeraldas antes de entonces. No creo que esté preparado. Y —dijo, bajando la voz— corre el rumor de que la hija pueda lucirlos para la ocasión.

Jonathan levantó la vista hacia ella bruscamente.

—¿En serio?

—Es solo un rumor —volvió a decir—, pero digno de considerar.

—Por supuesto.

Ella lo miró hojear detenidamente la información.

—Su identidad ficticia es relativamente sencilla —prosiguió Madeleine—. Jonathan Drake, un inglés refinado que compra fincas en Francia para acaudalados aristócratas europeos. El conde de Arlés tiene una preciosa casa de veintidós habitaciones en las afueras de París que intenta vender. También encontrará ahí la información a ese respecto.

—¿Necesita dinero? —preguntó Jonathan pensativamente, con el ceño fruncido.

Madeleine se puso a jugar distraídamente con el encaje de su cuello.

—No lo creo. Lo más probable es que su nueva esposa pretenda dedicar su tiempo a holgazanear en la costa mediterránea. Adora esto.

—Mmm. —Jonathan esperó, pensando—. ¿Y cómo conseguí la invitación?

—A través de mí. Nos hemos visto fugazmente una o dos veces en los últimos años. Usted encontró un comprador para la propiedad que mi difunto marido tenía en San Rafael, ¿recuerda?

—¡Ah, sí! —Jonathan dobló los papeles y se los metió en el bolsillo de la levita—. ¿Necesitaría otra invitación, si mi compañera de viaje me acompaña como mi esposa?

Madeleine se quedó ligeramente desconcertada. Cruzó los brazos sobre el pecho y lo miró con recelo.

—No. En realidad puede que fuera mejor si llevara una esposa. —Sacudió la cabeza a medida que fue cayendo en la cuenta del plan de Jonathan—. Si pretende utilizarla sin que sepa quién es usted, ha de ser excepcionalmente atractiva, o simpática, para que usted se arriesgue. Supongo que cuenta con esas bazas como maniobra de distracción, ¿me equivoco?

Jonathan sonrió abiertamente en respuesta.

—¿Es inteligente?

—Lo suficiente para ser un problema.

Madeleine se mordió suavemente el labio inferior.

—Si es tan inteligente, tarde o temprano acabará descubriendo su secreto, Jonathan.

Fue una advertencia hecha con una buena dosis de regocijo.

Riéndose entre dientes, Jonathan se confió:

—Estoy deseando que llegue ese momento con un placer que le resultaría incomprensible. —Le cogió los dedos en la palma de la mano, listo para despedirse—. ¿Estará en la fiesta?

—Sí, por supuesto —respondió ella en voz baja.

—Entonces, podrá darme su parecer cuando la conozca.

—Llevándose la mano de Madeleine a los labios, le besó el dorso sin dejar de mirarla a los ojos—. Ha sido todo un placer, Madeleine.

De nuevo, y por segunda vez en muchos años, ella sintió que le ardían las mejillas.

—Hasta el baile, madame DuMais.

Y diciendo estas palabras, la soltó y se dirigió tranquilamente hacia la puerta. Madeleine lo siguió hasta la entrada, mientras Jonathan se detenía para recoger el sombrero del perchero, y luego salió tras él al porche blanco con celosía, bañado ya por un sol radiante.

Jonathan se detuvo de repente y se volvió hacia ella con expresión pensativa.

—Cuantas invitaciones he recibido esta mañana han sido consideradas concienzudamente —reveló en voz baja—. Y por supuesto, ninguna ha sido tomada a la ligera. Me siento muy halagado. Lo único que lamento es no poder aceptarlas todas.

Madeleine sonrió abiertamente, alargó la mano para cogerle la suya y se la apretó con ternura.

—Secretos de amigos, Jonathan.

Con una sonrisa, Drake saludó con la cabeza una sola vez, luego recorrió el sendero de ladrillo y atravesó la concurrida calle.

5

Natalie estaba sentada en la estrecha habitación del hotel en un desvencijado sillón de deslucido terciopelo color albaricoque, tamborileando con los dedos sobre el brazo del asiento con impaciencia. Habían transcurrido tres horas desde su regreso, un tanto precipitado porque tenía un poquitín de miedo a que él se hubiera dado cuenta de que lo estaba siguiendo, y ella quería parecer indiferente y aburrida, en lugar de curiosa y, sí, aunque se sentía reacia a admitirlo, incluso irritada por lo que había visto. Durante la espera, había alternado las vueltas por la habitación y el sillón, abanicándose para evitar derretirse con aquel calor sofocante, escuchando el tráfico del mediodía más allá de la ventana abierta, sin apartar la mirada ni un instante de la puerta.

Hasta ese momento, su viaje había sido rutinario, aunque no era capaz de encontrar las palabras para describir su primera impresión de Marsella. Encantadora, abigarrada, única... todo la describía. Había estado en Francia tres o cuatro veces en los últimos años, pero nunca en el sur del país, y en muchos aspectos esta ciudad portuaria meridional, con su tranquilo encanto y su extraña mezcla de bulevares bulliciosos y estrechas y solitarias calles escalonadas, era distinto a cualquier otro lugar que ella conociera.

En cuanto llegaron, Jonathan se había dirigido a un pequeño hotel no lejos del puerto, y Natalie lo había seguido obedientemente sin hacer ningún comentario cuando, con desánimo, su mirada se posó en la habitación que les habían asignado, en la confianza de que no permanecerían en ella mucho tiempo. Era una habitación vieja y raída, y el mismo hotel alojaba a la más extraña variedad de gente, aunque sabía que, en parte, su valoración se debía a haber vivido toda su vida resguardada del mundo, excepción hecha de las clases de piano, los viajes a la modista, los eventos y los sermones de su madre.

El tiempo pasado a bordo había transcurrido sin incidentes después del primer día, mientras Jonathan se mostraba ya silencioso y meditabundo, ya hablador y amistoso. Aunque en el fondo había parecido distraído, incluso inquieto, y ella le había complacido encantada en su deseo de mantener el silencio entre ambos. En realidad, le traía sin cuidado el mal humor de Jonathan, pero se vio obligada a reflexionar un poco acerca de cuáles serían las causas posibles de preocupación de un caballero desahogado.

En realidad, tenía que admitir que tampoco le importó dormir con él... si es que era así como había que llamarlo, y suponía que era así como una tendría que llamarlo. De hecho, había encontrado la presencia de Jonathan reconfortante, y su cuerpo extrañamente protector, al despertarse aquella primera mañana y descubrirlo en su posición durmiente, acurrucado contra su espalda, con los brazos rodeándola y atrayéndola hacia él, la cara entre su pelo y la respiración en su nuca. No había intentado besarla, ni siquiera tocarla de manera inadecuada; y puesto que había sido un perfecto caballero, en lugar de apartarse, se acurrucó aún más bajo las mantas y contra él, puesto que, después de todo, la estaba protegiendo —él había dicho que era su deber—, y se suponía que ella tenía que consentir aquella parte de él inconfundiblemente masculina. De todos modos, Jonathan parecía un tanto inmune a sus encantos desde su conversación de la primera noche en el camarote del barco.

Pero en ese momento llevaban en Marsella casi dos días, y era el turno de Natalie de sentirse inquieta. Estaba preparada para más excitación, más aventura. Era verdad que encontraba cierto placer en observar a la gente, pero ya estaba bastante versada en la cultura, costumbres e historia de Francia, y estaba allí con un propósito y tenía unos planes que llevar a cabo. Quería más acción. Por fin, hacía solo unas pocas horas, había conseguido lo que quería.

Después de un ligero desayuno de pastelitos y café (que a ella ya le gustaba más que el té), Jonathan le informó inesperadamente de que tenía que asistir a una cita inminente, la razón, según parecía, de su viaje a Francia. Esa fue la primera vez que Natalie le había oído hablar de sus planes, los que ella suponía explicaban las razones del viaje de Jonathan a aquel puerto del sur. Bien mirado, él había sido un poco taimado en cuanto a sus intenciones. Pero eso no era asunto de ella, se repetía sin cesar Natalie.

No obstante, hubo algo en los oscuros ojos de Jonathan, en la sutil evasiva durante el sencillo desayuno, que despertó la curiosidad de Natalie. Ella no había mencionado al Caballero Negro desde la primera noche que pasaron juntos, aunque estaba segura de que Jonathan sabía que cada vez estaba más ansiosa por encontrarse por fin cara a cara con la leyenda. Ella aceptaba las condiciones de Jonathan, pero tampoco quería malgastar su tiempo en Francia. Con su extraño comportamiento de esa mañana, si es que se le podía llamar extraño, Natalie se vio invadida por la entusiasta creencia de que él tal vez tuviera intención de encontrarse con el ladrón ese día.

Así que, dejando a un lado todo buen juicio, había fingido que le dolía la cabeza, le había comunicado su deseo de quedarse descansando y luego lo había seguido cuando salió del hotel a las nueve y media. Pero Jonathan no se había reunido con el ladrón, sino con una mujer, y una de extraordinaria belleza, además, aunque Natalie solo había alcanzado a ver fugazmente la elegante figura desde el otro lado de la calle, cuando la dama había salido al porche delantero entre un alboroto de faldas, una figura esbelta, llena de gracia y pelo brillante cubierta de seda y encajes.

La reacción inicial de Natalie fue de sorpresa; no se había esperado que se reuniera con una mujer, en casa de esta y en pleno día. ¿Y para qué? Entonces se vio invadida de ideas y sentimientos que no fue capaz de describir con precisión; un intrincado revoltijo de aflicción, enfado y algo a lo que no pudo poner nombre. No era una ignorante rematada. La mujer era su amante, eso era evidente, porque ese hombre las tenía a montones. Lo que tanto la perturbaba era que él sintiera la necesidad de reunirse con una de ellas en ese momento, en ese viaje, cuando en realidad debería tener cosas más importantes en las que ocupar su tiempo.

Natalie suspiró, haciendo tamborilear los dedos aún con más fuerza sobre el desvencijado brazo del sillón, y recostó la cabeza en el respaldo para mirar fijamente la pintura que se desconchaba del techo, sintiéndose increíblemente molesta porque disfrutaba enormemente de la compañía de un hombre con una reputación tan nefasta. Casi sonrió al preguntarse fugazmente si quería estar con él porque le gustaba como persona o porque su madre se quedaría absolutamente consternada por la falta total de juicio de su hija.

El ruido de una llave en la cerradura hizo que se irguiera de inmediato y se pusiera alerta. Jonathan entró, tranquilo y a gusto en su terno entallado sin un pliegue ni arruga en la tela. Natalie tuvo problemas para conservar la lucidez cuando, con demasiada agudeza, cayó en la cuenta de que era natural que su traje no tuviera ninguna arruga, puesto que durante media mañana no lo había llevado puesto.

Después de cerrar la puerta tras él, Jonathan arrojó el sombrero sobre la cama pequeña y estrecha y se volvió por fin hacia ella, mirándola de arriba abajo mientras seguía sentada en la silla, demorando la mirada en todas las curvas que podía detectar bajo la seda color lavanda. En opinión de Natalie, aquel hombre carecía de decencia por completo.

—Veo que se encuentra mejor —observó él con aire cansino.

Natalie se sintió un poco avergonzada, encontrándose

peor de repente. Tenía calor y estaba sudorosa, y unos cuantos rizos sueltos se le pegaban a la cara y al cuello; por fuerza tenía que presentarle un aspecto verdaderamente espantoso.

—Sí, estoy mucho mejor, gracias —respondió con una sonrisa forzada—. Me siento de maravilla. —Agitó el abanico de marfil delante de su cara con una mano, mientras que con la otra se secó la sudorosa mejilla, preguntándose cómo Jonathan podía tener un aspecto tan lozano y sereno con un calor tan sofocante. Tal vez la brisa marina que él acababa de abandonar no pudiera encontrar la manera de entrar en el hotel. Natalie debería haber ido a curiosear en los tenderetes de los vendedores ambulantes, en lugar de encerrarse en la habitación a esperarlo. Sin duda, habría utilizado el tiempo de forma más constructiva.

La expresión de Jonathan adoptó un aire pensativo mientras permanecía de pie delante de la puerta.

—¿Ha hecho algo mientras he estado fuera?

Natalie se mordió el labio para evitar soltar alguna mentira increíble. Si le mintiera, él lo sabría de inmediato.

—Fui a dar un paseo. Hacía mucho calor.

—Mmm…

Natalie desvió la mirada hacia el abanico, con el que empezó a darse golpecitos en el regazo distraídamente.

—¿Y dónde ha estado, Jonathan?

Después de un silencio prolongado, Natalie alzó las pestañas apenas lo suficiente para verlo. Su corazón se aceleró cuando se encontró con la franca mirada de Jonathan.

—Esta mañana he tenido una reunión de trabajo, Natalie.

El engaño hizo que Natalie empezara a echar humo por las orejas.

—Deseo de corazón que le resultara absolutamente provechosa —replicó ella con vehemencia.

Al oír eso, Jonathan empezó a acercarse a ella lentamente, mientras una de las comisuras de su boca se curvaba hacia arriba.

—Me alegra decir que fue muy provechosa. —Se detuvo

delante de ella, con las manos en las caderas debajo de la levita, que ahora llevaba retirada por detrás de los brazos—. ¿Y su paseo?

Natalie parpadeó.

—¿Mi paseo?

—No se haga la remilgada conmigo, querida Natalie.

Se movió inquieta en la silla, apenas capaz ya de mirarlo a la cara, mirando en cambio con hostilidad los botones de marfil de su camisa.

—Fue un paseo encantador, aunque como ya he dicho, hacía demasiado calor.

—Tal vez caminara demasiado deprisa —sugirió él con un tono agradable, alargando la mano hacia el abanico de Natalie, que le arrancó rápidamente de la mano y que luego tiró sobre la cama, situada a su izquierda—. Es difícil caminar despacio cuando uno intenta seguir a alguien.

Sorprendida, Natalie abrió los ojos como platos. Entonces, él la agarró por el brazo desnudo y la hizo levantarse, sujetándola tan cerca de él que casi se tocaron. Le escudriñó el rostro, pero sin ira, casi con un aire divertido.

—¿Por qué me siguió? —preguntó él con evidente extrañeza.

Su respiración rozó la piel acalorada de Natalie mientras le sostenía la mirada, y ella se hartó del juego.

—¿Por qué sintió la necesidad de visitar a su amante a las diez de la mañana, al segundo día de nuestra estancia en la ciudad? Sus impulsos deben de ser incontrolables, Jonathan.

Natalie tuvo problemas para definir la expresión de Jonathan. Al principio pareció quedarse estupefacto por sus palabras, o quizá solo por su osadía. Luego, su boca volvió a torcerse hacia arriba, y bajando la voz, dijo tranquilamente en un susurro:

—Estoy controlando mis impulsos a la perfección, Natalie. —Intensificando la presión sobre su brazo, la atrajo hacia él hasta que el traje de Natalie se frunció entre ellos, y sus senos le rozaron el pecho—. La mujer que vio no es mi amante.

Natalie sonrió con sarcasmo, pero no intentó apartarse.

—No soy idiota, Jonathan.

—Nunca pensé que lo fuera —aceptó él con rapidez—, pero sí ingenua.

El fuego iluminó los ojos de Natalie.

—No soy tan ingenua para no saber lo que pasa entre un hombre y su amante. Y usted parece hacerlo más de lo necesario.

Jonathan tuvo que esforzarse al máximo para no mover un músculo de la cara. Era increíblemente adorable, allí sentada, en aquella diminuta y calurosa habitación de hotel, esperando durante horas a que él volviera, celosa sin darse cuenta siquiera de que lo estaba. Saberse capaz de leer en ella con tanta claridad hizo que las entrañas de Jonathan bulleran de pura satisfacción. Siempre tendría esa ventaja, y ambos lo sabían.

Natalie siguió sosteniéndole la mirada de manera desafiante, con la contrariedad arrugándole la frente, la piel caliente y perlada de sudor a causa del calor y la humedad, con un aspecto ridículamente inadecuado con aquel traje de verano, confeccionado pensando exclusivamente en el clima de Inglaterra. Tenía el mismo atractivo que una seductora con demasiada ropa que, en una sauna, le provocara con una mirada calculadora que dijera: «Desnúdeme, si se atreve». Con toda su inocencia e incapacidad para saber hasta qué punto lo provocaba físicamente, lo había estado volviendo loco de deseo desde que abandonaran Inglaterra, sobre todo en la cama, cuando se acurrucaba contra él con su camisón casi transparente, y él no podía hacer nada sino contenerse.

Los ojos de Jonathan se entrecerraron diabólicamente mientras seguía sujetándola contra él.

—¿Qué es lo que cree que hago más de lo necesario?

Ella jamás habría esperado aquella pregunta, y Jonathan supo que la había confundido cuando observó la sombra de duda en el rostro de Natalie.

Nerviosa, levantó las palmas hacia los brazos de Jonathan para apartarlo.

—Eso es irrelevante, y me niego a hablar de sus problemas… íntimos, cuando no son asunto mío.

Disfrutando plenamente de la situación, Jonathan se negó a soltarla, deseoso de oír los intentos de Natalie de abandonar la desagradable conversación a la que ella había dado comienzo.

—Creo que es relevante —dijo él por fin, con un exagerado suspiro—. Dígame, querida Natalie, ¿sabe todo lo que ocurre íntimamente entre un hombre y una mujer o solo retazos y cosas sueltas?

Ella se retorció, volviendo su atención hacia la puerta para evitar la penetrante mirada de Jonathan.

—No voy a hablar de eso.

—Fue usted quien sacó el tema —replicó él con placer.

Inquieta, Natalie se estrujó la mollera para discurrir una respuesta adecuada, o al menos algún medio de dar por zanjado el tema. Al final, recompuso la expresión y volvió a mirarlo a los ojos.

—Tengo una idea excelente de lo que ocurre íntimamente entre un hombre y una mujer. Ahora, si hace el favor de soltarme, Jonathan, tengo mucha hambre y me encantaría comer algo.

No la habría soltado en ese momento ni por todo el oro del mundo.

—¿Una idea excelente? —dijo él, cuando Natalie no añadió nada más, y prosiguió con el desafío—. ¿Recuerda cuánto tiempo estuve en casa de esa mujer?

Los ojos de Natalie brillaron intensamente.

—Recuerdo que era hermosa, y que no era precisamente el Caballero Negro, la única persona con la que debería haberse reunido hoy. Le pago para que nos presente. Tal vez podría tratar de recordar eso.

El impulso de besarla se convirtió de pronto en algo abrumador.

—Responda a mi pregunta —insistió él, por el contrario.

Ella titubeó, suspiró, y entonces, proclamó:

—Al menos diez minutos.

Él se inclinó para acercarse mucho a ella y susurrar:

—Los encuentros íntimos suelen durar algo más que diez minutos.

Natalie sonrió triunfalmente.

—Pero no, de eso estoy segura, para alguien de su experiencia, Jonathan.

Jonathan soltó una sonora carcajada y la apretó contra él, rodeándole la cintura con los dos brazos, disfrutando de la sensación de aplastar contra su pecho los senos suaves y perfectamente formados de Natalie.

—¿Cuánto tiempo tardaría en quitarse y volverse a poner todas estas capas y capas de ropa?

Natalie lo miró boquiabierta, quedándose muda por una vez.

Saboreando la dulce victoria, Jonathan susurró:

—Le llevaría exactamente todo ese tiempo.

Aclarado el extremo, la soltó.

Indignada, Natalie supo que él había ganado por el momento, porque a ella el tema le resultaba demasiado perturbador y extraño para seguir discutiendo. Lo observó dirigirse hasta la pequeña cómoda de cerezo desportillada y descolorida, abrió el cajón superior y sacó una camisa. Al darse cuenta de que tenía intención de cambiarse, le dio la espalda, pensando con rapidez la manera de pasar a un tema más apropiado de conversación sin que él se percatara de que lo hacía de manera deliberada, así que, cuando finalmente Jonathan lo hizo por ella, se sintió agradecida.

—Nos vamos de aquí —dijo detrás de ella.

Natalie cruzó los brazos a la altura del pecho.

—¿Adónde vamos?

Oyó el crujido de la ropa mientras se lo imaginaba quitándosela, y refrenó el impulso de mirar a hurtadillas. Pese a todos sus defectos, y haciendo caso omiso de su virtuosa educación, consideraba que el pecho desnudo de Jonathan era una de las maravillas de la naturaleza.

—La voy a llevar a algún lugar más agradable y fresco —contestó él—. Ahí es donde he estado estas tres últimas horas, por si se lo estaba preguntando. Buscando un alojamiento donde usted estuviera más cómoda.

En ese momento, Natalie sintió una punzada de culpabilidad. Presa de una creciente timidez, farfulló:

—Espero que no esté pensando en que nos alojemos en casa de la francesa.

Él se rió entre dientes cuando Natalie le oyó sentarse en la cama.

—Su nombre es Madeleine DuMais, y creo que ella le gustará; y no, no nos quedaremos en su casa.

«Le gustará» implicaba que se iban a conocer, y Natalie ya no pudo contener su curiosidad por más tiempo. Apartándose los rizos pegajosos de la mejilla, y con toda la indiferencia de la que fue capaz, preguntó:

—¿He de suponer que la señorita DuMais conoce al Caballero Negro, y que esa fue la razón de su visita?

Al no responderle de inmediato, Natalie se permitió darse la vuelta hacia él para verle ponerse con aire concentrado los zapatos y asimilar su impresionante aspecto, transformado en informal con unos pantalones marrón oscuro y una camisa de seda blanca parecida a la que llevaba el primer día después de zarpar. Sin duda, no llevaba mucha variedad de ropa.

—¿Jonathan? —insistió, cansada de esperar respuestas.

Él la miró de reojo, y la sensación de que estaba enfadado o de que tal vez ocultaba algo renació en Natalie.

Al fin, Jonathan se pasó los dedos de una mano por el pelo, se puso las palmas en las rodillas y se impulsó para levantarse. Con las manos en la cadera, la miró sin ambages.

—La viuda señora DuMais está tratando de concertar una reunión de trabajo entre el conde de Arlés y yo para el final de esta semana.

Natalie parpadeó, sorprendida.

—¿Una reunión de trabajo entre usted y un conde francés?

—Sí.

—Concertada por una joven y encantadora viuda —afirmó más que preguntó Natalie, pronunciando cada palabra con precisión.

Jonathan extendió las palmas de las manos.

—Exacto.

Aquello le pareció tan absolutamente ridículo que Natalie sintió ganas de aplaudir. Conteniendo el impulso, se limitó a levantar la barbilla con complicidad y a tamborilear con los dedos en la manga de su vestido. Y con aire acusador y cierta dosis de sarcasmo, dijo:

—Y supongo, Jonathan, que puesto que su negocio consiste en comprar y vender cosas, su intención es comprarle alguna inestimable antigüedad a ese hombre. —Sus ojos se iluminaron de manera espectacular—. ¡Vaya! Quizá una nueva arma para su pared.

Jonathan la observó uno o dos segundos con cara inexpresiva. Acto seguido, sacudió la cabeza lenta y desapasionadamente con asombro.

—¿Cómo lo ha adivinado?

—¿Que cómo lo...? —Natalie dejó de hablar bruscamente y lo miró boquiabierto con creciente incredulidad—. ¿Está aquí para comprarle un arma al conde de Arlés?

Él levantó las cejas con inocencia.

—Una espada, en realidad.

—Una espada —repitió ella cansinamente, ya con las manos apoyadas a ambos lados de la cintura—. Hace todo este viaje hasta Francia para comprar una espada para su pared.

—Sí, en efecto.

—Del conde de Arlés.

—Sí.

—Y la encantadora señora DuMais lo arregla todo.

Jonathan se encogió de hombros.

—Creo que no hemos dejado ningún cabo suelto.

—Creo que me gustaría ver esa espada suya —exigió Natalie con suspicacia.

Él sonrió irónicamente.

—En cuanto llegue el momento oportuno, Natalie, dejaré que le eche un buen vistazo.

Incluso en ese momento se mostraba arrogante. A Natalie no se le ocurrió nada que decirle, bien le estuviera mintiendo descaradamente, bien tomándole el pelo o poniendo excusas para ocultar su romance con la encantadora señora DuMais. A Natalie se le antojaba incomprensible que cualquier hombre, incluso él, un caballero con demasiado tiempo y dinero en sus manos, viajara al extranjero simplemente para comprar una espada a fin de colgarla en una pared. Pero si Jonathan se estaba inventando una historia increíble, ella jamás se daría cuenta, porque era incapaz de leerle los pensamientos, y eso era lo que en verdad la enfurecía. Él siempre parecía poder adivinar lo que ella estaba pensando.

Jonathan se volvió hacia la cama y alargó la mano para coger la levita.

—Estamos invitados a un baile en su finca el sábado —prosiguió con indiferencia, dirigiéndose hacia el pequeño armario ropero—. Doy por sentado que tiene algún vestido adecuado escondido en alguna parte entre los montones y montones de cosas que trajo.

Era una afirmación, no una pregunta, y Natalie hizo caso omiso. Su incapacidad para viajar con poco equipaje era un tema delicado entre ellos.

—Y antes de que pregunte —continuó él, en ese momento arrodillado delante de su único baúl—, he enviado un mensaje al Caballero Negro.

—¿Y espera hasta ahora para decírmelo? —le espetó ella.

Jonathan no le hizo caso.

—No ha contestado, pero corre el rumor de que también proyecta asistir a la fiesta.

—¿Por qué?

—¿Cómo?

—¿Que por qué va a asistir a esa recepción privada? —aclaró Natalie, exasperada.

Él levantó los hombros de forma apenas perceptible, pero no la miró.

—Debería suponer que tiene un buen motivo, aunque la verdad es que no tengo ni idea.

—Sin duda para robar la preciada espada del conde —sugirió ella con sarcasmo.

Jonathan esbozó una sonrisita de suficiencia.

—Quizá se la lleve a usted en su lugar, mi dulce Natalie.

Sus alegres palabras no fueron escuchadas. Las posibilidades se agolpaban ya en la cabeza de Natalie, el corazón le latía con fuerza ante las expectativas, y de repente, la señora DuMais y el conde y las espadas y Francia le importaron un comino. Faltaban solo unos días para el encuentro de su vida.

Jonathan se acercó y se detuvo delante de ella, mirándola fijamente a la cara, y sus maravillosos ojos adquirieron un aire pensativo. Entonces, de manera del todo inesperada, levantó una mano hasta la mejilla de Natalie, sobresaltándola momentáneamente al sentir el tacto de su piel caliente en la suya.

—Reunirse con él es extremadamente importante para usted —dijo él en voz baja y considerada.

Natalie respiró hondo pero no se apartó.

—Sí, lo es.

Jonathan guardó silencio durante un buen rato, estudiándola mientras le acariciaba el mentón con el pulgar.

—Le gustará Madeleine, Natalie —insistió con prudencia—. Es una mujer alentadora y experimentada, y estas cualidades la hacen interesante. —Bajó la voz hasta convertirla en un susurro—. Pero la inocencia y la pasión que siente usted por todo lo que la vida tiene que ofrecer la hacen bastante más hermosa que lo que ella pueda llegar a ser nunca.

Natalie se quedó sin aliento ante la mirada de sincera revelación que había en los asombrosos ojos gris azulados de Jonathan. Pero antes de que ella tuviera la oportunidad de apartarse, o de entender con exactitud lo que él había dicho, Jonathan dejó caer su brazo y se dirigió hacia la puerta a grandes zancadas.

—Recoja sus cosas —añadió él sin mirar atrás—. Voy abajo a buscar un medio de transporte lo bastante grande para llevar su increíble vestuario.

Y diciendo esto, salió, dejándola una vez más con la misma sensación hormigueante en su interior, aquella agobiante sensación de impotencia y confusión de que Jonathan Drake tenía un don especial para poner al descubierto sus pensamientos.

6

Todo aquel asunto del Caballero Negro estaba empezando a fastidiarle. Durante años había interpretado el papel a la perfección, cuando no con placer. Él había inventado el personaje y, sí, su parte más puramente egocéntrica se enorgullecía de la asombrosa popularidad que había conseguido en toda Europa durante los últimos seis años. Sin embargo, lo que lo había hecho agradable era el reducido número de personas que sabían que Jonathan Drake, segundo hijo de un conde ingles normal y corriente, fuera la leyenda.

Pero, por primera vez, su fama le estaba ocasionando problemas. Era evidente para Natalie que se había convertido en alguien casi sobrehumano, al menos para ella. Dada su obsesión por el mito, se había mostrado distante, cuando no impermeable, a la presencia de Jonathan desde que abandonaron Gran Bretaña. Estaba profundamente afectada por sus besos, y por su tacto, cosas, ambas, que él había controlado a requerimiento de ella. Pero más allá de eso, Natalie no parecía en absoluto impresionada con él; con Jonathan Drake, el hombre. Cuando pensaba en ello con creciente desagrado, llegaba a la desagradable conclusión de que fracasar miserablemente en seducir a una mujer era algo que no le había sucedido en toda su vida.

Durante los últimos tres días la irritación que ello le causaba había estado bullendo en lo más profundo de su conciencia. Tenía la extraña idea de intentar complacerla, a ella, una mujer con la que no se estaba acostando, haciendo que se sintiera cómoda y llevándola a ver los lugares interesantes de la localidad para pasar el tiempo. Había gastado una pequeña fortuna en encontrar un alojamiento en un acantilado de la costa mediterránea, con una espectacular vista del océano azul marino y una brisa constante para que estuviera fresca. Que la vivienda fuera hasta cierto punto íntima y estuviera situada a menos de un kilómetro de la propiedad del conde de Arlés obraba en provecho de Jonathan, aunque la sola visión de los ojos de Natalie brillando de alegría al entrar por primera vez en la acogedora casa de una planta recién decorada le produjo a Drake una enorme satisfacción. Durante tres días Natalie había estado encandilada con la belleza circundante… y se había comportado con una naturalidad absoluta con el hombre que se desvivía en llamar su atención. Para su fastidio, Natalie no le ignoraba exactamente, solo parecía estar absolutamente consumida por un hombre que no existía. ¿Y qué significaba eso? ¿Que estaba celoso de sí mismo? La cosa no dejaba de tener su gracia.

Pero lo que le picaba la curiosidad hasta un extremo exagerado era que Natalie no actuara en absoluto como una mujer enamorada, y él conocía muy bien la expresión de una mujer enamorada. Natalie no soñaba con el Caballero Negro, se centraba en el hombre como en un misterio, lo cual carecía de toda lógica. Jonathan podía comprender la pasiva consideración hacia un compañero de viaje masculino si ella estuviera encaprichada de otro, aunque fuera un mito, pero cada vez le resultaba más evidente que ese no era el caso de Natalie. Había arriesgado su reputación, que lo era todo para una dama inglesa, para viajar hasta Francia para encontrarse con un hombre al que no conocía ni adoraba. Entonces, ¿le estaba mintiendo acerca de sus pretensiones matrimoniales con el ladrón? ¿Y que pasaba con la reacción de Natalie el día que él se había reunido con Madeleine? A la sazón Jonathan tuvo la absoluta certeza de que estaba celosa, pero en ese momento estaba empezando a creer que tan solo se había enfadado con él por hacerle perder el tiempo no presentándole al Caballero Negro más deprisa. Toda aquella situación lo reconcomía porque no la entendía.

A esas alturas tenía que admitir que estaba empezando a inquietarse por tratar de ganarse el afecto de Natalie, aunque, de hecho, conseguirlo sería complicado. Sabía que tal vez podría seducirla, pero a riesgo de su propia libertad. Hasta no hacía mucho había considerado el matrimonio como algo bastante remoto en un futuro lejano, en el mejor de los casos. Tenía toda la compañía femenina cuando y como quisiera, y jamás se había sentido interesado por atarse a una dama para el resto de su, esperaba, larga vida, por más encantadora y hermosa que ella pudiera ser. Pero a la sazón, y por razones que no acababan de quedarle claras, había empezado a considerarlo en serio, sabiendo que si escogía sucumbir a aquel estado de constreñimiento por satisfacer su necesidad de acabar con su creciente soledad podía escoger entre las innumerables mujeres que en ese momento estaban enamoradas de él. Si se llevaba a la cama a Natalie, tendría que casarse con ella, y esta era la única mujer que había conocido que lo deseaba físicamente, pero que no lo quería por su forma de ser como persona. Y eso lo irritaba y confundía tanto que ni siquiera sabía cómo digerirlo. Era cierto que tal vez fuera tan arrogante como el que más al dar por sentado que podría elegir a la mujer que él quisiera, sobre todo con su fortuna, esmerada educación y elevada posición social. Pero también gozaba del suficiente orgullo sincero para darse cuenta de que no querría casarse con alguien que no disfrutara con él, alguien a quien le fuera indiferente su personalidad, con independencia de lo apasionada que pudiera llegar a ser entre sus brazos.

Una parte de él quería rendirse, decirle a Natalie quién era él, y devolverla en barco a sus padres para que pudiera olvidar toda aquella tontería. Pero no era capaz, en parte porque su curiosidad sobre las intenciones de Natalie era cada vez mayor, y en parte porque sencillamente le encantaba estar con ella. La encontraba divertida e inteligente, cálida y reconfortante en la cama y respetuosa con su individualidad; era un soplo de aire fresco.

Así que esa mañana, después de días de incesante meditación, llegó a algunas conclusiones. Era mejor ladrón que espía, pero podía ser tan embustero como ella. Descubriría los secretos de Natalie. Adónde les llevaría eso en lo personal era algo que no podía adivinar, pero la presionaría sexualmente hasta que estuviera preparada, si es que llegaba a estarlo alguna vez, y no se la llevaría a la cama hasta que no tuviera la plena certeza de que podía confiar en ella. La deseaba terriblemente, con una desesperación creciente cada vez que Natalie pasaba por su lado pavoneándose, oliendo a sales de baño y flores, o en la cama, cuando le metía los pies entre las piernas con tanta dulzura y apretaba su trasero contra la rígida erección de Jonathan, sin apenas comprender o no entendiendo en absoluto lo que estaba haciendo. Al final, si no era cuidadoso, Natalie podría darse cuenta del poder que tenía sobre él y utilizarlo. Las mujeres siempre lo hacían, y Jonathan no podía permitir que eso ocurriera jamás. Quería que ella lo quisiera, que lo deseara por el hombre que era, que le suplicara que le hiciera el amor. Y eso, empezaba a temer Jonathan, podría dejar sin satisfacer su mayor fantasía. Sin embargo, tenía que esforzarse al máximo.

Con una percepción clara de al menos cuál era su sitio en todo aquel asunto, había planeado una íntima cena campestre para ellos dos al anochecer sobre el acantilado de la costa —en realidad, en una cala—, ya dentro de la propiedad del conde. Jonathan estaba lo bastante bien escondido para que nadie de los de la casa lo descubriera, pero lo bastante cerca para observar el edificio desde arriba y estudiar su estructura desde el exterior, que parecía atenerse con precisión a la descripción de Madeleine. Había encargado una cena excelente a un precio extravagante, consistente en vino blanco, tostadas con queso de cabra, *mousse* de lenguado, chuletas de ternera en salsa de setas, naranjas frescas y una sorpresa que todavía tenía que darle a Natalie: fresas cubiertas de chocolate. Aunque Natalie no hiciera nada más por él mientras estuvieran en Francia, sí que acabaría llevándolo al asilo de indigentes.

En este momento estaba sentada enfrente de Jonathan, sobre una manta, vestida con una falda azul lavanda claro y una blusa de muselina blanca en cuyos hombros se reflejaba una resplandeciente puesta de sol. Natalie había acabado por reunir el valor para mezclarse un poco con los lugareños, y para adaptarse al caluroso verano en lugar de luchar contra él, renunciando a los opresores corsés y a las capas de tela en beneficio de un aspecto sencillo y casi campestre. Y se había soltado el pelo de las tirantes y amenazadoras trenzas que solía enrollar alrededor de las orejas y la cabeza, de manera que los dorados rizos cobrizos caían sueltos y libres por detrás de ella, sujetos sin complicación en la nuca con una sencilla cinta. Era un aspecto que a Jonathan le gustaba enormemente ver en ella, solo superado, de eso estaba seguro, por su figura desnuda retorciéndose debajo de él.

Jonathan cambió de posición, estiró las piernas por completo, cruzando un tobillo sobre el otro, y bebió de su copa mientras intentaba concentrarse en la conversación. Habían terminado de comer, y Natalie había hecho lo propio con su único vaso de vino, y llevaba diez minutos hablando sin interrupción. Ni aunque le fuera la vida en ello Jonathan sería capaz de recordar ni una sola palabra de lo dicho por Natalie, aunque decidió que la elección de tema que ella había hecho —un reciente viaje a Brighton para un recital de poesía de uno de los mejores poetas de Inglaterra— era absolutamente tedioso; una conversación de salón para la que no había lugar en una noche de verano tan espléndida a la orilla del mar. Finalmente, ella se interrumpió, sonriéndole, y Jonathan aprovechó la oportunidad para cambiar de tema.

—Estoy teniendo problemas, Natalie —sacó a colación con un aire intencionado de seriedad.

Ella arqueó las cejas con delicadeza.

—¿Problemas con qué?

Él la miró de hito en hito.

—Problemas para creerme su historia de que quiere conocer al Caballero Negro.

Advirtió que los ojos de Natalie se abrían de manera apenas perceptible y que sus mejillas palidecían, y aquellas leves señales de sorpresa y preocupación por el comentario le dijeron mucho. Estaba ocultando algo, y él se había comportado como un tonto por no ser más astuto desde el principio.

Desviando la mirada hacia la brillante agua de su izquierda, molesto por su ceguera interior, añadió con osadía:

—Me he estado fijando, cariño, y es usted muy calculadora. No está enamorada de él, no tiene ni idea de quién es, y, sin embargo, deja todo lo que conoce para venir a Francia con un completo extraño a fin de conocerlo. —La miró de soslayo—. ¿Por qué?

—Usted no es un completo extraño.

Dijo las palabras con aspereza y cautela, y Jonathan a punto estuvo de felicitarla por su aceptable intento de evasiva. Pero aquellas palabras también ocultaban un significado. Pudo darse cuenta de eso mientras ella lo observaba con expresión cautelosa. Jonathan sintió un repentino deseo de ahondar más.

Sonriendo, la desafió:

—¿No somos extraños porque tenemos un pasado?

Aquello, la negativa de Natalie a hablar de su breve encuentro de hacía años en el jardín, también lo irritaba. Ella acabaría hablando de aquella noche, del insólito cuando no instructivo encuentro entre ellos, porque él la obligaría. Pero por el momento se contentaba con esperar, buscando, en su lugar, las respuestas a una situación más inmediata.

—¿Se imagina que está enamorada del Caballero Negro, Natalie? —le preguntó con más brusquedad que la deseada.

Natalie se puso a jugar con la suave tela entre las yemas de sus dedos, guardando silencio durante tanto tiempo que la paciencia de Jonathan empezó a flaquear. Al final, a través de la brisa marina, ella susurró:

—¿Se ha enamorado alguna vez, Jonathan?

Aquello lo pilló completamente desprevenido, tal y como ella sabía que ocurriría. Natalie volvió a levantar la vista, mirándole a los ojos sin ambages. Se lo estaba preguntando con sinceridad, y él se relajó un poco.

—Sí —admitió él, sonriendo tímidamente—. Se llamaba señorita Featherstone, y fue mi institutriz durante dos años. Estuve locamente enamorado de ella durante siete meses completos, hasta que se marchó a Brunswick, poco antes de que yo cumpliera los trece años. Fue la primera mujer que me rompió el corazón.

Natalie sonrió.

—¿La primera?

—La única —se apresuró él a corregir—. Y no me imagino que pueda volver a ocurrir.

Jonathan apretó los labios, no por ira, sino para evitar soltar una carcajada.

—¿Por edad y experiencia, Jonathan? ¿O porque se cree absolutamente irresistible?

Él se encogió ligeramente de hombros en un gesto de inocencia.

—Porque entiendo a las mujeres.

—Vamos, ¿en serio?

Natalie inclinó la cabeza, mirándolo con ironía, y Jonathan supo que ella estaba a punto de preguntarle cuántos corazones había roto él, lo cual, ahora que lo pensaba, no eran ni con mucho tantos como sugería su ridícula reputación.

—¿Así que nunca ha estado enamorado de ninguna de sus muchas amantes?

Aquello no era en absoluto lo que él esperaba, y en ese momento se sintió incómodo. Se llevó la copa de vino a los labios y vació el contenido, y acto seguido empezó a colocar la vajilla en la cesta de la cena.

—¿Por qué es tan curiosa?

Ella se echó hacia delante y recogió las piernas bajo la falda, abrazándose las rodillas.

—Su vida y sus amoríos me interesan.

Jonathan lo dudó completamente. Ya estaba empezando a creer que ella lo encontraba soso, un aburrido y pomposo comerciante de cosas tontas e inútiles. Natalie estaba siendo deliberadamente taimada, aunque Jonathan no fue capaz de entender con qué fin.

—En realidad, he tenido muy pocas amantes, y nunca más de una cada vez —se defendió por fin, mientras cerraba la tapa de la cesta y la quitaba de en medio de los dos con un empujón, poniéndosela a un lado.

Ella lo miró con escepticismo, pero puesto que su explicación era algo que posiblemente no podría demostrar, Jonathan no hizo caso y siguió adelante.

—Disfruto de la compañía de las mujeres, lo admito, pero he tenido buen cuidado de no enamorarme de ninguna de ellas. Así que, no, no creo que haya querido realmente a ninguna, al menos no como mi hermano parece amar a su esposa o mi padre parecía amar a mi madre. ¿Pero qué tiene que ver mi pasado con usted y el Caballero Negro?

—Si no sabe lo que es amar —contestó ella al instante—, ¿cómo va a poder entender mi deseo de conocer a ese hombre?

A Jonathan se le aclaró todo.

—¿Está diciendo que lo ama de un manera que yo no comprendería?

Natalie le dedicó una amplia y encantadora sonrisa.

—Exacto. Las mujeres suelen enamorarse de unas maneras que los hombres no comprenden.

Eso era absurdo, y la desconfianza de Jonathan se hizo absoluta. Todo aquel huero parloteo de Natalie sobre el amor era la forma que tenía de esconder sus motivos reales. No le cabía la menor duda.

Con la mano que tenía libre Jonathan sacó del bolsillo lateral de la cesta un pequeño bote que contenía cuatro fresas cubiertas de chocolate. Sacó una con sumo cuidado y se la tendió a Natalie.

Sorprendida, esta dio un grito ahogado de rotundo placer.

El chocolate encontraba siempre una manera de triunfar a la hora de complacer y deleitar a una mujer que estaba vedada a los hombres, reflexionó Jonathan. La mayor parte de las veces aquello resultaba descorazonador, pero, de vez en cuando, surgía una ocasión en la que se podía utilizar tal conocimiento como medio de manipulación. Como en ese preciso instante.

Natalie colocó la fresa en el hueco de la mano, deslizando la otra palma por la mejilla para apartarse el pelo que el viento agitaba. Entonces, dio un pequeño mordisco a la fruta y clavó tímidamente la mirada en Jonathan.

—¿Está intentando seducirme, Jonathan?

Él a punto estuvo de echarse a reír, intentando imaginar en vano cuál podría ser la idea que tenía ella de la seducción… o a qué conducía esta.

—No —respondió él con soltura. Se volvió a recostar un poco—. Solo quiero gustarle, Natalie.

Ella suspiró y consumió el resto de la fresa a una velocidad récord, tras lo cual se lamió el chocolate de la punta de los dedos… un gesto que Jonathan encontró especialmente sensual.

—Usted me gusta mucho —admitió ella con timidez.

El cuerpo de Jonathan revivió al oír aquellas palabras tan inocentemente expresadas, y con aquella inquietud le vino a las mientes la embriagadora imagen de lamer chocolate de los pechos de Natalie. Se sintió como un niño al que le hubieran regalado un juguete nuevo.

—¿Mucho?

Natalie se encogió de hombros y evitó la mirada de Jonathan.

—Ha sido generoso y cortés, y respetuoso conmigo y con mi intimidad. Y me ha traído amablemente a Francia sin discutir, para que conozca al hombre de mis sueños.

La expresión de Jonathan se desvaneció. Las imágenes sexuales se esfumaron. Pero con la consternación llegó la esperanza… y, de nuevo, el recelo. Ella no había estado soñando, sino planeando. Su explicación era una mentira flagrante.

—Tengo otra fresa para usted, si responde a mi siguiente pregunta.

Ella sonrió maliciosamente.

—¿Qué es lo que le gustaría saber?

—Quiero saber exactamente la razón de que esté tan interesada en un ladrón mujeriego —preguntó con serenidad—. Y quiero la verdad. No más cháchara sobre el amor y el matrimonio, porque no me la creo ni por un segundo.

Natalie titubeó, parpadeó rápidamente, ensimismándose y volviendo a rodearse el cuerpo con los brazos por comodidad. Dio la sensación de que transcurrieran varios minutos sin que se dijera una palabra. Y Jonathan esperó, negándose a retroceder, mirando fija y descaradamente los brillantes ojos de Natalie, indecisos y calculadores.

Y por fin, con un suspiro que sobrepasó el sonido del chapoteo de las olas, Natalie bajó la mirada y dio comienzo a una revelación sincera.

—Vine a Francia para contratar al Caballero Negro.

—¿Para contratarlo? —repitió Jonathan, desconcertado.

En ese momento fue Natalie la que se sintió absolutamente molesta.

—Sus servicios —aclaró ella con voz ronca—. Necesito su ayuda.

Jonathan se quedó completamente pasmado. Al principio no estuvo seguro de haberla oído bien. Pero tras unos segundos de reflexión, la arriesgada aventura emprendida por una astuta pero bien educada doncella inglesa empezó a tener sentido. Eso no implicaba que estuviera desesperadamente encaprichada de un mito; las implicaciones eran muy reales y bastante más profundas. En ese momento, Jonathan supo que jamás en toda su vida se había sentido tan idiota en relación con algo tan lógico.

—Pero, por favor, no me pida que lo discuta con usted —continuó Natalie con rapidez, desviando la mirada hacia el agua—. Es… es muy personal.

A Jonathan le costó encontrar la voz, o quizá tan solo la

respuesta adecuada a una revelación tan sorprendente. Pero en algún lugar de su mente ya estaba regodeándose de las posibilidades que se abrían ante él… ante ellos. ¡Lo divertido que podría resultar todo aquello!

Intentando a duras penas ocultar la alegría que le causaba el giro de los acontecimientos, Jonathan carraspeó y se incorporó un poco sobre la manta.

—Para ser justos, Natalie, creo que necesito entenderlo. —Jonathan aprovechó la oportunidad para hacer que se sintiera culpable—. Usted me ha mentido desde el principio (en todo), y yo he confiado de buen grado en usted. Cuénteme algo.

Natalie inclinó la cabeza.

—No puedo.

Él presionó en busca de detalles.

—¿Tiene que ver con usted?

—No —fue la rápida respuesta de Natalie.

—¿Con alguien que le importa?

Ella se llevó la palma de la mano a la frente en un gesto de frustración.

—Con alguien a quien quiero mucho. Pero, por favor, no me haga más preguntas, Jonathan. Solo puedo contárselo a él.

Aquello molestó a Jonathan, aunque no estuvo seguro de la razón.

—¿Está aquí para ayudar a un hombre del que está enamorada?

Natalie se levantó con brusquedad, pero él le agarró de la muñeca antes siquiera de que pudiera pensar en huir.

—Respóndame a eso, Natalie —exigió en voz baja.

Una repentina ráfaga de aire agitó la ligera falda de Natalie contra sus piernas y se la infló por detrás; de mal talante, ella intentó mantenerla en su sitio de un manotazo.

—Por si le interesa, le diré que no estoy enamorada de nadie.

—Nunca he conocido a una mujer que me confunda tanto como usted —admitió él, aprovechándose al máximo de la maravillosa exhibición de sus curvas, desde los senos hasta los tobillos, perfilados en ese momento ante su vista. Jonathan sintió un calor salvaje y familiar al considerar fugazmente el acariciarle la pierna, envuelta en aquella suave tela—. Explíquese, y me abstendré de hacerle más preguntas personales.

—No puedo —susurró con ferocidad. Unos segundos después, suavizó su tono—. Al menos, no por el momento.

Él respiró hondo, calculando las opciones que tenía. Natalie no se lo diría, y eso lo fastidiaba, porque… ¿Por qué? Porque o bien no confiaba en él, o bien tenía algo que esconder. Jonathan sabía que el desesperado intento de Natalie por contratar al Caballero Negro no podría tener nada que ver con ningún delicado asunto femenino, porque, se tratara de lo que se tratase, el mito también era un hombre, y todo el mundo lo sabía. Pero lo más importante era que se trataba de un ladrón, lo cual, en sí mismo, significaba que, con casi absoluta seguridad, Natalie lo quería para que robara algo por ella. Por nada del mundo Jonathan era capaz de imaginar de qué podría tratarse… algo tan comprometedor u horrible, algo tan personal, que era la palabra que ella había utilizado, o inestimable, que ella lo arriesgara todo por su causa. O por la persona que quería.

Tenía que reflexionar sobre esta última. Sabía que ella no tenía hermanos, y si era capaz de creerse su insistencia acerca de que no estaba enamorada de ningún hombre, eso solo podía significar que se trataba de su madre o de su padre. No creía que nadie pudiera meterse en tantísimos problemas, acometer esa clase de persecución desesperada, por un primo o cualquier otro pariente lejano, y ni siquiera, probablemente, por una amiga muy íntima. El único consuelo que le quedaba, supuso, era que ella acabara finalmente por contárselo cuando se enterase de quién era él realmente. A menos, por supuesto, que Natalie se quedara tan absolutamente consternada y se enfureciera tanto con su mentira que se negara a hablarle por siempre jamás. Pero no podía creer que eso fuera posible.

Jonathan le tiró con suavidad de la muñeca, hasta que ella consintió en volver a sentarse a su lado sobre la manta. Entonces la soltó y se inclinó hacia delante, los codos apoyados en las rodillas flexionadas y juntas las puntas de los dedos por delante de él, mientras clavaba la mirada en la inmensidad azul del mar.

—¿Por qué me mintió?

Natalie también posó la mirada en el agua.

—¿Usted por qué cree, Jonathan? ¿Qué creería un caballero normal de una dama de mi posición? ¿Que necesitaba casarse desesperadamente o que necesitaba con desesperación que algo fuera robado? ¿Que fantaseaba con que un hombre atractivo la rodeara con sus brazos, susurrándole apasionadas palabras de amor, o que necesitaba manipular y contratar hábilmente los servicios de un ladrón para que ayudara a un ser amado angustiado?

—Ambos son fines igual de románticos —dijo él con prudencia.

Natalie volvió la cara hacia él.

—No le conozco en absoluto y creo que esto es absurdo. Si le hubiera contado mis verdaderas motivaciones, me habría echado de su casa entre carcajadas (cualquier caballero lo habría hecho), puede incluso que me hubiera amenazado con contarle a mi padre mi absoluta falta de decoro. Tengo casi veintitrés años; una temporada más, y sin duda se considerará que me he quedado para vestir santos. En nuestro mundo no hay nada peor que eso, y usted lo creyó porque piensa como cualquier otro hombre. Una inocente confesión de fantasías románticas en su reino de pensamientos limitados fue lo que me sacó el pasaje a Francia.

Jonathan no había oído jamás en su vida nada tan ridículo y al mismo tiempo tan lógico. Sin embargo, tenía que admirar la sagacidad de Natalie. Lo que decía era la pura y triste verdad. No obstante, ni por un momento creyó que alguien tan reconfortante y físicamente encantadora como Natalie Haislett tuviera problemas para encontrar un marido, con independencia de la edad, a menos, por supuesto, que su honra estuviera en entredicho. Su dote tenía que ser aceptable, cuando no cuantiosa.

Jonathan la contempló, sentada de nuevo cerca de él sin miedo ni suspicacia.

—¿Piensa en el matrimonio, Natalie, o preferiría evitar el tema por completo?

Aquello la pilló un poco por sorpresa, tal vez porque no tuviera en realidad muchas alternativas al respecto. Si no escogía pronto a un marido, sin duda su padre la forzaría a casarse con alguien conveniente.

—Pienso en el matrimonio —respondió ella en voz baja, tras un momento de reflexión—. Pero no con un caballero idiota ni reservado que no me permita ser quien soy. Antes preferiría ser una solterona que casarme con alguien solo por el temor a no encontrar jamás un marido. —El aire era todavía bastante caliente, pese a lo cual tuvo un escalofrío y se agarró los codos con las manos—. Tampoco le mentí. Todo lo que le dije en el barco es verdad, Jonathan. Llevo años estudiando al Caballero Negro y lo encuentro fascinante. —De manera casi inaudible, admitió—: Si él me encuentra atractiva, espero que me tome en cuenta.

Jonathan juntó las cejas.

—¿Que la tenga en cuenta... para casarse?

Natalie bajó la vista hacia la manta, contemplando detenidamente la suave tela escocesa.

—Que me tenga en cuenta como compañera, amiga y esposa.

Jonathan no supo muy bien si creerse sus cautelosas explicaciones. En la sociedad británica una esposa rara vez era la amiga de su esposo, y la mayoría de la gente ni siquiera le daba importancia al hecho. Era conveniente o inconveniente, solo una circunstancia en el trayecto vital de uno. Lo que ella confesaba querer del ladrón era algo extraordinario.

La expresión de Jonathan se tornó seria.

—¿Así que vino a Francia a contratar sus servicios y... a

apelar a su naturaleza masculina con la esperanza de una proposición matrimonial?

—Sí. No obstante, espero pagarle para que me ayude con mi… situación, que es lo más acuciante en este momento. —Natalie se removió, dando la sensación de sentirse totalmente avergonzada—. Y no espero nada a cambio, si él no está interesado en mí como mujer.

En cualquier otro momento, y con cualquier otra persona, la conversación habría resultado ridícula, y Jonathan se habría irritado ante tanto descaro. Pero era tal el ardor y la determinación que había en la expresión y en la voz de Natalie que no pudo por menos que sentir un creciente e íntimo afecto, que comprender los riesgos y los sueños no satisfechos, los deseos y los placeres inalcanzables. Natalie Haislett, la romántica inocente, ponía astutamente su futuro y reputación en manos de él, y en lugar de sentirse indignado por el engaño, toda la aventura lo colmó de una insólita mezcla de excitación y ternura.

Un silencio íntimo y reconfortante se alzó entre ellos. No había nadie cerca, nada se oía que no fueran las olas al batir contra el acantilado y el ocasional graznido de alguna gaviota. El sol por fin se había metido bajo el agua, y el horizonte refulgía con tonos rosas, corales y llamativos azules.

Jonathan se la quedó mirando de hito en hito, ya de manera prolongada, observando cómo el delicado aire marino le levantaba a Natalie unos díscolos mechones de pelo calentado por el sol; tomando nota mental de sus exquisitas formas, la nariz ligeramente respingona, el cutis inmaculado y suave, las pobladas pestañas rizadas que formaban oscuras medias lunas sobre sus cejas, y los pómulos altos. Su boca, generosa y roja, estaba perfectamente esculpida y era tan deliciosamente incitante como una fresa madura en la mata. Tenía una barbilla y un mentón muy marcados, aunque femeninos, y se estrechaban con suavidad hacia un cuello largo y elegante donde él pudo distinguir el rítmico latido del pulso. Hasta ese momento no había estudiado los rasgos de Natalie de manera individual, que considerados por separado eran bastante normales. Pero en conjunto, la cara poseía un raro y exquisito carácter, al que, de eso no le cupo ninguna duda a Jonathan, ni el mejor pintor del mundo podría siquiera empezar a hacerle justicia jamás.

—¿Ha pensado alguna vez en el matrimonio, Jonathan?

Las palabras cortaron el silencio y penetraron en los pensamientos de Jonathan, y la forma temblorosa en que fueron dichas lo desconcertó un poco.

—Sí. Al menos, en los últimos tiempos —respondió él sin disimulo.

Natalie hizo una larga y lenta inspiración y bajó la vista hacia sus manos, en ese momento cruzadas en el regazo.

—¿Renunciaría a sus amantes por una esposa?

Jonathan no tenía ni idea de adónde se dirigían los pensamientos de Natalie, pero el repentino giro de la conversación lo hizo sonreír. Al igual que la tímida curiosidad de ella.

Alargó la mano hacia la tela del vestido de Natalie y la acarició con los dedos.

—Sinceramente, no he pensado en el matrimonio ni en todos los cambios vitales que comporta con tanto detenimiento. Pero confío —dijo bajando la voz hasta convertirla en un susurro íntimo— en que mi esposa esté tan deseosa de satisfacerme en todos los aspectos que no necesite ninguna.

—Pero no puede decir con seguridad que renunciaría a ellas —insistió Natalie, y el rubor se extendió lentamente por sus mejillas una vez más.

Él frunció el ceño.

—No puedo decir con seguridad que haya pensado mucho en ello.

—Entiendo.

A Jonathan no se le ocurrió nada que decir.

Y siguió otro silencio hasta que ella murmuró:

—Me parece, Jonathan, que una mujer lo encontrará agradable en tantos aspectos que hará todo lo que pueda para conservarlo y hacerle feliz. —Y con intrepidez, añadió—: Y creo que ella se mantendrá fiel a las necesidades de usted, si usted se mantiene fiel a sus votos.

La miró fijamente y sonrió burlonamente con los ojos entrecerrados.

—¿Me encuentra atractivo, Natalie?

Ella le devolvió la mirada con una intensa franqueza.

—No estamos hablando de mí, sino de usted. Le estoy aconsejando como una mujer a un amigo.

—¡Ah…! —Él se acomodó sobre la manta, inclinándose hacia ella lo suficiente para distinguir las escasas y tenues pecas de su nariz—. ¿Entonces piensa que las posibles esposas me encontrarán atractivo?

Natalie levantó las cejas casi de manera imperceptible.

—¿No es eso lo que les ocurre habitualmente a las mujeres?

Al oír eso, Jonathan sonrió abiertamente. Natalie se lo estaba pasando bien, y volvía a estar relajada a su lado. Con una sensación verdaderamente desconocida, Jonathan encontró el momento de un sublime como hacía tiempo que no había experimentado ningún otro.

Sin darle mayor importancia, levantó la mano y le tocó el pelo ligeramente, solo con las yemas de los dedos, haciendo que le cayera sobre el brazo izquierdo. La sonrisa de Natalie se desvaneció, pero no se volvió ni se apartó.

—Quiero que me encuentre atractivo —confesó en voz baja, paseándole la mirada por la cara.

Ella se irguió en un intento frustrado de mantener la superficialidad de la conversación.

—Le encuentro excepcionalmente atractivo, Jonathan, pero eso apenas importa. Debo permanecer fiel a mis convicciones. Nunca seré su amante, así que nada…

—Deseo besarla —la interrumpió con suavidad.

Natalie abrió los ojos como platos por la sorpresa o por el miedo, de eso no estuvo seguro Jonathan. Pero no dijo que no; de hecho, no dijo nada.

—Solo un beso, Natalie.

—Pero somos amigos —insistió ella con voz temblorosa y turbada.

A Jonathan se le antojó rara la pasión del comentario.

—Sí, creo que lo somos, y no pretendo estropear eso.

Extendió la mano hacia delante y le tocó el labio inferior con el pulgar, y el hecho de que ella no se apartara con rechazo o enfado envió de golpe a Jonathan un arrebato de ánimo y de deseo que lo atravesó de medio a medio.

—Jamás seré su querida —repitió ella, ya con la determinación quebrada.

—Nunca la tomaré como amante —le prometió con un susurro profundo. Entonces, rebosante de un ansia indescriptible, inclinó la cabeza hacia ella y acercó la boca a sus labios.

Natalie cerró los ojos, manteniendo el cuerpo inmóvil. De todos los errores que había cometido en su vida ese tal vez fuera el mayor. Pero pese a las mil voces de advertencia que gritaban en su interior, fue incapaz de apartarse. No había realmente nada malo en un pequeño beso, y él al menos había tenido la decencia de pedirlo antes de dárselo. Jonathan era tan incontestablemente atractivo y seductor que ella tenía problemas para decir que no. Y era incuestionable que lo deseaba. Siempre lo había hecho, y esperaba, en contra de toda esperanza, que él no se diera cuenta de ello por aquel simple beso de amigos. Pero, dejando todo lo demás a un lado, Natalie quería sentir, y sentir en ese momento; quería ser besada por el hombre más atractivo físicamente que había conocido jamás, junto al mar, en una tierra exótica, bajo el tono púrpura y dorado de la puesta de sol. ¡Qué maravilloso y excitante!

Apretando los labios contra los de Natalie, Jonathan la rodeó con una mano y, con la otra en su nuca, la atrajo un poco más hacia él. Empezó entonces un lento y suave movimiento con la boca, y ella se relajó mientras el ansiado placer empezaba a aumentar. A esas alturas ya estaba acostumbrada, y ya no la poseía el miedo de antaño. Estaban completamente solos, y ella se entregó al disfrute del momento. Confiando en él.

Jonathan empezó a acariciarle el pelo con los dedos, pero no interrumpió el beso. Antes bien, lo intensificó un poco, jugando delicadamente con la lengua contra los labios cerrados de Natalie, atrás y adelante, hasta que ella terminó por abrirlos ligeramente. Natalie tuvo que admitir que en ese momento le estaba correspondiendo al beso, lo cual resultó evidente por el pequeño y ronco suspiro de apreciación de Jonathan. Aquello la complació, y por instinto más que por conocimiento, sentados uno junto al otro, ella con las manos en el regazo todavía, se volvió hacia él e inclinó el cuerpo de manera apenas perceptible, apoyándose en el de Jonathan.

A los pocos segundos, él le quitó el lazo de los cabellos, y varios mechones, agitados por la brisa, rozaron la nuca de Natalie y la cara de Jonathan. Este entrelazó los dedos en la melena de Natalie, le ahuecó las manos en la cabeza y se la inmovilizó mientras la besaba con más pasión. Seguía sin ser posesivo ni exigente, comportándose con notable caballerosidad en su empeño, y con ese pensamiento Natalie dejó de preocuparse y se abandonó, ya con la respiración agitada y el pulso acelerado ante las expectativas. Levantó entonces la mano para sentir la dureza del pecho de Jonathan a través de la suave camisa de lino, rozándole apenas con unos dedos titubeantes.

Él reaccionó de inmediato, levantó la mano que tenía libre y se la cerró sobre los nudillos para sujetarla con firmeza contra él. Jonathan empezó a jadear, con el corazón latiéndole con fuerza bajo la palma de ella, que tardó solo un instante de puro placer en afectarle hasta ese extremo.

Ella abrió la boca un poco más para él, y la lengua de Jonathan le rozó los labios, enviándole por todo el cuerpo unas descargas repentinas. Natalie reaccionó dando un respingo, pero Jonathan, previéndolo, la sujetó contra él, impidiéndole que se apartara.

Natalie sintió la tensión que los rodeaba como algo físico; el olor del aire húmedo y salobre, el ruido de las olas al golpear en las rocas de abajo, resonando en la cala como un trueno lejano. En ese momento percibió el calor del cuerpo duro de Jonathan contra el suyo, abrumador pero reconfortante, familiar aunque extrañamente nuevo y excitante. La estaba tratando deliciosamente, como si fuera una muñeca de porcelana china entre sus manos, y con un dolor repentino y ardiente, ella deseó más. Aquello era solo un beso, pero maravilloso y perfecto.

Fue entonces cuando ella alargó las manos hacia él, deslizándoselas por el pecho y los hombros hasta que se aferró a su cuello. A su vez, Jonathan la rodeó con los brazos de buen grado, sujetándola aún más cerca, casi ya en un abrazo pleno. Natalie abrió la boca completamente, y la punta de la lengua de Jonathan golpeó la suya por puro accidente. En cualquier otro momento, con cualquier otro, a Natalie aquello le podía haber resultado repugnante. En ese momento, le encantó la cosquilleante punzada que sintió en su interior, y gimió de manera involuntaria por puro placer.

Jonathan gruñó, y lo hizo de nuevo, esta vez con intención, y Natalie recordó fugazmente que él había hecho eso antes en un momento de entrega apasionada. Pero no podía pensar en aquellos instantes. Ya no.

Con un movimiento lento pero intencionado, Jonathan la empujó de espaldas contra la manta, la boca todavía aferrada a la de Natalie, moviendo la lengua de una forma lenta y maravillosa al invadirla íntimamente. Apoyó el cuerpo junto al de ella, con las manos en el pelo de Natalie, pero no dejó de besarla, sino que continuó hasta que ella empezó a inquietarse.

Natalie no lo comprendía. En un último rapto de lucidez, le gritó que parase, que ya era suficiente. Pero no lo era. Y su lado puramente físico deseaba seguir eternamente.

Entonces, como si comprendiera el dolor mejor que ella, y con la mayor dulzura, él le colocó la mano sobre el pecho. Natalie no advirtió el leve contacto al principio, hasta que el pulgar de Jonathan empezó a moverse sobre su pezón, y la caricia le provocó una exquisita punzada de placer en lo más profundo de su ser. Ella jadeó en los labios de Jonathan, pero este se negó a soltarle la boca. La besaba ya sin cortapisas, casi despiadadamente, mientras movía la mano para agarrarla de la cintura por si ella decidía escapar. Pero Natalie no podía hacer eso. Todavía no.

Olvidadas ya las consecuencias inevitables de lo que estaban haciendo, Natalie acabó por rendirse. Le rodeó con los brazos y lo atrajo hacia ella, poniéndole los dedos en el pelo abundante y sedoso; y el pecho ancho de Jonathan le rozó los senos cuando él dobló las piernas sobre las suyas con suavidad.

Jonathan volvió a gruñir, reviviendo con energía mientras ella reaccionaba al magnífico tormento que crecía en su interior. La deseaba con una pasión increíble, y saberlo insufló una especie de fuerza vaga en Natalie a la que se negó a renunciar. Aquello era lo que había estando deseando durante años.

Jonathan le soltó la boca por fin y siguió besándola por la mejilla, el mentón y el cuello, dejándole un rastro de besos. Ella se inclinó hacia atrás de manera instintiva para permitirle el acceso, con un torbellino de confusión y placer girando en su cabeza, los ojos cerrados con fuerza y las manos sujetándole la cabeza contra ella, sintiendo un repentino y desesperado temor a que él no pudiera detenerse. Natalie se retorció y gimoteó débilmente cuando la mano de Jonathan volvió a encontrar su seno, esta vez con apremio, y empezó a masajeárselo suavemente sobre la blusa, jugando expertamente con el pulgar y el índice hasta que el pezón se endureció por el tacto.

Jonathan se estremeció, y su respiración se tornó rápida y jadeante, y sin embargo Natalie se aferró a él con un desenfreno que no habría podido imaginar en ella solo unos instantes antes. Ser tocada de aquella manera era excitante y la abocaba a un prolongado abandono.

Solo fue vagamente consciente cuando él le levantó la blusa para meter la mano debajo y empezó a mover lentamente la palma por el fino canesú, acariciándole la cintura con delicadeza y sensualidad. Natalie levantó instintivamente el cuerpo hacia él con las manos ya en sus hombros, mientras Jonathan, sin previo aviso, colocó la cara entre sus senos, todavía sobre la blusa, pero de tal modo que hizo que Natalie sintiera en su vientre una poderosa descarga de fuego abrasador.

Pronunció el nombre de Jonathan entre jadeos, y él lanzó un gruñido desde lo más hondo de su pecho mientras le acariciaba los pezones a través solo de dos transparentes capas de tela, adelante y atrás, con la mejilla, la barbilla y los labios. Le acarició la cara con una mano, con el pulgar en la boca de Natalie, y con la otra encontró el ápice dispuesto de su pezón, rodeándolo una y otra vez con los dedos.

De pronto, la estaba besando de nuevo, plena y ávidamente, sin ambages, y ella respondió, ansiosa por la necesidad insatisfecha, retorciéndose bajo él mientras le frotaba el pene con la pierna con un abandono desenfrenado.

Pero él no la soltó. Se aferró a ella, boca contra boca, pecho contra pecho, con las caderas empezando a golpear lentamente las de Natalie cuando sus propias y acuciantes necesidades afloraron. Le pasó la lengua por los labios, y con la mano libre empezó a bajar por la pierna de Natalie, rozándole el contorno con las yemas de manera deliberada.

Ella gimoteó suavemente, retorciéndose con una temeridad galopante que no podía comprender, mientras sujetaba la cara de Jonathan entre sus manos.

—¡Dios mío! —le susurró él en la boca.

Ella se aferró con más fuerza, desesperada por sentir, por saber, por poner fin a tanto deseo.

Y como si le respondiera, Natalie sintió las manos de Jonathan en su muslo.

—Jonathan…

—Lo sé.

Tiró de él con frenesí, levantando las caderas para encontrar su dureza, los ojos cerrados con fuerza, el corazón golpeándole en el pecho, la sangre corriéndole con fuerza por las venas, latiéndole en los oídos, ahogando cualquier sonido.

En ese momento, ella sintió el primer contacto, realizado con mucha timidez, de la mano de Jonathan entre sus piernas;

solo un fino trozo de lino entre la piel caliente de él y la parte más íntima de ella. Al principio, no estuvo segura de ello, porque él no hizo ningún movimiento. Pero de pronto no hubo ninguna duda. Las intenciones de Jonathan eran claras, y ella arqueó la espalda al sentir la inmediata y punzante sensación.

Pero Jonathan la besó con tanta intensidad, con tanta plenitud, que ella perdió el control, incapaz de ver el final al que llevaba la acción. Le colocó la mano izquierda en la frente, con los dedos agitándose entre su pelo, y con la otra empezó a acariciarla, dulce pero experimentadamente, sin apartarle la tela de la ropa, sino dejando que la tapara, moviéndose rítmicamente encima, primero con un dedo, luego con otro y al final con todos.

Natalie perdió el resuello. No podía pensar; solo sentir. No podía reaccionar. Él le estaba haciendo algo muy íntimo, y sin embargo, era incapaz de articular un pensamiento o de protestar, porque deseaba que él siguiera así por encima de todo. Se aferró a sus hombros con las manos rígidas, desesperada por la necesidad, moviendo ya las caderas contra los dedos rítmicamente a medida que él aumentaba la velocidad.

Jonathan le liberó la boca, bajó los labios hasta su cuello y siguió moviéndose desde la cara hasta el pelo. Su respiración se hizo áspera cuando le pasó la lengua por la oreja y le acarició el lóbulo, jugando con él, chupándolo.

Natalie movió las piernas con desenfreno, ya descontrolado el cuerpo, totalmente ajena a todo lo que no fuera las caricias que él le prodigaba en su centro. Gimió y se entregó febrilmente, y Jonathan prosiguió de manera implacable, en silencio, posando pequeños besos en sus mejillas, en su mentón, en su cuello, acariciándola, llevándola a los confines de la tierra.

De repente, ella se aferró a él con todas sus fuerzas. Abrió los ojos, y Jonathan levantó la cabeza para mirarla fijamente. Y fue entonces cuando ocurrió. Con una increíble intensidad, ella explotó por dentro, gritando de asombro, de dicha en un final perfecto para una avidez deslumbrante.

Jonathan tragó saliva a duras penas, respirando con violencia mientras seguía controlándose, y miró fijamente la cara de perplejidad de Natalie, ruborizada y hermosa, cuando alcanzó el clímax en sus manos. Había ocurrido tan deprisa que no había tenido tiempo de pensar en el curso de los acontecimientos, hasta que se vio atrapado en una ráfaga impetuosa que había llevado a Natalie más allá del límite. Pero eso no importaba. Tenía que ocurrir —probablemente estuviera escrito—, y luchar contra ello era inútil.

Natalie se estremeció y cerró los ojos, apartándose de él. Jonathan le acarició la frente con el pulgar y le puso la cabeza en el pecho, el corazón rugiéndole todavía mientras escuchaba el pulso rápido y acompasado de Natalie, el cuerpo ardiéndole con un deseo que, sabía instintivamente desde el principio, no sería satisfecho. Todavía no había retirado los dedos de entre las piernas de Natalie y podía sentir su humedad pegándose al fino lino, caliente y suculenta, invitándolo a entrar y a satisfacer su ansia. Sentía una increíble necesidad de tocarla allí. Solo un dedo envuelto por la húmeda y caliente suavidad para permitirle aguantar hasta la próxima vez. Pero eso no ocurriría entonces. Supo sin duda que eso no ocurriría en ese momento.

Con una resignación angustiosa, levantó la mano, le bajó la falda para taparla decentemente y le rodeó la cintura con un brazo para abrazarla. Jonathan aspiró profundamente el olor del la piel y el pelo de Natalie, disfrutando de la exuberancia de su pecho y de su sinuosa cadera. Abrió los ojos con resolución, constriñendo, recuperando el dominio de sus sentidos una vez más, mientras clavaba la mirada en el agua, ya reluciente en el anochecer que extendía su manto.

Natalie estaba tumbada sin moverse medio debajo de él, y lo único que se oía de ella era su respiración acompasada. Jonathan no dijo nada, no hizo nada, se limitó a seguir abrazándola y permitir que Natalie recuperase el temple a medida que fuera aceptando lentamente todo lo que acababa de ocurrir.

Al final, ella soltó un repentino suspiro, y en el silencio de la noche preguntó:

—¿Por qué?

Fue una pregunta llena de dolor, y Jonathan supo a qué se refería. No por qué en ese momento, no por qué a mí, no por qué usted. Sino: «¿Por qué nosotros?».

—No lo sé —murmuró él tras un instante de quietud, murmurando sinceramente su respuesta—. A veces, es… así.

Natalie se revolvió, furiosa, para salir de debajo de él, poniéndose rápidamente a cuatro patas y recuperando el equilibrio para poder levantarse. Él se aferró a ella durante un segundo, y luego la soltó, siguiendo su ejemplo, no muy seguro de la reacción de Natalie, hasta que se detuvo a su lado, y ella volvió la cara hacia él completamente. Sin previo aviso, ella empezó a temblar de ira; su cara, tan lívida como vulnerable, reflejó el apagado resplandor de los últimos vestigios de luz.

—Tal vez haga este tipo de cosas con las mujeres a todas horas, pero da la casualidad de que esto no va conmigo —dijo, furiosa, con los puños cerrados con fuerza a los costados.

Jonathan parpadeó y sintió que se ponía lívido al comprender por fin.

—Esto no es lo que pretendía…

—¡Déjelo ya!

Natalie se cubrió la cara con las manos, y él le cogió por las muñecas y tiró de ella hacia él con la misma rapidez. Natalie se debatió, pero no la soltó.

—Esto no es lo que pretendía —repitió tranquilizadoramente. Esperó, y finalmente Natalie dejó de luchar, sacudiendo la cabeza con los ojos fuertemente cerrados—. Natalie, míreme.

Ella no le hizo caso.

—Míreme —volvió a decir con urgencia.

Ella se relajó a regañadientes y alzó la vista para mirarlo con unos ojos enormes, vibrantes y furiosos, claros como el cristal.

Jonathan hizo una larga y lenta inspiración, aunque siguió sujetándola con fuerza por las muñecas ante el temor de que saliera corriendo.

—Lo que ha ocurrido entre nosotros ahora mismo jamás me había ocurrido antes.

Ella lo miró boquiabierta, consternada.

—Es un maldito mentiroso. Ha estado con tantas…

—No así —le interrumpió con dulzura.

—Pero ¿no es siempre lo mismo? —le espetó con sarcasmo—. Una mujer u otra…

—No —afirmó él con contundencia, y sintió que se le encogía el corazón porque se percató de inmediato de que Natalie no veía al hombre más allá de los rumores, que no aceptaría la verdad como él podría explicarla. Ella no le creía, así que, ¿qué podía decir? ¿Que nunca había estado con una mujer tan arrebatadoramente encantadora y maravillosamente cómplice, tan apetecible de contemplar y a quien resultara tan emocionante satisfacer? ¿Que nunca antes había dado sin recibir a cambio, como había hecho esa noche? Cualquier afirmación en su defensa parecería arrogante e insincera, y solo acabaría por recodarle a Natalie todo aquello que él deseaba sinceramente que ella ignorase. En consecuencia, al final no dijo nada más; lo cual, sin duda alguna, no hizo más que empeorar las cosas.

—Me mintió —gimió lastimeramente Natalie, debatiéndose con tanta fuerza para soltarse que él no pudo por menos que permitírselo. Natalie le dio la espalda y se alejó unos cuantos pasos, abrazándose y con la cabeza gacha—. No quería un beso, lo quería todo.

—Natalie, de verdad que no lo había planeado, solo sucedió —admitió en voz baja, sabiendo de inmediato que era inútil hablar.

Ella soltó una risilla cáustica.

—Como les ocurrió a las innumerables otras, estoy segura.

Jonathan apretó la mandíbula.

—Eso es injusto.

—¿Injusto? —Ella giró sobre sus talones—. ¿Y qué pasa conmigo? No había estado nunca con un hombre, Jonathan.

Dijo las palabras como si tuvieran que ser una revelación asombrosa para él. Pero el hecho de que eso le importara tanto lo paralizó realmente.

—Lo sé —murmuró él.

Ella lo escudriñó abiertamente durante un buen rato, luego desvió la mirada hacia la costa y volvió a abrazarse protectoramente.

—¡Dios mío! Esto es horrible —susurró con voz temblorosa.

Jonathan se frotó el cuello y se puso las manos en las caderas. Sabía que la confusión y la vergüenza guiaban las palabras de Natalie, no obstante lo cual sintió un atisbo de irritación.

—Nada de lo que hemos hecho es horrible —empezó él con lentitud—. Nunca es horrible. Es un acto perfectamente natural que ocurrió sin que nos diéramos cuenta, porque entre nosotros hay una pasión que es innegable y, según creo, extraña. Nunca he sentido esta clase de deseo por nadie, excepto por usted, Natalie. Y empezó hace años, cuando me besó en el jardín, un dulce acto de inocencia que nunca he podido quitarme de la cabeza.

Ella se tensó considerablemente, cerrándose en banda, y eso espoleó la ira de Jonathan.

—Yo tampoco lo entiendo —prosiguió con gravedad—, pero no se va a resolver solo. Usted también lo siente, y cada día que pasemos juntos, esto se irá haciendo más fuerte. Una parte de mí desea enviarla a hacer las maletas, porque la situación me pone condenadamente nervioso. Pero no me puedo obligar a hacerlo, porque, en alguna parte dentro de mí, creo que está ocurriendo algo maravilloso, y por un lado me gustaría ver adónde conduce.

Ella permaneció en silencio, sin moverse, mirando el mar oscurecido de hito en hito. Entonces, sacudió la cabeza lentamente.

—Pero ¿qué pasa con él? —preguntó con una sombra de desesperación—. ¿Y si esto echa a perder todo lo que he venido a buscar aquí?

La primera reacción de Jonathan fue preguntar: «¿Qué pasa con quién?». Entonces, una ráfaga de viento hendió el silencio con la frialdad de la noche marina. Natalie tuvo un escalofrío, volvió la cara hacia él una vez más y se frotó los brazos con las manos, mientras se los agarraba en busca de calor y fortaleza. Y él lo supo.

Jonathan se sintió por primera vez como si hubiera sido abofeteado físicamente por sus actos, y las crueles palabras de Natalie le hirieron con más fuerza que la que ella podría producir con la palma de la mano. No había manifestado ninguna reacción antes los sentimientos profundamente íntimos que acababa de desnudar en su presencia. Sus pensamientos estaban centrados en un sueño, en una realidad ficticia que giraba en su cabeza, en algún lugar más allá de cualquier comprensión. Una esperanza que ella acariciaría por encima de todo lo demás, hasta que se enterase de que no existía.

Jonathan se puso rígido, pero no de ira. Era impotencia lo que sentía, frustración, derrota, y una comprensión hacia una mujer mayor que la que jamás hubiera experimentado con anterioridad. Acababa de hacerle el amor, al menos parcialmente, y con cualquier otra se habría dado la vuelta y alejado después de un comentario tan demoledor. Sin embargo, en ese momento, al reaccionar de aquella manera, sabía que estaba más furioso consigo mismo: por aprovecharse, por perder el control y por dar tanto donde era evidente que no se deseaba.

—Estoy seguro de que el infausto Caballero Negro la encontrará inocente y encantadora y todo lo demás que él haya deseado alguna vez —afirmó con voz sombría y acre—. Nada está arruinado. Su virtud sigue intacta. Nadie sabe lo que ha ocurrido aquí esta noche, excepto usted y yo, y yo nunca se lo diré a nadie.

La cara de Natalie se relajó, y sus ojos se convirtieron en dos sorprendidos lagos circulares, tal vez porque ya había comprendido hasta qué punto lo había herido. Pero él se negó a responder a sus pensamientos. Por el contrario, se dio la vuelta, levantó la manta y recogió rápidamente todas las cosas. Luego abandonaron la playa en plena oscuridad sin que entre ellos se cruzara una palabra más.

7

Natalie estaba sentada ante el tocador de mimbre de la pequeña casa de una planta en la que estaban alojados, estudiando
detenidamente la imagen que le devolvía el espejo. Su aspecto,
supuso, era bastante decente para un baile. La esposa del due-
ño de la casa la había ayudado a ponerse el corsé, pero había
tenido que peinarse sola por primera vez en su vida, lo cual,
en sí, se había revelado como una auténtica aventura. Por dos
veces había arrojado su cepillo de mango de madreperla, desesperada con sus intentos de disponer los rebeldes rizos en
lo alto de la cabeza en un peinado que al menos se asemejara
a una toca elegante. Hasta ese momento, nunca se había preocupado realmente por su aspecto formal; simplemente lo
daba por descontado cuando las doncellas terminaban. Esa
noche, sin embargo, su mente y su imagen eran un auténtico
caos, y sus nerviosos dedos no hacían más que empeorar las
cosas.

Al final se levantó con un refinamiento forzado, valoran-
do la elección del vestido, uno de brillante seda rojiza sobre un
miriñaque completo. Solo había llevado dos vestidos de baile
con ella, así que su elección se redujo al mínimo. La decisión
de llevar aquel tenía más que ver con el clima que con cualquier otra razón, porque era bastante ligero como vestido de
noche. El ceñido talle subía y adelantaba el busto. Las mangas
eran cortas y abullonadas, sin hombreras, y realzadas por un

ribete de terciopelo beige a lo largo del cuello, con un encaje a juego que acentuaba la larga falda fruncida en la cintura. Como aderezo llevaba solo unos camafeos de lo más sencillo: dos colgándole de las orejas, uno en una cadena de oro alrededor del cuello y un anillo en la mano derecha. El vestido y las joyas entonaban con el color de su cabello y de su tez, algo así como castaño rojizo y marfil que generalmente no favorecía a una dama.

En ese momento estaba siendo de lo más vanidosa, consideró con una sonrisa. Pero las primeras impresiones eran las que valían, y el Caballero Negro la vería por primera vez esa noche. Quería que quedara impresionado, y tuvo que admitir que estaba impresionante.

Se dio la vuelta, juntando con fuerza las manos temblorosas, y se dirigió hacia la ventana abierta para sentarse con gracia en una de las sillas de mimbre que miraban al Mediterráneo. Su habitación era preciosa; la vista, extraordinaria, sobre todo en ese momento, con una puesta de sol dorada que brillaba a través de unas cortinas de gasa verde mar. Desde el mismo instante en que Jonathan la condujo al interior de la vivienda, esta le encantó.

Los muebles estaban pintados de blanco, como las paredes, adornadas con numerosas pinturas de artistas locales. Muchas eran cálidas y coloristas marinas, y otras tenían como tema las ciudades de los alrededores y las casas encaladas típicas de Marsella. La habitación en sí era pequeña, pero encantadora por su sencillez. La cama, cubierta por un etéreo cobertor azul brillante, estaba pegada a la pared de enfrente. Junto a ella se hallaba el tocador y el escabel, al lado del cual se levantaba un biombo de gasa rosa madreperla para vestirse con discreción. Los únicos otros muebles eran dos sillones y una mesa pequeña de mimbre situada delante de la ventana, que se abría completamente para permitir que la brisa marina refrescara sin cesar la habitación. Era el lugar más cómodo y lleno de color en el que hubiera estado jamás, y valoraba cada instante que pasaba allí, mirando de hito en hito el mar abierto, sabedora de que no tardaría en regresar a la gris y sombría Inglaterra.

Él no lo había dicho nunca, pero Natalie estaba segura de que Jonathan no se alojaba en lugares tan hermosos cuando viajaba solo. Esto solo significaba que había buscado la casa por ella. A medida que lo iba conociendo mejor, encontraba que era uno de los individuos más amables que jamás hubiera conocido. Y no amable solo en el modo en que un caballero podría tratar a una dama conocida, sino de una manera más sutil y personal, como si realmente intentara adivinar lo que a ella podría gustarle y cuáles eran sus ideas y pensamientos.

Los últimos cuatro días habían resultado interminables. Natalie intentó decirse que se debía a que había tenido que esperar con mucha paciencia para conocer al legendario ladrón, después de enterarse de que él asistiría al baile. Pero siendo realistas, sabía que era porque habían pasado cuatro días desde su encuentro íntimo con Jonathan en la playa. El recuerdo de lo sucedido ocupaba por completo sus pensamientos sin descanso, provocando que se ruborizara y se muriese de vergüenza, sobre todo cuando él entraba en la habitación o sencillamente la miraba. Natalie sabía instintivamente que cada vez que estaban juntos, Jonathan se acordaba de su reacción al tocarla, una reacción imperdonable, en opinión de ella.

Pero él no había vuelto a hablar de aquella noche en ningún momento. De hecho, no había hablado mucho sobre nada. Había permanecido casi en silencio durante cuatro días, hablándole solo cuando pensaba que era necesario, ocupándose de sus cosas cuando la dejaba en la casa cada mañana y se iba a caballo a la ciudad. O eso decía. Lo cierto es que Natalie no tenía ningún motivo para sospechar. Incluso la había llevado con él en dos ocasiones. De ninguna manera se había mostrado grosero o taimado; era solo que había puesto su atención en otra parte, y Natalie no estaba segura de cómo reaccionar a esa repentina impasibilidad. Estaba bastante segura de que la circunstancia no tenía nada que ver con la señora DuMais, aunque tal idea no podía ser descartada. Lo único que deseaba es que no le importara mucho, si es que finalmente se trataba de eso.

Por una parte Natalie se daba cuenta de que la indiferencia de Drake estaba causada por lo que ella le había dicho después de la cena íntima a la puesta de sol, en la que había perdido el control de sus nervios por completo. Aquella noche había intuido los sentimientos de Jonathan y no le había pasado desapercibida la sombría expresión de su rostro. Había sido totalmente sincero con ella; Natalie lo sabía. Y si ella analizaba sinceramente sus propios sentimientos, sabía que él había estado más que acertado en lo concerniente a la creciente atracción mutua. Pero, por encima de todo, por encima de cualquier otra cosa que le importara en su vida, se negaba a convertirse en una de las innumerables conquistas de Drake. Si se entregaba a él en la medida que fuera, sería la que saldría perdiendo, y lo perdería todo: su autoestima; su virginidad, que era algo que realmente quería entregar a su futuro marido; y casi con absoluta seguridad, su corazón. Se había estado consumiendo durante dos años, por diferentes y complejas razones, por conocer al Caballero Negro, y tenía que seguir concentrada en eso. Se había esforzado demasiado y llegado demasiado lejos para que Jonathan y los confusos sentimientos que sentía hacia él arruinaran esa noche.

Esa misma noche… Y estaba preparada.

Se levantó con los nervios de punta y dio dos pasos hacia la ventana, advirtiendo con irritación que pese a las buenas notas obtenidas en amabilidad, era evidente que Jonathan había olvidado que esa era la noche más importante de su vida. Echó un vistazo al reloj de plata del tocador, retorciéndose las manos. Eran casi las siete, y él todavía no había vuelto de sus correrías por la ciudad. Natalie no era capaz de imaginar lo que ese hombre hacía con su tiempo.

Jonathan entró en la casa en ese preciso instante, como un actor al que le hubieran dado el pie, y Natalie giró sobre sus talones para volverse hacia él. Drake sujetaba una bolsa de tela en un brazo, y Natalie dio por sentado que contenía ropa para el baile que habría comprado en la ciudad, puesto que a todas luces Jonathan no había llevado consigo nada apropiado para una celebración así en su pequeño y único baúl. Se situó frente a él, adoptando una actitud de impaciencia, con los brazos a los costados y la barbilla levantada, mientras lo observaba cerrar la puerta.

Al final, él le lanzó una mirada, como había hecho miles de veces, pero en esa ocasión se quedó mirando de hito en hito lo que veía. El pulso de Natalie se aceleró, el rubor inundó sus mejillas, y fue entonces cuando ella se percató de que también se había vestido para él. Fue un pensamiento perturbador, pero le sostuvo la mirada con un atisbo de sonrisa en los labios.

—Está usted encantadora.

Las palabras eran las que ella quería oír, pero el tono en el que fueron dichas fue tan poco entusiasta, tan anodino, que no le quedó claro si le estaba haciendo un cumplido en el que realmente creía o se limitaba a decir exactamente lo que cualquier dama esperaría oír de un verdadero caballero.

—Gracias —farfulló ella, juntado las manos con fuerza para detener su temblor.

Jonathan paseó la mirada por la figura de Natalie, desde los rizos de la cabeza hasta el encaje de la falda, deteniéndose solo brevemente en el busto y la cintura, ambos acentuados por el vestido. Luego se volvió y se dirigió a grandes zancadas hasta el biombo para cambiarse.

—Hay algunas cosas de las que tenemos que hablar, Natalie —dijo sin ambages, desabotonándose la camisa con una mano mientras se introducía detrás de la delgada barrera—. En primer lugar, y por lo que respecta al Caballero Negro, se lo presentaré si lo veo y si no resulta inconveniente.

Natalie sintió que la ansiedad le hacía un nudo en el estómago.

—Seré muy discreta, Jonathan. No tiene que preocuparse.

—Estoy seguro de que lo será, pero el encuentro tendrá lugar bajo mis condiciones —insistió—. La identidad de ese hombre deber ser salvaguardada. Si está allí, hablaré con él, y si él se siente seguro, buscaré la manera de presentárselo.

Natalie se abstuvo de discutir, dándose cuenta de que las intenciones de Jonathan eran su única esperanza.

—La segunda cuestión de importancia es la espada —prosiguió él rápidamente, mientras sacaba el contenido de la bolsa haciendo crujir la ropa—. No puedo permitir que le hable de ella al conde.

¿Cómo es que eso era tan importante?

—¿Por qué? —La expresión de Natalie perdió su brillo cuando comprendió—. Él no sabe que se le va a vender, ¿no es así, Jonathan?

—Todavía, no.

Cómo sobrevivían los hombres en el mundo de los negocios era algo que se le escapaba.

—Por supuesto. —Natalie aceptó la ridiculez—. No diré nada de la espada.

Tragó saliva con dificultad, sintiendo que la vergüenza regresaba de nuevo, mientras jugueteaba nerviosamente con el anillo entre los dedos. En ese momento se le hizo patente la descomunal farsa que estaban a punto de interpretar.

—Llevamos casados dos años —continuó Jonathan sin solución de continuidad—. Tuvimos un noviazgo normal de seis meses y vivimos en el mismo Londres durante la parte del año que no estamos viajando por el extranjero. Nos movemos en círculos sociales de primera, tenemos mucho dinero, aunque no somos excesivamente ricos, y todavía no tenemos hijos. No es necesario adornar el resto de su identidad. El conde cree que estoy aquí por mi interés en comprarle su propiedad parisina.

—¿Y todo este montaje es por una espada? —preguntó ella con incredulidad.

—Es una espada muy bonita —fue la vaga contestación de Jonathan.

Natalie hizo una pausa para pensar.

—¿Fue este el arreglo que hizo la señora DuMais para usted?

Jonathan guardó silencio durante un instante, dejando caer los zapatos al suelo con un golpetazo.

—En parte, sí —admitió él—. Ella también sabe que no estamos casados de verdad. Es la única en la que puede confiar esta noche.

—Por supuesto.

Jonathan pasó por alto el comentario un tanto insidioso de ella y, transcurridos unos pocos segundos, salió de detrás del biombo anudándose el fular con dedos expertos. Su aspecto dejó sin resuello a Natalie.

Estaba magnífico, y eso hizo que ciertos recuerdos de antaño se agolparan en la cabeza de Natalie. De otro baile. Solo que en esta ocasión el aspecto de Jonathan era más sofisticado, más maduro en el porte, más atractivo, si es que eso era posible.

La ropa era cara y perfecta en el corte, lo cual explicaba en parte en qué había invertido su tiempo los últimos cuatro días. Una camisa de seda color crema le cubría el ancho pecho, y lucía encima un chaleco verde esmeralda y una levita; los pantalones, a juego, eran de lana de verano en color verde oliva oscuro. Era una combinación llamativa, aunque no era la que Natalie habría esperado que escogiera Jonathan. Sin embargo, los colores hacían que sus ojos, en ese momento fijos en los de ella, parecieran de un azul increíblemente intenso, y que su pelo, negro y brillante, se asemejara al ónice negro pulido.

—¿Natalie?

Ella se llevó una mano al cuello.

—¡Maravilloso! —susurró Natalie.

Por primera vez en días captó algo parecido a una sonrisa en los labios de Jonathan.

—Me visto para agradarte, mi querida esposa. Siempre te ha gustado mucho que me vista en tonos verdes.

Natalie no estaba muy segura de si estaba siendo sarcástico o poniéndose a la altura de las circunstancia con un más que creíble debut interpretativo. Decidió asumir que era esto último siguiéndole la corriente, al tiempo que alargaba la mano hacia los guantes y el abanico que estaban encima de la mesa de mimbre.

—¿Es cierto eso? Qué bien has aprendido mis gustos durante estos dos últimos años, Jonathan.

Él se alisó la levita.

—Por supuesto, señora Drake. Como debe hacer cualquier marido —dijo, ofreciéndole el brazo—. El coche de alquiler nos espera en lo alto del camino. ¿Estás lista?

Natalie titubeó, y su incomodidad aumentó mientras consideraba sus siguientes palabras. Por desgracia, tenían que decirse antes de que ella y Jonathan partieran a intentar poner en práctica una mascarada tan decisiva.

Aferrándose al camafeo que llevaba en el cuello, preguntó con cierta reticencia:

—¿Estamos enamorados?

Él la miró fijamente sin comprender, bajó el brazo y arrugó el entrecejo lentamente.

—¿Qué?

Natalie se sintió repentinamente acalorada, aunque siguió mirándolo desapasionadamente.

—Como pareja de casados. ¿Estamos enamorados?

Aquello lo desconcertó. Jonathan no supo qué decir ni tampoco si echarse a reír o discutir o cuestionar la cordura de Natalie. Entre los preparativos realizados durante la planificación, Jonathan había analizado las circunstancias en las que se besarían: cuándo, cómo, por qué y delante de quién, pero ni una sola vez había pensado en el amor entre ellos.

Por primera vez desde que conociera al impresionante Jonathan Drake, Natalie supo que tenía la ventaja al alcance de la mano. Fue un momento exquisito de triunfo, y apenas pudo evitar una sonrisa burlona.

—Por favor, Jonathan. Tengo que saber cómo interpretar la obra —contestó con toda la inocencia que pudo—. Algunas parejas de casados se aman. ¿Somos unos de los pocos afortunados, o preferirías que nos evitáramos durante la noche?

Fue el turno de la incertidumbre para Jonathan, mientras seguía observándola con los ojos entrecerrados.

—No había pensado en eso.

—Sí, ya lo sé —afirmó ella de inmediato. Natalie se dio cuenta de que el rubor resplandecía en su rostro a causa de la turbación, pero siguió adelante con la esperanza de aparentar aburrimiento por un diálogo tedioso que ya debería haber tenido lugar entre ellos hacía días—. Como hombre que eres, puede que no hayas pensado en ello, como seguramente no lo hará ninguno de los hombres presentes en el baile. Pero las mujeres se darán cuenta y reaccionarán en consonancia. —Carraspeó de manera deliberada—. ¿Debo mostrarme celosa o simplemente indiferente cuando bailes y coquetees con las demás?

Jonathan torció la boca en una media sonrisa de arrogancia.

—¿De verdad has pensado en esto?

En un abrir y cerrar de ojos la ventaja estaba una vez más en manos de Jonathan. En ese momento, cuando él la miró fijamente con cierto aire de diversión, a Natalie le ardieron las mejillas.

—Cualquier mujer en mi posición lo haría, Jonathan.

—Entiendo. —Él descendió momentáneamente la mirada hasta el busto de Natalie, y luego la volvió a levantar hacia su cara—. ¿Y qué es lo que piensas?

Natalie se movió con inquietud ante la contemplación desvergonzada de Jonathan, no habiendo esperado la pregunta en ningún momento y sin saber cómo responder. Quería provocarlo, proclamando lo poco que le importaba su preferencia por la relación más plausible de distanciamiento conyugal. Entonces, se le ocurrió que el desconcierto de Jonathan había sido mayor al haberle obligado a centrarse en el amor, y de inmediato ese fue el papel que quiso interpretar.

—Creo que deberíamos —declaró con confianza.

Las cejas de Jonathan se levantaron casi de manera imperceptible.

—¿Mostrarnos enamorados?

Ella se encogió de hombros.

—Creo que, en nuestras circunstancias, resulta más realista.

—¿Eso crees? —En ese momento estaba de pie muy cerca de ella, y su voz era profunda y tranquila—. ¿Como corresponde a dos miembros bien educados de la alta burguesía británica?

Dicho así sonaba absurdo. Él sabía tan bien como ella que en tales circunstancias el amor rara vez era un factor que motivara una unión matrimonial.

Natalie apretó el abanico contra su falda.

—Estamos en Francia, Jonathan. Los franceses son gente apasionada y no le darán ninguna importancia. Creo también que eso podría proporcionarte alguna ventaja con el conde.

—¿En serio? ¿Y cómo?

Los ojos de Natalie destellaron de inspiración.

—Al hacer creíble nuestra historia por un lado. No puedo decirle al conde que el verano pasado estuvimos en Viena, si treinta minutos antes le dices que estuvimos en Nápoles.

—Una idea razonable —admitió él.

—También podría hacerte más respetable a sus ojos, más estable y digno de confianza, si tienes una esposa afectuosa a tu lado. —Natalie se irguió—. Pero por supuesto, es solo una suposición.

—Por supuesto. —Jonathan le retiró un hilo del cuello de terciopelo. Después de un prolongado instante de reflexión, preguntó con cautela—: ¿Y crees que podrás interpretar esa parte adecuadamente, Natalie?

Jonathan estaba empezando a enfadarse con ella por aquel interminable interrogatorio en una conversación que, por lo que a él concernía, no conducía a ninguna parte. Natalie le escudriñó el rostro, desde los encantadores ojos enmarcados por unas pestañas negras y tupidas hasta la piel impecable y rasurada del firme y escultural mentón. El hombre desprendía un constante y embriagador aroma de acusada masculinidad, tan exuberante y potente que posiblemente ninguna mujer podría resistírsele. Jonathan también lo sabía, lo cual tendía a hacer que Natalie se enfureciera cuando pensaba en ello. Pero en ese preciso instante, en la pequeña casa que compartían solo ellos dos, sintió un repentino ataque de celos hacia todas las mujeres de la vida de Jonathan hasta ese momento. No se trataba de una desaprobación general de su fama de libertino como antes, sino de un sentimiento distinto. Uno muy profundo, totalmente privado, vulnerable y quizá un poquito aterrador. Ser consciente de esto hizo que Natalie se enfureciera por la inconsistencia y complicación de sus sentimientos.

Poniendo toda la carne en el asador, Natalie le colocó una mano en la mejilla. Entonces, fría y calculadoramente, y antes de que pudiera cambiar de idea, levantó la cara y le rozó los labios con la boca. El contacto la conmocionó más que lo que había pensado que la afectaría, y desató unas oleadas tanto de desasosiego como de júbilo que le recorrieron la espalda. Jonathan no se movió, pero aquello no fue, ni mucho menos, lo que él esperaba; Natalie lo supo de manera instintiva y por el hecho de que él no reaccionara de inmediato.

Ella le acarició el mentón con un etéreo gesto del pulgar, tras lo cual le pasó la lengua una vez, muy lentamente, por la parte interior del labio superior. Jonathan respiró hondo, y hecho aquello, Natalie se apartó con una sonrisa radiante de satisfacción y sintiendo una repentina y maravillosa sensación de poder.

—Si esto es lo que quieres para la representación, Jonathan, puedo mostrar un enorme e intenso amor por ti. Soy una actriz magnífica.

Durante varios segundos largos y silenciosos Jonathan se limitó a mirarla fijamente. Luego, sus ojos se endurecieron hasta adquirir la tonalidad azul del hielo.

—Estoy deseando ver tu actuación en el escenario, Natalie —dijo en voz baja—. Esta noche debería ser esclarecedora para los dos.

Ella parpadeó y dio un paso atrás, absolutamente confundida por el desdén con que fueron dichas las palabras. Había esperado una réplica provocadora o un leve rechazo, como correspondía a la naturaleza afable de Jonathan. Pero, tal y como se percató en ese momento, él se había distanciado desde la cena en la playa, y por primera vez desde entonces, Natalie cayó en la cuenta de que eso no le gustaba en absoluto.

—El amor es así, señora Drake —dijo él sin alterarse, interrumpiendo los pensamientos atribulados de Natalie. Entonces la agarró con fuerza por un codo y la condujo a través de la puerta para dirigirse al carruaje que los esperaba.

8

Jonathan estaba preocupado. O quizá lo que le ocurría no era más que puro nerviosismo. Había ido a Francia a hacer un trabajo, un gran trabajo, y esa noche estaría todo en juego… salvo que estaba teniendo problemas para mantener la concentración, y sabía por experiencia lo crucial que eso podría resultar para el éxito. Cuando se había ofrecido a llevar a Natalie consigo —lo cual, si lo pensaba con honradez, había sido una rotunda estupidez que era mejor pasar por alto— no había considerado que podría ocurrir tal cosa. Todos los trabajos que había hecho con anterioridad habían sido ejecutados sin complicaciones gracias a que los había planeado una y otra vez meticulosamente. Las mujeres eran solo meras distracciones para que lo ayudaran, si lo necesitaba, en la ejecución definitiva.

Pero por primera vez, que él pudiera recordar, una mujer ocupaba más espacio en su mente que el asunto que se llevaba entre manos, y, sintiéndose irritado consigo mismo, se dio cuenta de que esto solo podía echar a perder un esfuerzo de inconmensurable coste para la seguridad nacional de Francia e Inglaterra. Así de importante era. Ya había cometido su primer error al anteponer su insólita preocupación por Natalie a las esmeraldas. Los que le pagaban por sus servicios no se sentirían muy complacidos si llegaran a saberlo, y era sorprendente que no hubiera caído en la cuenta hasta esa noche.

Recorrieron la corta distancia hasta la finca del conde prácticamente en silencio. Jonathan miraba por la ventanilla del coche con expresión ausente, consciente de la inquietud de Natalie, que se removía de excitación en los cojines, con el hermoso vestido hinchándosele sobre las piernas y los pies mientras se alisaba la falda, cuando no estaba frotándose las manos o dándose leves toquecitos con el abanico en el regazo. Jonathan no necesitaba mirarla para tener plena conciencia de su presencia. Tanto le afectaba.

Ella lo confundía más cada día, algo que a Jonathan le resultaba totalmente perturbador. Perturbador para su mente racional, y aún más embarazosamente perturbador para su ego. También eran crecientes sus sospechas acerca de ella, y no estaba seguro de la razón. A lo largo de su experiencia, se había encontrado o con mujeres descaradas y comunicativas, o con virtuosas y dulces, pero siempre predecibles. No era así con Natalie. A medida que pasaban los días en su presencia, descubría que cada vez tenía más de calculadora e insincera, más de astuta, y más de la actriz que ella proclamaba ser. Era de una astucia incomparable, aunque en realidad no había hecho nada que aparentemente justificara semejantes sentimientos en él. Por su parte, era más intuición que información. Parecía que ella fuera la que mandara, solo eso, y Jonathan era incapaz de mostrar una absoluta indiferencia ante la vaga idea de que lo estaba utilizando. Eso le ponía muy furioso.

Su ira había ido en aumento desde el encuentro de ambos en la playa, e iba dirigida mayormente hacia sí mismo por bajar la guardia. De repente, se sintió como todas las mujeres de las que se había aprovechado levemente a lo largo de los años, mujeres que se habían enamorado de él porque las había seducido con su buen humor y sus atenciones, así como por la entrega mostrada hacia sus necesidades, tanto inocentes como íntimas. No había obtenido nada de Natalie hacía cuatro días, y había sido más sincero con ella que con cualquier mujer que pudiera recordar, y sin embargo, ella, de una manera muy peculiar, lo había desdeñado. Tal y como lo veía al pensar en ello en ese momento, la reacción física de Natalie hacia él había sido abrumadora. Ninguna mujer había sucumbido jamás a sus encantos con tanta facilidad y rapidez y con tanta pasión desinhibida. Aunque racionalmente, no parecía estar interesada, y cuanto más se esforzaba él, más indiferencia mostraba ella a sus esfuerzos.

Pero, a medida que pasaban los días, había una cosa que le iba quedando cada vez más clara. Dejando a un lado sus sospechas acerca de las motivaciones de Natalie, no era más que una dama inglesa encantadora y preciosa, aunque taimada. Pero, fuera lo que fuese lo que ella le ocultara, fuera cual fuese la razón que tuviera para haber ido a Francia, no podía ser complicado. En consecuencia, sobre esta base Jonathan había tomado la siguiente y muy racional decisión: le arrebataría la virginidad en ese viaje cuando deseara hacerlo, ella disfrutaría tanto como él, y se casaría con ella en cuanto llegaran a Inglaterra, lo cual, tuvo que admitir ya, era una unión que deseaba casi exclusivamente porque ella no consentiría en absoluto. Hacía solo unos días había jurado no casarse con ella ni con nadie que no lo quisiera como individuo, pero las recientes acciones de Natalie le habían hecho cambiar de idea. ¿Y qué era el matrimonio, en resumidas cuentas? Solo un contrato entre familias para legitimar a los herederos, en realidad. Tarde o temprano tendría que escoger a alguien, y la idea de poseer a Natalie dentro y fuera de la cama le hizo sonreír en la oscuridad. Todas las ideas de Natalie de permanecer ajena a los sentimientos de Jonathan le fallarían al final, porque él la poseería sexualmente, y ella le pertenecería durante el resto de sus vidas. Saldría victorioso, y no veía la hora de informarla de todo esto. Natalie aduciría que no lo quería o que su padre jamás consentiría en la boda. Entonces él le recordaría con calma que era la hija de un barón, que el amor era irrelevante, y que él era rico, soltero y el hijo de un conde admirado por toda la sociedad. Su padre consentiría de mil amores, y ella no tendría más remedio que aceptarlo. Jonathan disfrutaría de ese momento a no tardar mucho. Sería un triunfo como ningún otro.

Pero primero tenía que terminar un trabajo.

Llegaron a la casa de la costa del conde con un crepúsculo que se demoraba, pero la finca ya estaba iluminada de manera espectacular, tanto por fuera como por dentro. La casa, de dos plantas, estaba construida en piedra gris pulida labrada para formar delicados arcos y pronunciados salientes de estilos contrapuestos. Se erigía a escasa distancia del borde de los acantilados, y estaba rodeada por un jardín grande e inmaculado con diferentes árboles, arbustos y flores. Para llegar a la puerta principal los invitados a la fiesta tenían que atravesarlo siguiendo un sinuoso sendero de ladrillo, y Jonathan percibió de inmediato el acre y penetrante olor a madreselva y rosas que flotaba en el tranquilo aire nocturno, y los insectos voladores que zumbaban en círculo alrededor de las linternas de pie que flaqueaban el camino.

Natalie se detuvo muy cerca de él cuando Jonathan entregó su invitación al lacayo. Acto seguido, él le colocó una mano en la espalda y la condujo al interior del vestíbulo.

El interior tenía una distribución típica, y Jonathan lo había estudiado bien. La planta baja constaba de un salón diurno que se abría justo a la derecha, seguido de una sala de música y otras estancias diferentes destinadas a la actividad social, todas las cuales conducían a la cocina; y por último, la zona destinada al servicio con la escalera que conducía a la segunda planta, situada en la parte posterior de la casa. A la izquierda estaba el espléndido salón de baile, donde pasarían la mayor parte de la noche, tras el cual se abría, por este orden, el salón de las damas, la sala de fumadores y el comedor. Al frente, imponente, se alzaba la amplia escalinata de roble negro que conducía a la segunda planta: los dormitorios de la familia a la derecha y varias habitaciones de invitados a la izquierda, seguidas de la biblioteca familiar y, para finalizar, el estudio del conde, situado al final del pasillo.

Detrás de la sexta puerta de la izquierda, en la esquina

sudoccidental, con una vista grandiosa del sol de poniente y el pintoresco mar Mediterráneo, aguardaban las esmeraldas. Estaban metidas en una caja fuerte de más o menos fácil acceso oculta encima de la repisa de la chimenea, tras un pequeño óleo románticamente frívolo de Fragonard. La noche estaba empezando, y Jonathan se relajó al pensar en el plan, que por supuesto era muy bueno. Eso era lo que hacía, y lo hacía mejor que nadie, y en solo unas horas las inestimables esmeraldas que una vez pertenecieron a la emperatriz de Austria volverían a suelo británico, adonde pertenecían. Aparte de esto, Natalie no iba a tardar mucho en llevarse la mayor sorpresa de su vida. Sí, en efecto, iba a ser una noche inolvidable.

Cogiéndola del codo, la condujo hacia el salón de baile sin perder detalle del ambiente y carácter de los demás invitados mientras los seguía en la fila de presentación. La mirada de Natalie se movía ya como una flecha de un hombre al siguiente, calculando, estimando la edad, el porte, el tipo y las similitudes de cada uno con el aspecto que los rumores atribuían al Caballero Negro. Jonathan observó a Natalie, sintiéndose poderoso y travieso y con una extraña sensación de placer ante la frustración que la aguardaba.

Instantes después, mientras se acercaban al conde y la que era su esposa desde hacía tres años, Jonathan se inclinó hacia ella y rompió el silencio.

—Aquí vamos, mi querida esposa —le susurró al oído. Sintió que se ponía tensa, aunque no estuvo seguro de si se debía a las implicaciones de sus palabras o a la conciencia de que empezaba la farsa. De manera espontánea, le frotó el codo con el pulgar para tranquilizarla.

—*Monsieur et madame* Drake —anunció el hombre situado a la derecha del conde—. El inglés —masculló el sujeto en el último momento, aunque omitió deliberadamente añadir: «que compra propiedades», que habría sido una indelicadeza durante una presentación, pero que, sin duda, quedó sobreentendido por todas las partes.

—Monsieur Drake —tronó el conde con un marcado

acento británico—. Qué alegría que se una a nosotros en la fiesta de mi hija Annette-Elise. Confío en que podamos hablar largo y tendido de sus viajes y de su estancia en nuestro país. Madame DuMais lo tiene en la más alta estima.

Jonathan reparó enseguida en el aspecto del conde. De estatura media, mostraba una calvicie incipiente en la parte superior de la cabeza, mientras que de su amplia frente se iba retirando una abundante mata de pelo recio del más insólito de los colores: ni del todo castaño ni completamente gris y, sin embargo, tampoco exactamente una mezcla de pelo oscuro y cano. El mentón, probablemente anguloso y marcado en la juventud, era ya carnoso, circunstancia que el hombre intentaba ocultar con unas largas y pobladas patillas. Tenía unas mejillas rubicundas, y una nariz rosada, como si fuera demasiado aficionado al vino. La boca, amplia y delineada y en cierta manera inadecuada para su rostro, era blanda y llena de humor, lo que contrastaba por completo con el resto de su porte, en especial los ojos. Estos estaban enmarcados por unas cejas castañas oscuras y pobladas, y los límpidos círculos, que sorprendían por su color casi negro, hundidos y astutos, destilaban inteligencia.

El hombre, que tenía una complexión gruesa, aunque no completamente obesa, era abierto de mente y abusaba de los placeres de la vida, aunque probablemente agradaría al bello sexo al no carecer de atractivos para su edad. Sin duda que, con independencia de sus encantos físicos, así lo encontrarían las mujeres, si es que aquella gran mansión era indicativa de su riqueza. Esa noche iba vestido con un frac perfectamente cortado de una delicada tela azul oscuro, sobre un chaleco de seda azul y blanco, pantalones oscuros y un fular negro sobre un cuello de pico. Absolutamente adecuado para la ocasión, si bien que conservador, aunque sus vínculos políticos así lo indicaban.

Jonathan sonrió e hizo una reverencia casi imperceptible, aunque sus ojos, encantadoramente relucientes, no perdieron de vista los del francés ni un instante.

—*Comte d'Arlés*, gracias por su amable invitación. Me encantaría tener tiempo esta noche para hablar.

—Con mucho gusto —replicó el aludido de inmediato. Y volviéndose, añadió con orgullo—: Mi esposa, la condesa de Arlés.

La mirada de Jonathan se movió hacia la izquierda del caballero, donde su esposa, Claudine, una mujer delgadísima con un color de piel anormalmente naranja, esperaba, en una posición poco natural, ataviada con un vestido de tafetán rosa claro cubierto de lazos blancos que contribuía a que aparentara más de los veintiséis años que tenía. Era una mujer guapa, aunque poco femenina, y su pelo rubio, en ese momento amontonado en lo alto de la cabeza, ofrecía un aspecto desvaído a causa de las muchas horas de sol; lo que, sin duda, explicaba también las profundas arrugas que mostraba ya su rostro. Tenía unos ojos castaños e implacablemente perspicaces, aunque no muy inteligentes y fiables, que en ese momento clavó en Jonathan, y unos labios que formaban una línea rosa.

Con su sonrisa más encantadora, Jonathan le cogió ligeramente los dedos enguantados y se los llevó a los labios.

—Encantado, señora.

—Monsieur Drake —dijo ella ceremoniosamente.

El conde ya había desviado la mirada hacia Natalie con evidente satisfacción, y Jonathan aprovechó la ocasión.

—Permítame que les presente a mi esposa.

—Querida señora —la saludó el conde melifluamente, mientras sus ojos le recorrían el cuello y el busto casi de manera indecente—. Encantadora criatura. Su marido es un hombre muy afortunado, si se me permite decirlo. Bienvenida a Francia y a mi hogar.

El hombre no solo tenía amantes ocasionales, sino que era un coqueto descarado, columbró Jonathan, algo que obviamente no provocaba el entusiasmo de su esposa, si había que hacer caso de la firmeza de aquellos labios siempre intolerantes cuando dirigió a Natalie una dura mirada de valoración. Madeleine se había olvidado de introducir aquello en la ecuación, pero podía resultar útil. Jonathan observó con aire divertido cómo Natalie también se daba cuenta y revivía de forma deslumbrante.

—Soy yo la que está encantada, señor —contestó Natalie con una sonrisa de cortesía, mientras se agachaba en una discreta reverencia—. A mi marido y a mí nos honra y nos alegra participar de esta ocasión festiva.

—¿De verdad, madame? —La sonrisa del conde se intensificó, todavía sin soltarle la mano a Natalie—. Tal vez podamos compartir uno o dos bailes más tarde, ¿no le parece? —Lanzó una repentina mirada hacia Jonathan, como si se acabara de acordar de que estaba allí—. Con su permiso, por supuesto, monsieur Drake.

Jonathan asintió con la cabeza una vez.

—Y de su encantadora esposa, ¿no?

Esperó a que Henri o Claudine hablaran, pero fue Natalie la que tomó la iniciativa con una aguda observación de lo que se tenía que decir en ese momento.

—Y qué casa más hermosa tiene, madame Lemire. Tiene un gusto exquisito.

—Gracias —respondió Claudine con tirantez.

Natalie prosiguió, echando una mirada hacia el vestíbulo y el salón de baile.

—Está maravillosamente decorado, aunque lo supe en cuanto atravesé su jardín, tan lozano y bien atendido.

Claudine le dedicó una sonrisa crispada.

—¿Su casa de Inglaterra es demasiado pequeña para tener un jardín, madame Drake?

Aquello fue un insulto directo lanzado sin ninguna inteligencia ni sutileza, y Jonathan se preguntó si era producto de los meros celos o de su desprecio hacia lo inglés en su conjunto.

Natalie salió del paso abriendo ostensiblemente los ojos con aire inocente.

—Bueno, en Inglaterra tenemos unos jardines preciosos, por supuesto, pero sin los dulces aromas que hacen florecer el sol, el calor diario y la brisa del mar. Y puedo añadir que su permanente exposición al sol le ha conferido a su piel un brillo de lo más saludable, madame Lemire, y no como nosotros, que estamos pálidos por su falta.

Natalie le tocó la mejilla, y sus ojos se entrecerraron con una mirada maliciosa cuando se inclinó hacia la francesa, fingiendo que le susurraba como si fueran viejas amigas que estuvieran hablando de sus amados esposos en presencia de estos.

—Puede que algún día logre convencer a mi querido Jonathan de que compre una casa en la costa, o tal vez pueda convencerlo usted esta noche con sus encantos. ¡Cómo debe de disfrutar de esto!, y estoy segura de que lo seguirá haciendo durante muchos, muchos años. ¡Cómo la envidio!

Natalie estuvo perfecta y encantadora, y Jonathan tuvo que reprimir una carcajada.

Claudine parpadeó rápidamente, no muy segura de si había sido halagada por una mujer hermosa o era víctima del engaño de una más astuta que ella. Henri se limitó a asistir al intercambio de palabras sin prestar atención, sugiriendo que una conversación entre mujeres, fuera cual fuese el tema, carecía de importancia, cuando no bordeaba directamente la ridiculez. Algo que, llegado el caso, también podía utilizarse.

—Somos muy felices aquí —afirmó la francesa cada vez más segura de sí misma—. Esta noche estamos muy ocupados, pero quizá pueda visitarnos a lo largo de la semana para así ver durante el día la casa y el jardín, madame Drake.

Aquello era un rechazo manifiesto, y Natalie respondió en consecuencia.

—Eso sería fantástico, y estaré encantada. —Se volvió hacia Jonathan y le cogió del brazo—. Pero ahora, vamos, querido. Estamos entorpeciendo la fila.

—Sí, claro —convino Jonathan, despidiéndose de sus anfitriones con un saludo de cabeza.

Desde allí siguieron la fila, presentándose con desenfado a los parientes y demás notables de la localidad. A Jonathan le pareció interesante, aunque no inesperado, encontrarse con varios miembros de la vieja nobleza de lugares tan alejados como Anjou o Bretaña —cuyos familias tenían orígenes que se remontaban a mucho antes de los días prerrevolucionarios y cuyas vinculaciones políticas eran análogas a las del conde— en un baile de celebración del decimoctavo cumpleaños de la hija de este. Se estaban cociendo muchas cosas entre bastidores que, si sir Guy estaba en lo cierto, no hacían sino anticipar otra revolución, y en ese momento Jonathan tuvo el convencimiento de que aquella fiesta era la pantalla de una planificación estratégica. Los involucrados estaban listos para vender las esmeraldas. El triunfo de unas mentes arrogantes que tendría una vida muy corta. Estaba seguro de ello.

Por fin, entraron tranquilamente en el salón de baile propiamente dicho, lleno ya de gente que bailaba y charlaba entre música y carcajadas. Hombres con chisteras vestidos de ceremonia y damas con delicados vestidos de seda, tafetán, terciopelo y encajes de todos los colores formaban pequeños grupos en los que se discutía vivamente de asuntos políticos y sociales, se mantenían conversaciones triviales o se cotilleaba. Los lacayos, vestidos con libreas escarlatas, transportaban humeantes bandejas de comida a las mesas del bufé, y el aroma que desprendían impregnaba el ambiente junto con la fragancia embriagadora de los perfumes y el olor de las miles de velas encendidas. Cuatro espléndidas arañas de cristal colgaban en hilera sobre las cabezas de los asistentes. Dos de las cuatro paredes aparecían cubiertas con enormes cuadros y tapices, y en las otras dos se abrían unos largos ventanales dorados que discurrían del suelo al techo, todos espléndidamente adornados con cortinas de terciopelo rojo, retiradas por cordones y borlas doradas, y rematados en lo alto por unos querubines también dorados que observaban a los presentes con un respeto manifiesto.

En apariencia, una fiesta hogareña como cualquier otra.

Jonathan condujo a Natalie en silencio a través de la multitud hasta una de las mesas del refrigerio y le entregó una copa de champán.

—Ha estado maravillosa —le dijo en tono elogioso.

Ella lo observó con atención y dio un sorbo a su bebida.

—El conde es astuto y atractivo a su manera, pero ella es una grosera y siente unos celos innecesarios de su marido. Es una simple que carece de tacto.

Jonathan sonrió con cinismo, advirtiendo el tono rosáceo de las mejillas de Natalie y la irritación que brillaba en sus ojos.

—Muy observadora, pero quizá sí que tenga razones para estar celosa —sugirió él—. Usted eclipsa su belleza de pies a cabeza, y ella lo sabe.

Natalie soltó un resoplido, haciendo caso omiso de su cumplido mientras empezaba a buscar entre la multitud alguna cara que se pareciera a la del ladrón. Eso espoleó irracionalmente la ira de Jonathan.

—Y como la mayor parte de los miembros de la nobleza —añadió él—, tiene amantes, y estoy seguro de que ella lo sabe. Probablemente, tenga una en la actualidad. Puede que más de una.

Jonathan no tenía ni idea de qué le movió a decir aquello, solo le pareció que era el comentario perfecto para atraer su atención. Y también funcionó, porque ella volvió a mirarlo rápidamente a la cara con las cejas levantadas en un ligero ceño de desaprobación.

—Tal vez le pueda resultar sorprendente, Jonathan, pero no todos los caballeros de buena cuna tienen aventuras adúlteras. Sin duda son muchos los que lo consideran un derecho inherente a su clase y se aprovechan de su riqueza y oportunidades, alardeando de sus amantes para que todos los admiren. —Hizo una larga inspiración y levantó la barbilla con tozudez—. Pero hay otros, y da igual que sean escasos en número, que son unos hombres fantásticos que poseen un profundo criterio moral y un autocontrol inflexible, y que aman lo suficiente a sus esposas y familias para mantenerse fieles.

Jonathan se llevó la copa a los labios, sintiendo curiosidad acerca de cómo y dónde ella había conseguido tal información, pero negándose a preguntar porque eso era precisamente lo que ella quería. Así que, en su lugar, y bajando la voz, respondió con sinceridad:

—Realmente es una apasionada del tema, ¿no es así, mi vida?

A Natalie le ardieron las mejillas con una tonalidad de rosa más intensa, pero se limitó a mirarlo fijamente sin apasionamiento, desoyendo la coletilla amorosa de Jonathan ya fuera por elección, ya porque estaba que echaba chispas. Él confió en que fuera esto último.

—Tal vez sea algo de lo que debería tomar nota, Jonathan —le advirtió con cierta sorna—. Qué positivamente trágico sería para mí enterarme de que su futura esposa le atravesaba el corazón con la imponente espada del conde, como consecuencia de su falta de contención. Conociendo su particular reputación, le sugiero que reconsidere la compra. —La conjetura hizo que Natalie sonriera abiertamente—. Aunque ahora que lo pienso, si la mujer con la que se case resulta ser celosa y combativa, tendrá una amplia variedad de armas donde escoger entre las que ya cuelgan de la pared de su estudio. Yo en su lugar las vendería todas.

Jonathan sintió el impulso de atraerla entre sus brazos y besarla hasta dejarla sin sentido, de abrazarla con fuerza y disfrutar de la sensación de sus senos contra su pecho, de recorrerle el pelo con los dedos y que se fueran al diablo todos los presentes. Sin embargo, se contuvo dándole otro largo trago al champán sin que su mirada titubeara ni un instante.

—Me complace oír cuánto se preocupa por mi bienestar, Natalie. Pero considerando lo mucho que aprecio mi vida, además de mi amplia y valiosísima colección de armas, creo que preferiría renunciar a perseguir a las damas. En especial —añadió en un susurro, inclinándose hacia ella solo para que pudiera oírle—, si me caso con alguna tan atractiva y desafiante como usted, cielito. A buen seguro que haría que no dejara de temer por mi vida, si rompiera mis votos.

Natalie lo miró de hito en hito con una alarma moderada en sus grandes ojos, mientras consideraba una unión permanente e inapelable entre ambos, quizá por primera vez.

—Aunque, por otro lado, tampoco eso debería preocuparme —prosiguió con brusquedad, levantando la palma de la mano libre para acercársela a la barbilla y acariciarle el mentón con el pulgar—. Me tendría tan agotado en el lecho conyugal que nunca contaría con la energía suficiente para ir a buscar a cualquier otro sitio un placer que, de todos modos, tal vez no se podría comparar con el que obtendría de usted.

Ella ya lo miraba boquiabierta, absolutamente asombrada y sin palabras. Nada le producía mayor placer a Jonathan que provocar a Natalie Haislett hasta enmudecerla de indignación, de modo que sonrió de oreja a oreja sabiendo que ella también entendía eso, y que reconocerlo la enfurecía.

Antes de que Natalie pudiera contraatacar con una respuesta, él le quitó la copa de champán de la mano, la dejó junto a la suya vacía en una mesa auxiliar y la agarró del brazo.

—Estoy viendo a Madeleine. Ha llegado el momento de las presentaciones.

A Natalie solían encantarle las fiestas, fueran del tipo que fuesen. Cuando tenía cinco años, se le había permitido espiar por primera vez una a hurtadillas, una fiesta que su madre había calificado de pequeña reunión y que, en realidad, había terminado por congregar a más de noventa personas. El brillo, las risas y la música, el color de las levitas y de las faldas, las interminables mesas con comida y los ríos de champán la habían intimidado. Dos veces más durante su infancia había alcanzado a ver aquel fascinante encanto, hasta que en 1842 llegó la temporada de su presentación y se le permitió por fin asistir a una. Aquello ocurrió en el verano del baile de disfraces en el que había conocido a Jonathan Drake.

Hacía mucho tiempo que se moría de vergüenza cada vez que recordaba aquel baile. Y aquel primer beso. ¡Y hasta qué punto aquel pequeño acontecimiento había puesto su vida patas arriba!

Esa noche, él era su acompañante. Atractivo, sofisticado y suave como la seda, la dejaba estupefacta por su habilidad para embelesar, coaccionar y mentir sin problemas y a la perfección. A Natalie le ardieron las mejillas al oír el insinuante comentario de Jonathan, pero, a pesar de intentarlo, no fue capaz de discurrir una respuesta adecuada a algo tan presuntuoso. Y ridículo. Así que se limitó a mantener la boca cerrada, manteniéndose a su lado como un perrito faldero.

Él la condujo con rapidez hacia el límite de la pista de baile, donde un grupo de damas charlaban animadamente como locas; de esa manera tan entusiasta de los franceses, cuando sin duda hablaban de cómo iba vestida la mujer del conde, que parecía una niña a punto de participar en el desfile de Pascua. Los ingleses también hablarían de su falta de gusto, pero, al menos, serían sobrios y discretos sobre el tema.

Entonces, los ojos de Natalie se posaron en Madeleine DuMais. Reconoció de inmediato a la despampanante mujer, alta, elegante, con el pelo castaño dividido en dos y recogido bien alto en la coronilla para desde ahí caer en cascada por el cuello en suaves rizos. Llevaba puesto un brillante y moderno vestido de satén de un llamativo morado azulado, con unos capullos de rosas de intenso amarillo en el corpiño y en el borde de la falda, y todo acentuado con unos volantes de encaje negro que le cubrían el pronunciado escote en pico, lo que resaltaba la exuberancia del pecho y la estrechez de la cintura. En una mano sostenía un abanico dorado y negro medio abierto; un chal completamente negro y largo le caía sobre la otra cadera. Hablaba con las mujeres que tenía al lado con fluidez y gracia, y destacaba por encima de ellas. Era la clase de mujer que Natalie veía capaz de cautivar a un país entero, de las del tipo que son recordadas a través de los tiempos, porque los hombres enamorados de ella soñarían con matar para poseerla y escribirían poesías e historias de batallas por defender el honor de la dama. Así de hermosa era.

Jonathan se acercó a su lado, y Madeleine se volvió con el placer brillando en su cara y llenando sus atrevidos ojos azules cuando lo reconoció.

—Monsieur Drake, cuánto me complace que haya podido asistir a esta velada —dijo la mujer con una sonrisa resplandeciente, mirándolo fijamente sin disimulo y apartándose de las demás damas, que siguieron con su conversación sin reparar en ello.

Jonathan le cogió los largos dedos entre los suyos, hizo una reverencia y los besó.

—Madame DuMais, verla es siempre un placer. —Se dio la vuelta—. Me gustaría presentarle a mi esposa, Natalie.

De pie muy erguida al lado de Jonathan, apretando el abanico entre su puño, Natalie se sintió repentinamente fea y pequeña, y aquel instante de incomodidad que tardó la francesa en posar por fin su mirada sobre ella se le antojó que se dilataba horas.

—Madame Drake. Al fin nos presentan —dijo, dirigiéndose a ella con un marcado acento inglés—. Su marido me ha hablado tan bien de usted que ya siento como si la conociera, aunque a fuer de ser sincera —añadió, y miró a Natalie de arriba abajo—, se mostró un tanto parco en los elogios, como por otro lado les suele ocurrir a los maridos. ¡Es usted preciosa! —Madeleine lanzó una mirada a Jonathan, sacudiendo la cabeza con fingida indignación—. Mi difunto marido era exactamente igual. Un pobre hombre que me describía ante los demás como «alta y de cabellos oscuros». Nada más. Es una pena que nos esforcemos tanto con nuestro aspecto (trajes y perfumes caros y años practicando los mejores modales) para que nadie se fije realmente en nosotras, salvo las demás mujeres.

Natalie sonrió abiertamente, y la mujer le gustó de inmediato sin saber realmente por qué. De cerca, detectó unos sutiles rastros de maquillaje en la cara de la mujer: los labios más rojos que el natural, un toque de kohl que le perfilaba los párpados para resaltar los ojos, y colorete para sonrojarle las mejillas. La voz de su madre retumbó de repente entre sus pensamientos por lo demás complacientes: «Una verdadera dama no se pinta la cara. Resalta aquello con lo que Dios la ha bendecido solo con un leve pellizco en las mejillas o un ligero mordisco en los labios para conseguir un poquito de color». No, su madre no sentiría afecto por aquella mujer en absoluto, y a Natalie le gustó sobre todo por eso.

Recuperada la confianza en sí misma, se relajó.

—En efecto, madame DuMais, la entiendo perfectamente. Vestidos de todos los colores y hechuras para cada celebración se alinean en mi guardarropa, y sin embargo, mi querido Jonathan no duda en describirme ante usted como «bajita y un poco pálida, aunque de buena familia». —Natalie dio unos golpecitos con el abanico contra la palma de su mano libre—. Es tan propio de los ingleses, tan propio de los hombres...

Jonathan parecía divertido, con las manos entrelazadas a la espalda y la boca torcida en una media sonrisa.

—Supongo que olvidé mencionar lo más valioso de tu belleza, querida —contestó, continuando con la conversación, aunque mirándola fijamente a los ojos—. Unas curvas deliciosas, el pelo del color de una puesta de sol, ojos como brillantes y una sonrisa capaz de iluminar una habitación. —Frunció la boca y el entrecejo—. Pero, como es natural, le digo a todo el mundo que eres de buena familia. ¿Por qué otra razón se casaría uno?

Natalie enrojeció antes la contundencia de la afirmación y la descarada contemplación de la que era objeto, pero sus ojos centellearon de placer cuando respondió de manera dramática:

—Bueno, dejando a un lado la buena cuna, yo me casé contigo por el dinero, Jonathan.

El aludido hizo una pronunciada reverencia, y Madeleine echó la cabeza hacia atrás riendo con discreción.

—¡Dios mío!, cuanta sinceridad hay entre ustedes dos. Y mi querida Natalie... ¿Puedo llamarla Natalie? Y usted llámeme Madeleine. Me casé con mi difunto marido por la misma razón, y puedo afirmar que he podido disfrutar cada minuto desde su muerte.

Natalie ahogó una risita mientras observaba a Jonathan, que pareció cautivado por la conversación.

—Tomaré eso como un buen consejo, Madeleine —observó Natalie con alegría—. Tal vez llegue a ser igual de afortunada.

—Espero que sí. —Sonriendo, Madeleine la cogió por el brazo—. Bueno, estoy segura de que a su marido le encantaría darse una vuelta por la sala de fumadores o hacer lo que quiera que hagan los hombres en las reuniones como esta. —Miró a Jonathan—. Si no le importa, monsieur Drake, me llevaré a su esposa y la presentaré a una o dos amigas. Estoy segura de que ambas tenemos muchas cosas de las que hablar.

—No lo dudo —contestó él con sequedad—. Pero, por favor, no le haga cambiar de idea acerca de lo mucho que me adora.

Madeleine le dedicó una sonrisa sarcástica de oreja a oreja.

—Eso es imposible de conseguir, estoy segura.

Natalie dio unos pasos, inquieta, y por primera vez alcanzó a ver, en realidad fue una impresión, algo más entre Madeleine y Jonathan. Nada insinuante, ni siquiera algo que sugiriese intimidad, sino una especia de… complicidad. Como si supieran un secreto que ella ignorase.

—¿Y bien Natalie?

La aludida se deshizo del incómodo pensamiento sacudiendo la cabeza y volvió a mirar a Jonathan a la cara.

Este entrecerró los párpados cuando la miró a los ojos.

—Bailaremos más tarde.

Fue una afirmación sencilla e inocua, y sin embargo, la mirada de Jonathan, intensa y llena de significado, como si fueran las únicas personas de la sala, la inquietó.

Natalie asintió con la cabeza de manera casi imperceptible. Entonces, Madeleine tiró de ella asiéndola por el codo, y Jonathan giró sobre sus talones y desapareció entre la multitud.

Durante veinte minutos la francesa la presentó a varios

conocidos, la mayoría de los cuales aceptaron su presencia allí con indiferencia, cuando no con frialdad. Natalie se mostró todo lo gentil y atenta que le permitieron las circunstancias, reflejando con el rostro y sus modales una atención natural por todo lo que le rodeaba, aunque por dentro la aprensión la reconcomía. Quería seguir a Jonathan, no intercambiar cumplidos con la élite francesa. Quería observarlo desde las sombras cuando se encontrara con el Caballero Negro, ver al legendario sujeto por primera vez sin que se diera cuenta. Saber que el ladrón podría estar ya en el baile, que podría haber hablado ya con Jonathan, que incluso podría ser que supiera ya de su presencia casi la ponía fuera de sí.

—¿Por qué no hablamos un rato? —sugirió Madeleine, conduciéndola hacia un grupo de sillones de respaldo recto, vacíos en su mayoría, situados en el otro extremo del salón de baile.

—Sí, me gustaría —respondió Natalie con aire ausente, echando un vistazo a la multitud, porque el tiempo parecía arrastrarse mientras su inquietud aumentaba de manera incesante.

Tras sentarse con gracia bajo un gran retrato lleno de encanto de un niño arrodillado en un radiante jardín de rosas, y tras tomarse el tiempo necesario para alisarse la falda a fin de evitar las arrugas y que se enredaran los dobladillos, Madeleine le preguntó directamente:

—¿Qué le trae a Francia, Natalie?

La pregunta la pilló por sorpresa, obligándola a concentrar de nuevo su atención en la mujer que tenía a su lado, en lugar de en cuanto caballero de pelo oscuro que caía en su campo visual y que coincidía con la vaga descripción del Caballero Negro.

—¿Disculpe?

Madeleine abrió el abanico y empezó a agitar ligeramente el aire ante su rostro.

—Le preguntaba qué le trae por Francia, puesto que conozco perfectamente su relación con Jonathan.

El primer pensamiento de Natalie fue que no se había dado cuenta de que su falso marido y aquella mujer se llamaran por el nombre. Pero seguro que lo harían. En realidad parecían ser más que meros conocidos y, después de todo, habían pasado algún tiempo a solas en la casa de la mujer hablando de sus acuerdos comerciales, lo cual, en conjunto, seguía pareciéndole sospechoso.

Natalie se enderezó un poco en el asiento, con las manos debidamente colocadas sobre el regazo, enfadada porque el comentario debería haberla molestado.

—Jonathan aceptó presentarme a un amigo.

Madeleine levantó las cejas.

—¿En serio?

El sencillo comentario implicaba incredulidad, o como poco suspicacia. El ambiente empezaba a estar desagradablemente caldeado por el creciente número de personas que llenaban el salón de baile, y Natalie también levantó su abanico abierto, agitándolo sin cesar delante de ella.

—¿Puedo ser franca con usted, Madeleine? —preguntó Natalie tras un momento de silencio.

La francesa respiró hondo y se recostó con cuidado sobre uno de los mullidos brazos aterciopelados del sillón, mirándola con aire calculador.

—Espero que lo sea. Por favor, créame si le digo que también puedo ser su amiga, Natalie.

De nuevo, una simple afirmación que no decía mucho, y sin embargo, Natalie percibió la honestidad de la mujer y su propia necesidad de confiarse. Se movió en el asiento, inclinándose para acercarse y, bajando la voz, dijo:

—¿Ha oído hablar del ladrón inglés conocido como el Caballero Negro?

El único signo evidente de que Madeleine hubiera hecho caso de sus palabras fue una inapreciable pausa en el movimiento del abanico. Luego, murmuró:

—Sí.

Natalie se armó de valor.

—Creo que está aquí, en Marsella, y que Jonathan lo conoce personalmente. Le he pagado para que nos presente.

Un vibrante estallido de carcajadas partió de un pequeño grupo de damas a la izquierda de ambas. Sin embargo, la concentración de Madeleine permaneció petrificada sobre Natalie, y solo un parpadeo de regocijo y perplejidad de lo más leve alteró sus facciones.

—Me pregunto cómo piensa llevar a cabo esa presentación —dijo Madeleine con mucha lentitud.

Natalie consideró que era bastante raro decir algo así, cuando lo que esperaba ella eran preguntas.

—No… no estoy segura —tartamudeó, irguiéndose—. Se supone que tiene que estar esta noche en el baile.

En ese momento la francesa parecía embelesada, dejó caer el abanico en su regazo y se incorporó en el asiento.

—¿De verdad? ¿Y por qué razón, según usted?

Esa idea solo se le había ocurrido a Natalie una vez antes de ese momento, en la calurosa habitación del hotel del muelle, e incluso entonces, Jonathan no había estado muy comunicativo en lo concerniente al motivo que le suponía al ladrón para que asistiera a aquella fiesta en concreto. Ella había dado por sentado que estaba relacionado con la espada que Jonathan pretendía comprar, pero en ese momento eso se le antojó rocambolesco. El Caballero Negro era un experto de la intriga y el engaño que trabajaba por el bien de los gobiernos y de los desfavorecidos. ¿Para qué querría una espada? ¿Y cómo podría robarla delante de quinientas personas y largarse delante de las astutas y observadoras narices del conde? No podría, no lo haría, y entonces Natalie sintió que su confianza remitía a medida que crecía su confusión. Si el ladrón aparecía, sería por otro motivo, por algo que ella no había considerado todavía.

—No puedo imaginarme que asistiera a un baile en honor de la hija del conde de Arlés porque sea amigo o conocido de la familia —terminó aceptando Natalie—. Eso parece demasiado increíble. La lógica sugiere entonces que estaría aquí por negocios, más exactamente para robar algo. Y si hace un viaje tan largo hasta el sur de Francia para robar, el objeto de su interés ha de ser de gran valor. —Suspiró y sacudió la cabeza—. Pero esto es solo una mera suposición por mi parte. La verdad es que no lo sé.

Madeleine no pareció advertir la perplejidad de Natalie. De hecho, todo su semblante brillaba con una fascinación moderada.

—Lo único que se me ocurre que sea lo bastante pequeño para que un ladrón pueda robarlo en un baile sería… bueno… los documentos que el conde podría guardar en algún lugar de su casa o, más probablemente, las valiosas joyas de alguna dama. Algo que se pueda esconder en un bolsillo… tal vez un broche de diamantes o quizá un anillo de rubíes.

Natalie frunció el entrecejo.

—Pero ¿por qué venir hasta Francia para robar un broche? Eso lo puede hacer en Gran Bretaña.

Madeleine frunció sus exuberantes labios rojos y arrugó la frente al considerar prudentemente:

—A menos que ese broche concreto tenga un valor incalculable de otro tipo.

Sin pretender parecer terriblemente ignorante, Natalie preguntó:

—¿Y qué valor podrían tener unas joyas más allá del que tengan en el comercio?

La francesa empezó a abanicarse de nuevo.

—Bueno, imagine por ejemplo que pudieran canjearse por importantes documentos que tal vez fueran de utilidad para el gobierno británico.

—Canjear un broche francés robado por unos documentos franceses… —pensó en voz alta.

—O tal vez el Caballero Negro esté aquí para apoderarse de unas joyas que hubieran sido robadas inicialmente a un británico —propuso en su lugar Madeleine.

Natalie reflexionó sobre aquello y tuvo que aceptar que

era lo que más sentido tenía de todo, dada la afición del sujeto a devolver los objetos que robaba.

Con los ojos chispeantes, Madeleine se inclinó de nuevo para acercarse mucho.

—Todo buen ladrón ha de tener una razón que anime sus actos —concluyó en un susurro—. Y el Caballero Negro especialmente es conocido por robar objetos solo por el dinero. Si Jonathan espera que esté aquí esta noche, creo que el Caballero Negro estará observando a las damas que lleven joyas de gran valor. Ya verá, si al final está acabará resultando una noche llena de incidentes y diversión.

Natalie desvió la mirada hacia los invitados una vez más, observando a las damas, que alternaban vestidas con sus mejores galas, a los caballeros, que charlaban ociosamente alrededor de las mesas del bufé, a las parejas, que se reían, susurraban y bailaban un precioso vals vienés, interpretado con pericia por una orquesta de veinte instrumentos. Casi todas las mujeres que podía ver llevaban diamantes o zafiros o algo igual de valioso, exhibidos para la general admiración. El objetivo podía ser cualquiera de ellas, lo que demostraba que la conjetura de Madeleine era correcta.

—¿Puedo preguntarle cómo es que ha venido hasta Marsella para conocerlo?

Natalie volvió a mirar a los ojos a Madeleine como una exhalación.

La francesa sonrió con perspicacia, apartándose un oscuro rizo de la sien con un elegante movimiento del dorso de la mano.

—Es una decisión un tanto osada, ¿no le parece?

Por primera vez esa noche Natalie consideró la posibilidad de mentir. Sus motivaciones eran muy personales, incluso vergonzosas, y confiar en cualquiera podría ser realmente arriesgado, por muchas y complejas razones. Tampoco podía admitir ante cualquiera que de tanto en tanto se dejaba llevar por deslumbrantes ensoñaciones en las que se veía entre los brazos del Ladrón de Europa. Aquello era solo una bobada, aunque probablemente creíble, dada la habitual naturaleza romántica de las damas solteras de su edad. Sin embargo, por más que estuviera disfrutando de la compañía de aquella mujer, y aunque tenía que decir algo, su deber era divulgar lo menos que pudiera.

Con aire ausente se tocó el camafeo que llevaba al cuello, frotándolo entre los dedos.

—Estoy muy interesada en él profesionalmente. Necesito que me ayude a encontrar algo de la mayor importancia y… de carácter personal.

Madeleine se la quedó mirando con atención durante varios silenciosos segundos.

—Oh, entiendo…

La inquietud hizo presa de nuevo en Natalie, que empezó a sentir un desagradable calor. No era por ahí por donde quería que discurriera la conversación, y confió en que Madeleine no fuera tan descortés como para escarbar más en sus pensamientos y proyectos privados. Decidió no permitírselo, cambiando el tema de conversación ella misma.

—Así que, dígame, ¿cómo arregló lo de la compra de la valiosa espada del conde de Arlés para Jonathan, y doy por sentado que es valiosa?

La expresión de Madeleine no experimentó ningún cambio. Estudió largo rato a Natalie sin ningún recato, con una expresión neutral, pero con unos ojos vigorosamente alertas. Entonces, se apartó el chal del brazo con cuidado y lo dejó colgando en su regazo.

—Sí, es muy valiosa —reconoció—, lo cual, creo, es la única razón de que Jonathan haya hecho un viaje tan largo desde su país para adquirirla. Me llegaron rumores de su interés en la transacción porque mi difunto esposo era comerciante y conocía a varios hombres relevantes de la zona de París. El conde vive allí durante parte del año. Pero no le pregunté a Jonathan los motivos que tenía para comprarla, y la verdad es que ignoro los detalles. Me limité a concertar la cita.

Natalie sonrió.

—Parece un poco ridículo, pero para ser justos, el hombre tiene la afición de coleccionar armas, tanto modernas como antiguas.

Madeleine volvió a estudiarla con actitud crítica.

—Supuse que debía de coleccionarlas.

Natalie sintió que el calor le ascendía por las mejillas, y decidió que lo mejor era aclarar las cosas.

—Claro que yo solo he estado en su casa una vez, en su estudio, pero tenía una pared cubierta de espadas y pistolas y otras municiones diversas. Imagino que deben de valer una pequeña fortuna.

Madeleine se ablandó y la honró con una sonrisa cómplice.

—¿En serio? Aunque supongo que el coleccionismo es una diversión habitual en un caballero, ¿no es así?

Natalie cerró el abanico y se lo colocó en el regazo.

—Sin duda lo es para él —admitió, y un atisbo de regocijo tiñó el tono de su voz—. Y es una colección de envergadura, por la que, según sé, siente un gran orgullo. Sencillamente, encontraría más impresionante que un caballero tan agudo y apasionado como Jonathan invirtiera mejor su tiempo en causas más valiosas o notables, tal vez gestionando asuntos de gobierno o problemas sociales. Antes al contrario, parece pasar gran parte de su vida persiguiendo frívolos objetivos de disfrute personal, viajando por el mundo cuando le viene en gana y gastando su dinero en tesoros insignificantes. —Sacudió la cabeza—. Demasiado tiempo… jugando.

Con cierta sorpresa, se le ocurrió entonces que jamás había pensado en él con tanto detalle anteriormente, considerando las virtudes de su personalidad sin ningún conocimiento de las circunstancias infantiles que pudieran haberlo moldeado y que lo habían convertido en el hombre que era ahora. Y acababa de describir casi al detalle al tipo de hombre poco convencional, del que le había hablado a Jonathan en el barco, con el que quería casarse; un hombre sin ataduras con la rígida sociedad y sus opresivas convenciones, pero libre y aventurero y lleno de deseos de experimentar la alegría y la excitación de la vida. No sin irritación, también se dio cuenta de que él habría reparado en su metedura de pata en su momento.

—Le gusta, ¿no es cierto? —le preguntó Madeleine en voz baja, con una mirada intensa, llena de intuición.

—Sí, me gusta —admitió Natalie con un suspiro, desplomándose un poco en su corsé—. Es encantador y muy considerado, como estoy segura de que ya sabe. Pero nuestra relación es estrictamente la de unos amigos ocasionales. Nada más.

—Por supuesto —admitió Madeleine como convenía al caso, dejando caer ligeramente la barbilla.

La voz de Natalie se tensó cuando añadió:

—Todas las mujeres parecen darse cuenta de su atractiva personalidad. Ellas lo adoran, y él lo sabe. Eso le sienta de maravilla, lo cual no es una de sus mejores cualidades. Pero, como es natural, eso no es asunto mío.

Madeleine se rió interiormente, estudiándola durante uno o dos segundos con la cabeza inclinada. Luego, alargó la mano hacia la de Natalie y se la apretó con dulzura.

—Yo no lo juzgaría con tanta severidad, Natalie. Ese hombre es más profundo y tiene más devociones que las que usted probablemente perciba.

Natalie se preguntó durante un instante cómo era posible que la francesa supiera eso. Sin embargo, antes de que pudiera hacer ningún comentario, el rostro de Madeleine se tornó inexpresivo, mientras su mirada se dirigía hacia un grupo de damas que se acercaban tranquilamente en su dirección.

—Vaya, querida. Madame Vachon y la pesada de su hija Hélène. —Suspiró, agarró el abanico y el chal, y se levantó con elegancia—. Hélène no sabe hacer otra cosa que hablar del colorido de París y de cómo se casó con alguien de condición social superior a todas nosotras, un financiero, creo que de sangre noble, fallecido de forma inesperada durante la luna de miel, y que le dejó una fortuna. Supongo que debo abordarlas primero y saludarlas.

Natalie aprovechó la oportunidad que Madeleine le brindaba, levantándose también y agitando de nuevo su abanico abierto en un intento de mantener alejada la inquietud de su voz.

—Creo que daré un pequeño paseo, entonces. Quizá me dé una vuelta por el vestíbulo, donde el ambiente no está tan cargado.

—Buena idea —convino Madeleine—. Y tal vez sea el momento de que busque a Jonathan. La hija del conde bajará de un momento a otro. —Madeleine avanzó un paso, se detuvo y volvió a darse la vuelta—. No permanezca ciega a sus admirables cualidades como hombre, Natalie —la reprendió en voz baja—. Todo lo que desea lo tiene aquí, al alcance de la mano, aunque puede que su mayor deseo no esté metido en el paquete que escogería abrir en primer lugar.

La atrevida afirmación confundió a Natalie, dejándola, cosa rara en ella, perpleja y sin respuesta. Una vez más, tuvo la sensación de que la señora DuMais sabía algo que ella ignoraba, de que aquella y Jonathan guardaban un secreto tras otro de personas y acontecimientos de más profundo significado. Pero era un pensamiento perturbador tan vago que no podía hacer nada al respecto, y menos que nada traducirlo a palabras.

Madeleine volvió a sonreír como si le leyera la mente.

—Recuerde, puede confiar en mí siempre, sobre lo que sea. Búsqueme luego, y hablaremos más. —Diciendo esto, se sujetó la falda de su hermoso vestido, giró sobre sus talones con suavidad y se alejó.

Jonathan tardó casi quince minutos en sortear los grupos de personas, llegar al vestíbulo y subir las escaleras. Por supuesto, si alguien le preguntara, diría que estaba buscando a su esposa o que había oído que el conde tenía una colección de arte privada excepcional en su estudio y que creía que varios conocidos habían mencionado que subirían a verla de un momento a otro. Cuando fuera informado acto seguido de que estaba en un error, haría hincapié en sus escasos conocimientos de francés, y que tal vez no había entendido bien. Si lo pillaban, su encanto lo haría salir del apuro. Si de algo podía presumir Jonathan era de ser un maestro del engaño.

Pero no lo pillaron, y nadie lo vio una vez se escabulló del vestíbulo y subió la escalera, y en realidad hablaba francés bastante mejor de lo que cualquiera habría imaginado jamás. Era un maestro en su oficio, pero lo que lo convertía en fabuloso era que nunca se mostraba pomposo. Era lo bastante humilde —o bastante inteligente quizá fuera una definición más exacta— para darse cuenta de que no podía permitirse el lujo de la arrogancia bajo ninguna circunstancia. Cada vez que abandonaba su tierra para hacer un trabajo, preveía las diferentes maneras de que pudieran desenmascararlo, de que alguien se enterara de sus intenciones y descubriera su identidad. Sabía que sin prudencia y sin una mente en estado de alerta, lista para adoptar un cambio de acción inmediato en todo momento, podría acabar en la cárcel o, aún más probablemente, muerto. Ninguna de las dos eran alternativas que le gustara contemplar.

Recorrió el pasillo en silencio. La iluminación era escasa, aunque no insólita para una casa particular a esas horas de la noche. Como era natural, ni la familia ni el servicio consideraban necesario iluminar intensamente una zona que no sería, ni debería ser, transitada por ninguno de los invitados a la fiesta.

Los zapatos de Jonathan hacían un ruido sordo sobre la mullida alfombra oscura, pero el jolgorio que ascendía del salón de baile amortiguaba cualquier eco que sus grandes zancadas pudieran hacer. Annette-Elise y sus doncellas estaban en la misma planta, aunque en el otro extremo de la casa, preparándose para una aparición que tardaría menos de veinte minutos en producirse, pero la mayor preocupación de Jonathan era la de darse de bruces con algún criado. Como en todas las grandes mansiones, estaban por todas partes, ya en las sombras y esquinas, ya en las habitaciones por lo demás vacías. Eran igual que los muebles, como algunas personas sin consideración tendían a tratarlos, con una función pero carentes de mente y sentimientos. Jonathan tenía el suficiente sentido común y los consideraba una amenaza tan considerable como el propio Henri Lemire.

Tenía que darse prisa. Estaba empezando a sentir un ansia casi antinatural de estar de vuelta en el salón al lado de Natalie. Si no volvía pronto, esta empezaría a sospechar, y confiaba en que Madeleine pudiera mantenerla entretenida solo hasta que la naturaleza maliciosa de Natalie tomara el mando y se planteara salir en su busca.

Por fin llegó a la puerta del estudio. Se detuvo y, con la oreja apretada contra el panel, se dispuso a escuchar cualquier sonido procedente del otro lado. Nada.

Colocó la mano en el pomo, lo giró hasta que se produjo un chasquido y abrió la puerta.

La habitación estaba a oscuras. El resplandor de la luna que se colaba a través de las ventanas apenas iluminaba la estancia, pero encender una lámpara era demasiado arriesgado. Tendría que hacerlo sin luz, decidió, y cerró la puerta tras él.

Conocía bien la distribución. La mesa a la derecha, dos sillas colocadas enfrente, la chimenea apagada en la pared oeste, la caja fuerte encima de la repisa. Esperó solo unos segundos para que sus ojos se acostumbraran a la oscuridad, y sin demora empezó a atravesar a tientas la habitación, el oído atento y despierta la mente, no fuera a ser que tuviera que improvisar una mentira.

Finalmente, se paró delante de la caja fuerte, con el Fragonard ya fuera de su posición colgante en la pared. Alargó la mano y tocó el frío metal. La caja fuerte estaba abierta y vacía. Annette-Elise llevaría las esmeraldas esa noche, tal y como los rumores habían pronosticado.

Se metió los dedos con agilidad en el bolsillo del pecho y sacó una pequeña bolsa de terciopelo. A continuación, la introdujo cuidadosamente en el interior de la caja, de manera que quedara a la vista y fuera descubierta fácilmente.

Sonrió abiertamente en la oscuridad.

Sus planes estaban empezando a realizarse.

9

Henri Lemire entró silenciosamente en su biblioteca privada del segundo piso, el vaso en la mano, lleno hasta el borde de un whisky excelente, y cerró la puerta tras él. Faltaban menos de veinte minutos para el debut de Annette-Elise, y él tendría que estar presente. Habría que tomar las decisiones allí y en ese momento con toda rapidez, porque el tiempo apremiaba, y esa probablemente sería la única oportunidad que tendría esa noche.

Alain Sirois, vizconde de Lyon, ya había entrado y había encajado su voluminoso cuerpo en uno de los dos sillones de piel marrón. Había llegado solo la noche anterior, ya tarde, así que aquella era la primera oportunidad que tenían de hablar en privado, y por desgracia tendría que ser a toda prisa. Michel Faille también se reuniría con ellos de un momento a otro, y por fin se pondrían manos a la obra para salvar a Francia.

Alain empezó a parlotear sobre lo molesto que estaba con su esposa, una detestable mujer vocinglera, obesa y horrible. Henri se apoyó contra una de las estanterías, sonriendo y asintiendo atentamente con la cabeza cuando era necesario y dándole sorbos a su whisky, mientras sus pensamientos vagaban por derroteros mucho más placenteros, como los grandes pechos de madame Quinet frotándose contra su torso durante el baile que le había prometido para más tarde, o por temas serios, como el valiosísimo collar de esmeraldas que sería cuidadosamente desmontado y vendido al día siguiente a mediodía. Alain, con su pelo blanco y ralo, su nariz larga y estrecha y unos ojos oscuros como los de un cuervo, era casi tan molesto de mirar como de escuchar. Pero tenía unos contactos excelentes en París y era extremadamente útil para la causa, así que Henri lo trataba como si fuera un viejo amigo de la familia, lo cual, por supuesto, no era así. Sin embargo, dejando a un lado cualquier otra consideración, Alain se oponía a Luis Felipe, y eso era lo que les unía.

Para alivio de Henri, Alain guardó silencio cuando la puerta se abrió por segunda vez, y Michel Faille, vizconde de Rouen, entró a continuación. En un hombre de extraordinaria estatura, pues medía casi dos metros, y delgado de constitución, aunque se movía con demasiada torpeza para alguien que llevaba más de cincuenta años con semejante cuerpo. Tenía una personalidad dura y astuta, a menudo cruel y grosera con los inferiores, pero sus rasgos eran como los de una paloma: tez blanca, pelo canoso, una piel anormalmente suave como la de una mujer y unos ojos castaños de párpados caídos. Su atractivo le había sido de utilidad a lo largo de los años, porque pillaba a la gente desprevenida. Uno lo trataría como a un caballero agradable y delicado, para descubrir que podía ser genial y casi malvado de pensamiento y obra. Henri lo admiraba realmente por eso.

—Una fiesta encantadora, Henri —observó Michel con sarcasmo, dirigiéndose tranquilamente hasta el único sillón vacío de la habitación. Se sentó con torpeza y plantó sus enormes pies sobre la alfombra de felpa Aubusson, lo que provocó que de forma natural sus rodillas quedaran por encima de la altura de los brazos del sillón—. Supongo que aquí podemos hablar sin tapujos.

Fue una afirmación, no una pregunta, y Henri la ignoró.

—La venta está fijada para mañana al mediodía —empezó el anfitrión tras darle un buen trago a su copa—. Me marcharé a la ciudad alrededor de las diez, y debería estar aquí de vuelta a eso de la una o las dos, con el dinero en la mano. Lo dividiremos a partes iguales mañana por la noche, tras lo cual, regresarán a sus hogares. La ceremonia de París tendrá lugar de aquí en dos semanas. Nuestra graciosa majestad tiene previsto asistir, al menos por el momento, y nosotros iremos con ese…

—Henri, no hay tiempo suficiente —terció Alain con un gruñido, intentando en vano encajar su enorme cuerpo en el sillón.

—Pues claro que hay tiempo suficiente —le espetó Michel con irritación—. No sea idiota. Hay miles de hombres muertos de hambre deambulando por las calles de París. Cualquiera de ellos lo haría mañana a cambio de un precio. Contratar en su lugar a un profesional es mejorar el asunto, y esto es un negocio, Alain. Hemos de ser diligentes y cuidadosos, pero actuar con rapidez. —Movió su ágil mirada femenina hacia Henri, cambiando su atención hacia un asunto más apremiante—. ¿Dónde están las joyas ahora?

Henri hizo una larga y tranquila inspiración con la intención de ganar tiempo para pensar, mientras empezaba a dar vueltas por delante de las estanterías que cubrían la pared desde el suelo hasta el techo y que estaban repletas de volúmenes de literatura, poesía e historia perfectamente colocados. No les iba a gustar lo más mínimo su respuesta, pero aquella era su casa, su amada hija y, por derecho propio, sus esmeraldas. Él fue quien ideó el plan y el que pagó para que fueran robadas en primera instancia. Cualquier objeción por parte de sus compañeros sería, en el mejor de los casos, discutible.

—Annette-Elise las está luciendo mientras hablamos…

—¿Qué? —Michel a punto estuvo de levantarse de un salto del sillón, y su expresión natural de cierta debilidad de carácter se convirtió en ira controlada.

Henri volvió la cabeza rápidamente.

—¡Silencio, Michel! —susurró Henri con vehemencia, y el rostro se le contrajo—. Nos puede oír algún criado o acaso cualquiera que ande por los pasillos.

Alain se puso rojo y empezó a sudar con profusión. Masculló algo y se metió la mano en el bolsillo para sacar un pañuelo, que utilizó para secarse la cara con manos temblorosas. Michel se volvió a sentar, mirando, rígido, a su anfitrión, y levantó un brazo desgarbado para apoyar el codo en el respaldo del sillón, en un intento frustrado de encontrar una postura cómoda.

Henri les concedió uno o dos segundos para que se tranquilizaran y terminó su whisky de tres grandes tragos.

—Las esmeraldas están seguras —insistió—. Han estado encerradas bajo llave en mi caja fuerte personal durante semanas hasta hace treinta minutos, cuando las abroché al cuello de mi hija personalmente. —Sus ojos brillaron y se abrieron mientras se enfrentaba a los dos hombres con lógica—. ¿Quién suponen ustedes que las va a robar aquí? Mmm... ¿En una fiesta con quinientos invitados? ¡Qué idea más ridícula! La mitad de las mujeres invitadas lucen unas joyas valiosísimas...

—No como esas —terció Alain una vez más, casi sin voz.

Henri colocó su vaso vacío en un estante y se inclinó hacia ellos, a punto de perder la paciencia mientras forzaba la voz para hablar en un susurro.

—Son unas joyas exquisitas, hechas para ser lucidas por reinas y emperatrices. Nada más adecuado que quien las luzca por última vez sea mi hermosa e inocente hija el día de su debut.

—Bastardo arrogante —farfulló Michel entre sus labios suaves como el terciopelo, con los dientes apretados.

Henri esbozó una sonrisita de jactancia.

—Puede que lo sea. Pero esta noche siguen siendo mías, caballeros. He sido yo quien ha asumido los riesgos, no ninguno de ustedes dos, y sin duda, ninguno de los otros que solo muestran una tibia disposición a aceptar nuestra política para proteger a un rey legítimo. —Dándose impulso para incorporarse, se alisó la levita y les lanzó una clara advertencia con un gruñido—. Mañana serán vendidas para que la nobleza francesa legítima, que ha esperado décadas para reclamar el trono para el heredero de Luis, pueda recuperar también el poder y la posición que se merece y que les fueron entregadas hace siglos por la Iglesia y el propio Dios. Esta noche es un preludio. Mañana empieza todo.

Era una afirmación atrevida, extremadamente exagerada, llena de incertidumbres, y todos lo sabían. Sin embargo, tuvo su efecto dramático, porque los tres hombres, durante un momento de quietud, se miraron unos a otros, sopesando decisiones, el coste para las reputaciones y las cuentas bancarias, el placer del alcanzar el objetivo y la victoria que desactivaría las graves situaciones que podrían surgir si estuvieran equivocados, si fueran descubiertos. Pero habían estado planeando aquello durante demasiado tiempo para echarse atrás. Y ninguno reconocería que quería hacerlo.

Una débil música y unas risas amortiguadas se filtraron por los tablones del suelo, procedentes del salón de baile. Entonces, Alain tragó saliva con dificultad y prosiguió con lo esencial.

—Queda poco tiempo. Si vamos a montar guardia cuando su hija haga el debut llevando las valiosísimas joyas, debería contarnos rápidamente lo de París, Henri…

Natalie subió las escaleras hasta el rellano del segundo piso, arreglándose la amplia falda para evitar tropezar. Casi todo el mundo estaba en el salón de baile; solo algún que otro invitado permanecía en el vestíbulo, la mayoría camino del pasillo que conducía a la sala de fumadores y a los salones. Nadie pareció reparar en ella, y si lo hicieron pensarían que no era más que una mujer que se había perdido, como era frecuente, o a la búsqueda de un marido ligero de cascos o que quizá ella misma pretendía reunirse con un amante para besarse apasionadamente en la oscuridad. Todo ello, algo muy frecuente en las fiestas.

Su intención era encontrar a Jonathan, que a todas luces estaba inmerso en alguna u otra ventura, probablemente buscando las antigüedades personales del conde, que con toda seguridad el francés conservaría en su estudio o en su biblioteca personal. O quizá, pensó, poniendo todas sus esperanzas en ello, hasta estuviera hablando en ese momento con el Caballero Negro. Esas eran las dos cosas que mejor podían explicar su desaparición, aparte de que anduviera liado con alguna mujer en las sombras, y eso era algo que ella se negaba a considerar en absoluto, aun a sabiendas de las inclinaciones personales de Jonathan. No podía imaginárselo desperdiciando la noche en la sala de fumadores, discutiendo de política y de caza con otros hombres. No era su estilo. Más probable sería que estuviera bailando o seduciendo a las damas que estaban tan desatendidas por sus maridos. Ese era Jonathan, pero Natalie sabía que a la sazón no se hallaba en el salón de baile, ni en las demás habitaciones del primer piso, donde ya había echado un rápido vistazo.

Se detuvo en lo alto de las escaleras y le asaltó la duda. Tendría que tomar una decisión —a derecha o a izquierda—, y tan buena era la una como la otra. Vio entonces a una niña delgada de pelo castaño, ataviada con un elegante uniforme almidonado color gris, mandil y cofia blancos, entrar en el descansillo de la casi invisible escalera de servicio llevando unas camisas de caballero que apretaba contra el cuerpo con una mano, y girar hacia el pasillo septentrional, donde desapareció al doblar la esquina.

La doncella se dirigía a las habitaciones privadas de la familia, dedujo Natalie, lo que significaba que quizá la biblioteca estuviera a la izquierda. No necesariamente, pero era una suposición aceptable.

Natalie dobló la esquina, arriesgándose a lanzar una última mirada hacia atrás y por las escaleras para asegurarse de que nadie la seguía, y echó a andar descaradamente de puntillas por el desierto pasillo, sintiéndose un poco culpable por violar aquel suelo privado. Sin embargo, en su cabeza, su excusa le pareció legítima.

Oyó de pronto unas voces sonoras y graves, aunque lo

bastante amortiguadas por las gruesas paredes cubiertas de paneles de madera para acallar las palabras. Se detuvo en el centro del pasillo, intentando escuchar solo el tiempo suficiente para decidir si la voz de Jonathan era alguna de aquellas, pero entonces la intriga la dominó y pegó la oreja a la puerta.

Envuelto en una oscuridad absoluta, Jonathan también oyó las voces procedentes de la biblioteca del conde, situada en la habitación que lindaba con la pared de la caja fuerte.

Aquello le cogió por sorpresa, porque todo estaba en silencio hasta que empezó el ruido sordo de la conversación. Esperó varios segundos, intentando distinguir las palabras y las frases o si la conversación era de gran importancia, pero, desde donde estaba, no podía entender nada primordial. De todos modos, si no podía enterarse de algo escuchando a hurtadillas, no había razón para arriesgarse a ser descubierto en el estudio a oscuras del conde. Si lo pillaban, mejor que fuera en el pasillo.

En cuatro zancadas se situó de nuevo junto a la puerta. Entonces, oyó un crujido... un golpeteo y una voz que se alzaba.

Era posible que estuvieran saliendo, y de ser así, aguantaría en el estudio hasta que se hubieran ido. Con un poco de suerte se dirigirían al salón de baile y no en la dirección en la que se encontraba, pero tenía que estar preparado para la contingencia de ser descubierto.

Tranquilamente, con su rápida mente puesta en guardia mientras pergeñaba una excusa verosímil que explicara su presencia allí, cuando en realidad no había ninguna, alargó la mano hacia el pomo, abrió la puerta solo un poco y atisbó por el pasillo. Lo que vio lo asustó e inquietó por igual.

Natalie estaba allí, balanceando las caderas bajo su largo vestido de baile mientras se alejaba rápidamente hacia el descansillo principal. En el preciso instante en que doblaba la esquina, el conde salía de la biblioteca seguido por dos hombres, uno de estatura media y el otro increíblemente alto y desgarbado. Todos eran nobles franceses; todos, con el interés común de derrocar al rey que en ese momento reinaba en Francia.

¿Qué diablos estaba haciendo Natalie allí? ¿Escuchando… o buscándolo a él? Era posible que ella supiera algo de francés, porque era un idioma que se enseñaba a la mayoría de las damas inglesas, pero era improbable que lo hablara con fluidez o habría utilizado algunas palabras en su presencia desde que estaban en Francia. Lo más escalofriante de todo, se dio cuenta Jonathan en ese instante, era la circunstancia de que el propio conde podría haberla visto en las sombras o doblando la esquina. En ese caso, los conocimientos que ella pudiera tener del idioma era algo irrelevante. Si un conde francés muy rico y poderoso hubiera estado hablando de cuestiones concernientes a la seguridad nacional —y por lo que todos decían, era de eso precisamente de lo que habían estado hablando—, tendría que suponer que ella sabía algo y se vería obligado a tomar medidas.

Jonathan contuvo la respiración, inmóvil, la puerta abierta solo una rendija de la anchura de su ojo, cuando el conde miró en su dirección. Entonces, los tres hombres se dieron la vuelta a toda prisa y se alejaron a grandes zancadas en dirección al salón de baile.

Jonathan esperó casi cinco minutos, que transcurrieron con una lentitud inconmensurable. Pero no podía correr el riesgo de que alguno de los franceses advirtiera que los seguía. Al final, el tiempo apremiaba y tuvo que moverse.

Abrió la puerta con suavidad y salió al desierto pasillo. A toda prisa, y sin ver un alma, caminó hasta el rellano central, bajó las escaleras y entró en el salón de baile. El nivel de ruido había aumentado a medida que la zona se había ido atestando de gente. Tardó otros cinco minutos en encontrar a Natalie, que estaba con Madeleine cerca de uno de los grandes ventanales, en ese momento abierto para refrescar la habitación con una brisa más imaginada que real, de perfil mientras se abanicaba y escuchaba a una enorme y sudorosa mujer de mejillas sonrosadas, que se reía a carcajadas de un comentario que acababa de hacer.

Entonces, Natalie se volvió lentamente hacia él, como si sintiera su presencia más que advertirla, y una sonrisa casi imperceptible le separó los labios cuando le miró a los ojos.

Jonathan se sintió ridículamente adolescente cuando se le aceleró el pulso y se le secó la boca solo por contemplar la hermosa cara de Natalie al dulcificarse exclusivamente para él. No apreció ni miedo ni inquietud en su mirada, sino una calidez complaciente y un montón de preguntas que ella ansiaba hacer. Fuera lo que fuese lo que hubiera oído, de haber oído algo, en la biblioteca privada del conde, o no la concernía lo suficiente… o lo ocultaba a la perfección.

Cogiéndose las manos a la espalda, Jonathan serpenteó entre la multitud hasta llegar a las damas, que dejaron de hablar al acercarse él.

—¿Me acompaña a dar un paseo por el jardín, Natalie?

Madeleine lo miró.

—Oh, sí, vaya —insistió por su parte.

—Pero la hija del conde está a punto de aparecer. Sería una grosería —argumentó Natalie sin convicción.

Jonathan se inclinó hacia ella y bajó la voz.

—¿Qué mejor ocasión podría haber? Todo el mundo estará aquí.

Jonathan observó cómo titubeaba, paseando la mirada por la multitud, sopesando la posibilidad de que él le fuera a dar alguna noticia que quizá no pudiera divulgar en presencia de las otras. Madeleine había vuelto a concentrar su atención en la enorme mujer, y las dos conversaban de nuevo, esta vez en francés, lo cual significaba que ya habían asumido su inminente ausencia. Él la cogió por un brazo, y, sin decir nada más, la condujo por el codo hasta el vestíbulo, la hizo atravesar las puertas principales y salieron al jardín.

No estaban solos, por el momento. Otras tres o cuatro

parejas paseaban tranquilamente por el sendero de ladrillo que serpenteaba a través del parque, la mayoría del brazo, hablando en voz baja y riendo dulcemente. La fragancia de las flores y del césped recién cortado llenaba el tranquilo aire nocturno. Las luces de los faroles iluminaban el camino en unos apagados tonos amarillos; la música y las conversaciones del salón de baile se filtraban a través de los ventanales parcialmente abiertos, para mezclarse con el zumbido de los insectos nocturnos y el sonido bastante lejano del mar.

La cálida y serena atmósfera los envolvió a los dos cuando Jonathan entrelazó su brazo con el de Natalie, atrayéndola hacia él sin que ella ofreciera resistencia. Natalie no había hablado desde que habían salido al jardín, pero no se mostraba presionada ni molesta y, de hecho, parecía encontrarse bastante cómoda a solas con él en aquella atmósfera un tanto íntima.

—¿Se divierte? —le preguntó él cortésmente.

—No está mal. Esto es precioso. —Ella lo miró de reojo—. ¿Y usted?

Jonathan la miró a la cara, mitad ensombrecida, mitad iluminada por la luz dorada que la casa arrojaba detrás de ellos. Natalie estaba sonriendo, aunque lo estaba taladrando con la mirada en busca de una aclaración.

—Supongo. Sobre todo me gusta que esté aquí conmigo.

Aquella era la manera de hablar de Jonathan —contenida y sería— que la desconcertaba. La sonrisa de Natalie se desvaneció un poco, y volvió la cabeza, de manera que se quedó frente al jardín de nuevo. Caminaron en silencio unos cuantos pasos más, hasta que él localizó un banco de hierro forjado cerca de la esquina sudeste y la condujo hasta allí.

—Jonathan…

—Tengo algo que preguntarle, Natalie —la interrumpió pensativamente.

Ella titubeó, se permitió tomar asiento alisándose la falda una vez más, mientras él permanecía ligeramente a su lado con los brazos cruzados por delante del pecho.

—Por favor —le agradeció ella con un gesto de la mano.

Jonathan sabía que estaba ansiosa por ahondar en los asuntos que la inquietaban, pero estaba conteniendo deliberadamente su mordacidad, no fuera a ser que él decidiera olvidarse de la importantísima reunión que la había llevado a Francia. Jonathan percibió otra oleada de poderoso recato que la envolvía en ese momento, mientras miraba fijamente desde arriba su cara, iluminada débilmente por la dorada luz de los faroles.

Inclinando la cabeza, le preguntó con prudencia:

—¿Qué tal habla el francés?

La pregunta la sorprendió, como Jonathan sabía que ocurriría, y su expresión de perplejidad era lo que él quería ver. Natalie no tenía ni idea de adónde se dirigía la conversación.

Ella se movió un poco en el asiento, retorciendo el abanico en el regazo.

—Esa es una pregunta bastante rara.

Jonathan bajó la vista al sendero de ladrillo, restregándose los zapatos de suela de piel contra los adoquines.

—No es una pregunta embarazosa, ni siquiera insólita, Natalie.

Ella esperó varios segundos, transcurridos los cuales suspiró y se relajó contra el respaldo del banco.

—Hablo el francés con fluidez, aunque no soy capaz de imaginar por qué habría de importarle eso.

A él no le asombró la respuesta, y sin embargo, en alguna parte de su mente empezó a hacer caso de una advertencia, por el momento difusa. Mirándola a los ojos una vez más, continuó:

—¿Y aprendió el idioma de una institutriz maniática?

Ella le dedicó una sonrisa inexpresiva.

—Fue una imposición materna. Insistió en que no perdiera mi herencia, por si me servía de algo.

Él arqueó las cejas.

—¿Perder su herencia?

La expresión de Natalie se tornó seria, y se abrazó cogiéndose los codos, lo que provocó que sus pechos se juntaran en unas ondulaciones suaves como la porcelana. Jonathan intentó no mirarlos mientras se concentraba en su cara.

Al final, ella murmuró:

—Mi abuelo materno era el conde de Bourges.

El aire se aquietó en torno a ellos, mientras Jonathan se quedaba repentinamente absorto a causa de sus palabras. La miró abiertamente durante varios segundos, pero ella siguió sin advertirlo.

—En realidad, era un conde rico y respetado antes de la Revolución del noventa y dos. Lo perdió todo una noche, después de que los campesinos arrasaran su casa solariega. Gracias a un golpe de fortuna, pudo sobornar a un carcelero con un poco de oro que había escondido en su persona, y dos días antes de que fuera a ser enviado a París para ser juzgado y condenado, con toda seguridad, a muerte, con la ayuda del obispo de Blois y varios clérigos de la línea dura consiguió embarcarse rumbo a Inglaterra, como hicieron algunos otros pocos nobles franceses con suerte. Años más tarde, después de amasar una pequeña fortuna dedicándose al comercio, se casó con mi abuela y tuvo tres hijas y un hijo. Mi madre fue la pequeña.

La revelación de Natalie hizo que las ideas se agolparan en la cabeza de Jonathan. En ese momento, las posibilidades eran innumerables.

—¿Y por qué no me lo dijo?

—¡Dios mío, Jonathan! Hace que parezca que me guardara los secretos de manera deliberada. —Natalie se echó hacia delante en el asiento, dejando caer los brazos mientras volvía a coger el abanico. Con aire ausente empezó a darse golpecitos con él en el regazo—. La verdad es que no es la clase de información que una va propagando entre la gente educada.

No podía discutírselo. Tener parte de sangre francesa no era necesariamente malo. Por otro lado, el que una no fuera totalmente inglesa o el que los abuelos de una y los parientes lejanos fueran católicos no era algo que contribuyera a hacer una buena boda. Aunque carentes de importancia, tales imprevistos podían tener su influencia en algunos círculos sociales, aunque no fuera más que por el cotilleo. No era algo que dejara en muy buen lugar la visión que los ingleses tenían de los franceses, la promiscuidad sexual y la cultura. Al pensar en ese momento en ello, Jonathan supuso que era más que aconsejable evitar comentar que se tenía un conde francés por abuelo a cualquiera que no fueran los familiares o los amigos íntimos.

Se apoyó contra la farola.

—¿Por qué no ha hablado el idioma desde que está aquí?

Entonces, ella sonrió con una alegría estrafalaria.

—¿No parece más lógico que finja ignorancia en las conversaciones?

La confusión contrajo la frente de Jonathan, y Natalie se inclinó tanto hacia él que su cara quedó casi a la altura de la cintura de Jonathan.

—¿Se acuerda de cuando fuimos de compras el jueves, en aquella pequeña tienda de modas cerca de los muelles?

Él soltó una risilla.

—Recuerdo el sombrerito marrón insultantemente caro que se compró para añadir a su escaso vestuario.

Ella ignoró el sarcástico comentario, aunque entrecerró los ojos con una indignación fingida.

—Era de seda color chocolate y muy actual, pero esa no es la cuestión. Compré el sombrerito, aunque no lo necesitaba…

—Está de broma —le interrumpió él con absoluta seriedad.

—No lo entiende —insistió ella con paciencia, echándose un poco hacia atrás en el asiento—. Yo quería la sombrilla rosa. Sin embargo, cuando estaba considerando si me la compraba, la dependienta empezó a comentarles en francés a otras dos damas francesas el poco gusto que tenían las inglesas, que siempre querían cosas de color rosa sin tener en cuenta que el color de su piel suele tener un aspecto cadavérico. —Natalie hizo un violento movimiento de indignación con la muñeca—.

Luego, pasaron a comentar que las inglesas jamás parecen vestirse con la elegancia y el atrevimiento de las damas francesas. No podía permitir que aquello quedara sin respuesta.

—Por supuesto que no —contestó él en consecuencia.

Ella lo observó con atención, sin saber a ciencia cierta si debía tomarse la repentina sonrisa de regocijo de Jonathan como un acto de condescendencia hacia la mentalidad femenina y sus trivialidades, o de disfrute por lo ridículo del aprieto. Como Jonathan guardó silencio, lo dejó pasar.

—En cualquier caso, empezaron a hablar del gorrito: que si era el último grito en color y diseño, que qué sensacional, que si venía de París… Cuando oí eso, lo cogí. Las otras mujeres lo querían, pero ya lo tenía en la mano…

—Así que compró algo que no necesitaba.

Natalie respiró hondo, lo que hizo que sus pechos sobresalieran por completo, y se irguió desafiante.

—Sí, pero ellas se vieron obligadas a pensarse dos veces lo de mi falta de gusto.

—No las va a volver a ver nunca más —replicó él de manera insulsa.

—Eso es irrelevante.

Jonathan se quedó mirando fijamente la expresión de petulancia de Natalie durante un largo instante de silencio, tras el cual se frotó los ojos con los dedos. Mujeres. Nunca las entendería.

—¿Esa es entonces la razón de que no haya hablando en francés desde que está aquí? —preguntó él, intentando retomar el asunto.

Ella se encogió de hombros.

—Supongo que si necesitase preguntar por una dirección, recurriría a él.

Jonathan bajó la voz.

—Pero hacerse la ignorante le permite escuchar conversaciones que de otra manera serían privadas.

La sonrisa de Natalie se desvaneció de repente.

—No lo hago con ninguna malicia. Solo me concede una

pequeña ventaja cuando los demás hablan de mí sin consideración (como ya han hecho una o dos veces esta noche), porque no son conscientes de que sé lo que están diciendo.

Jonathan hizo una pausa mientras su mirada resbalaba por el bajo muro del jardín en dirección al mar abierto, completamente negro salvo por una larga y brillante franja de luz de luna. Jonathan supuso que lo que le molestaba no era que alguien escuchara a hurtadillas, puesto que había estado haciendo lo mismo desde su llegada a Francia. Lo que le preocupaba, sin embargo, era saber que el abuelo de Natalie era un noble francés desposeído de sus privilegios. ¿Y qué significaba eso? Probablemente, nada en absoluto. Ella estaba en lo cierto al decir que muchos nobles habían huido a Inglaterra durante la Revolución, de los cuales unos pocos se habían asegurado el porvenir, como había hecho su abuelo, mientras que la mayoría había esperado que la alta burguesía o el gobierno británicos los mantuvieran.

Pero algo más perturbador fue tomando forma en su mente. ¿Podría ser que ella guardara alguna lealtad a la causa de los legitimistas, la de aquellos que pretendían deponer al que era a la sazón rey de Francia y sustituirlo por la línea de sucesión de antaño, la de la época en que su abuelo había tenido poder? Parecía harto exagerado, aunque no tan imposible como para ignorarlo, sobre todo después de las consideraciones a las que se habían entregado al inicio de la noche, relativas a que las motivaciones de Natalie eran bastante más profundas de lo que admitía, así como la sensación que tenía él de que lo estaba utilizando sutilmente o le ocultaba algo. En honor a la verdad, Natalie tenía una vida relativamente desahogada y fácil en Inglaterra y no le había contado sus conexiones francesas a nadie, así que ¿por qué habría de importarle quién fuera el rey de Francia? También era mujer. Y las mujeres no solían interesarse por los asuntos políticos, porque sin duda no era un objetivo femenino y estaba mal visto por la alta sociedad en general. Por otro lado, Madeleine era mujer, y creía en la reparación de las equivocaciones políticas, y trabajaba para el gobierno precisamente porque era mujer y, en consecuencia, no despertaba ninguna sospecha. Natalie, pese a su juventud e ingenuidad, podría pensar lo mismo perfectamente. Sin duda, era lo bastante inteligente.

Pero su mayor motivo de inquietud era el siguiente: si ella le estaba ocultando sus verdaderas motivaciones, no tenía ningún motivo para contarle lo de su antepasado, aunque, para empezar, enterarse de que su abuelo fue otrora el conde de Bourges a Jonathan se le antojaba una casualidad considerable, tanto con relación al momento como al motivo que lo había llevado a él a Francia. Eso también explicaría convincentemente el que, sin ninguna reacción o preocupación por su parte, ella hubiera escuchado de forma clandestina a los nobles franceses mientras planeaban deshacerse de la persona reinante en ese momento. O tal vez no había oído nada de interés en una conversación sobre juegos, caza o cualquier otra afición propia de caballeros. Esto era algo absolutamente posible, y sin embargo, parecía improbable, si se admitía que tuviera pleno conocimiento de quién exactamente estaba detrás de la puerta cerrada de la biblioteca. Pero, por encima de todo, Jonathan tenía que admitir que saber que en ese momento ella podría ser consciente de que se iba a producir una revuelta política lo preocupaba.

—¿En qué piensa?

Las palabras, murmuradas con aspereza por Natalie invadieron los pensamientos de Jonathan. Se volvió hacia ella y estudio su cara, que relucía tenuemente por efecto de la luz de la farola, y la mirada genuinamente inquisitiva que expresaban sus ojos.

Él le dedicó una media sonrisa y arrancó una hoja de la buganvilla que colgaba del enrejado blanco que había a su derecha.

—El Caballero Negro está aquí esta noche, Natalie.

Observó cómo ella abría los ojos con incredulidad y asombro iniciales para luego, casi de manera instantánea, entrecerrarlos con un parpadeo de excitación.

—¿Ha hablado con él? —le preguntó apresuradamente.

Jonathan miró la hoja que tenía entre los dedos.

—Sí.

Natalie se adelantó en el banco, aferrándose al asiento de hierro con las manos.

—¿Y…?

Jonathan titubeó rebosante de satisfacción, haciéndola esperar, disfrutando del momento en lo que valía. Entonces, dejó caer la hoja, alargó la mano para coger el abanico del regazo de Natalie, arrojándolo acto seguido sobre el banco al lado de ella, y la agarró ligeramente de un brazo para ayudarla a levantarse, lo que Natalie hizo sin pensar.

—Antes de que entremos en eso, hay algo que tengo que saber —dijo, con la suficiente vaguedad para provocar un débil ceño de duda en Natalie.

Un clamor repentino, seguido de aplausos y un alboroto estalló en el salón de baile. Annette-Elise había hecho su aparición, sin duda con las esmeraldas adornándole el cuello, y ambos confiaron en ser los únicos en perderse el debut.

Jonathan miró en derredor. Estaban solos, y la ocasión era perfecta.

—Venga conmigo, Natalie. —Aquello no fue tanto una pregunta como una imposición, y ella no tuvo realmente elección. Natalie no tenía la mente puesta en él ni en que estuvieran solos en un jardín al claro de luna, sino en la aventura que se avecinaba. Una ventaja considerable para Jonathan, que, como era de esperar, utilizaría.

—¿Me está ocultando algo, Jonathan?

Eso hizo que él se parara en seco.

—¿Qué?

Natalie lo miró fijamente a los ojos, concentrada.

—Sobre el Caballero Negro, me refiero. —Negó con la cabeza a modo de aclaración, apretando los labios—. Sé que existe. Las pruebas son concluyentes. Pero también es un hombre y ha de tener una vida más allá del latrocinio. ¿Cómo lo conoció? ¿Por qué está aquí?

Sin titubeos, echando mano de la experiencia, Jonathan empezó a caminar de nuevo lentamente, el brazo entrelazado con el de Natalie, arrugando el ceño en su esfuerzo por recordar, exactamente como debía hacerlo.

—Lo conocí hace cuatro años, durante una partida de cartas entre caballeros en Bruselas. Él estaba jugando de pena, perdiendo todas las manos, apostando más de lo que probablemente debía de tener, y yo lo ayudé con un pequeño préstamo, entre ingleses, claro, antes de que pudieran acusarlo de hacer trampas o de apostar lo que no tenía. Aquel incidente dio comienzo a una amistad que ha durando hasta hoy. Tenemos una edad parecida, y los dos poseemos la misma clase de… espíritu errante.

Jonathan se percató de que la expresión de Natalie cambiaba. Se estaba arriesgando, aprovechándose de la circunstancia de que ella no tenía ni la más remota idea de lo que sucedía durante una partida de naipes, pero en aquella penumbra no podía estar seguro de si estaba horrorizada o fascinada. Tal vez solo obviamente escéptica. Prosiguió antes de que Natalie pudiera hacerle alguna pregunta más e interrumpirle.

—En cuanto a la razón de su presencia aquí esta noche, la ignoro. No se lo pregunté. Pero está aquí, y supongo que por alguna muy buena razón. —Por puro regocijo, se inclinó hacia ella y añadió—: Le hice una vaga descripción de usted; le dije que necesitaba que la ayudara, nada más. Y como es natural, desea conocerla; es probable que ya haya puesto sus ojos en usted.

A esas alturas la confusión presidía los pensamientos de Natalie. Con un ligero ceño evaluó las coincidencias, y la sospecha empezó a crecer. El engaño no duraría mucho más; ella había encajado demasiadas piezas. Pero él no se podía permitir una escena entre ellos en ese momento; no, cuando el acto final tendría lugar en el salón de baile en menos de una hora. Tenía que mantenerla en la ignorancia al menos una noche más.

En silencio, la condujo hasta la esquina más alejada del

jardín, donde la oscuridad prevalecía a medida que la luz de las farolas se desvanecía, donde el césped se extendía para dar paso a los recortados acantilados y al mar abierto. Permanecieron en silencio uno o dos segundos, él estudiando lo que podía ver de la cara de Natalie, ella mirándolo fijamente a los oscuros ojos.

—Jonathan…

Él le tocó los labios con las yemas de los dedos para que se callara y sintió el respingo de sorpresa de Natalie. Pero no las apartó. Antes bien, acarició la suave y exuberante línea, disfrutando del calor conmovedor que ello le provocaba en su interior, deseando de repente que ella se las besara movida por su propia necesidad. Pero en su lugar, Natalie levantó la mano y le agarró de la muñeca, apartándole la mano.

—Creo que deberíamos volver al salón de baile.

Intentó parecer dura, pero el temblor de su voz mostró bien a las claras la batalla que estaba perdiendo en su interior.

—Esto trae viejos recuerdos, ¿no es verdad? —insistió él, bajando el tono de su voz—. De una lejana noche, de otro jardín a la luz de la luna, del olor de las flores en plena floración. Del dulce sonido de su voz en las sombras, del deseo que vi en sus hermosos ojos cuando me miraba, del tacto de su…

—Jonathan, por favor, no haga esto —le suplicó con una suavidad llena de ansiedad. Natalie retrocedió, bajando la cabeza y pasándose la palma de la mano por la frente con irritación.

—¿Por qué? —La pregunta fue casi inaudible, y sin embargo, Jonathan supo que ella la había oído—. ¿Por qué no quiere hablar de aquella noche?

—Estoy aquí por un motivo, y este no tiene nada que ver con nosotros —insistió ella con ansiedad—. No estoy aquí para estar con usted.

Aquello hirió profundamente a Jonathan, pero no la soltó.

—Está conmigo, Natalie.

Ella alzó la cabeza de golpe y lo miró ferozmente con unos ojos ardientes.

—Solo durante poco tiempo, y solo porque tengo que estar...

—Quiere estar.

—Eso no es verdad —insistió ella, con la mandíbula apretada y el cuerpo en tensión—. Y no entiendo cómo puede seguir pensando así, cuando le he dejado absolutamente claro que no lo deseo.

Él sonrió y negó lentamente con la cabeza.

—Aquí no hay nada que pensar, y nunca lo ha habido. Vamos a acabar juntos.

Fue una afirmación de hecho realizada tan profundamente, con tanta intimidad y de un modo tan tajante que ella no pudo rebatirla. Siguió mirándolo fijamente a los ojos durante un instante, irradiando inseguridad e ira e incluso un inexplicable respeto por la confianza en sí mismo de Jonathan.

—No vale la pena luchar, mi amorcito —insistió él con dulzura. Levantó la mano y le colocó la palma en el pecho, rozándole con la muñeca la parte superior de los senos, sintiendo el rápido latir de su corazón bajo la piel caliente. Ella no se movió.

—No seré su amante, Jonathan —reveló con voz pastosa en un susurro lleno de ardor—. No puedo serlo. Jamás rebajaré tanto mi moral y mi autoestima como para convertirme en otra de sus conquistas.

Jonathan hizo una larga y profunda inspiración, permitiéndose admitir abiertamente que eso ya lo sabía.

—No tiene por qué. Usted es la verdadera conquista, Natalie.

Aquello la hizo titubear, parpadeando de incredulidad, y la irrupción de la confusión hizo que distendiera la expresión y flaqueara.

Jonathan se tranquilizó por completo, al entenderse a sí mismo por fin y a la increíble fuerza que había entre ellos y que había estado allí desde la noche que se conocieron.

—No pasa nada —le susurró él mientras le pasaba el pulgar por el cuello con unas suaves caricias—. Todo irá bien.

—La rodeó con los dos brazos y la atrajo hacia él, bajando la boca hasta la suya para rozársela con un suave y cálido beso. Ella no respondió al principio, pero Jonathan insistió, deslizando la lengua por la grieta de sus labios cerrados, hasta que Natalie le abrió la boca.

Ella le puso las manos contra el pecho en una actitud defensiva que le permitió tocarlo. Jonathan paladeó la sensación, saboreándola a conciencia, lengua contra lengua, escuchando cómo la agitación de la respiración de Natalie se acompasaba a la suya, mientras las olas rompían contra las rocas en la distancia, mientras la música del salón de baile se convertía en el eco de otra época.

Poco a poco ella empezó a corresponderle el beso con una entrega cada vez mayor, sabedora como él de que era inútil cualquier resistencia. Jonathan le subió entonces los dedos por la espalda y los relajó entre los rizos del pelo de la nuca, sintiendo su suavidad, impresionado por el olor a lavanda de la piel de Natalie. Ella era más que una fantasía, era real, no imaginada, mientras lo deseaba con un vigor y un encanto del que ni siquiera ella era consciente. Eso era lo que la hacía más hermosa que todas aquellas que se desvanecían gradualmente de la memoria de Jonathan. Era una magnífica joya que relucía en un desierto solitario de sueños insatisfechos. Al final, él lo había entendido, aunque ella no.

Natalie gimió de manera deliciosa, apenas lo bastante alto para que él lo oyera. Pero en cuanto lo oyó, supo instintivamente que ella se estaba dejando llevar por el momento. En su necesidad envolvente, él no pudo esperar más tiempo para acariciarla como había ansiado hacer, aparentemente desde hacía años. Bajó la mano, rozando las yemas de los dedos por el cuello y el pecho de terciopelo para pasarle los nudillos levemente por encima de los senos, por la piel caliente y sensible que ansiaba su atención cuando ella se apretó contra él. La mano de Jonathan se cerró por completo sobre ella, masajeándole suavemente el corpiño con la palma y los dedos, mientras que con el pulgar le acarició un pezón hasta que notó que se endurecía para él a través de la fina tela. Aquello era una tortura: la espera, el deseo ardiente, la visión inicial del éxtasis que estaba por llegar. Para los dos.

Natalie jadeó en la boca de Jonathan, pero no se apartó. Lo deseaba, más a cada segundo que pasaba. Y eso es lo que él necesitaba saber. Natalie lo deseaba a él, no a un mito, por más que ella pudiera negarlo, y la consumación sería finalmente la de los dos. Jonathan lo supo con la misma certeza con que sabía que el otoño sigue al verano. El día que ella le entregó su sexualidad en la playa no fue una casualidad ni un ardor momentáneo ni una pérdida de control. La fuerza que había entre ellos estaba allí, en aquel lejano jardín, y siempre formaría parte de ellos. Ya no había manera de parar aquello ni posibilidad de que volvieran a las vidas independientes que conocían. El destino los había vuelto a unir, por segunda y definitiva vez, y ella acabaría por aceptarlo.

Poco a poco, con más renuencia de la que él fuera capaz de recordar haber sentido alguna vez, subió las manos y las ahuecó en las mejillas de Natalie, separó los labios y apoyó la frente en la de ella. Natalie empezó a temblar, de deseo, no de frío, y Jonathan respiró profundamente para controlar la ansiedad de su propia urgencia.

Se mantuvo aferrado a ella de esta guisa durante varios minutos, hasta que Natalie se tranquilizó, sintiendo la respiración de ella en las mejillas, sus palmas todavía calientes contra el pecho.

—La necesito, Natalie.

Ella negó con pequeños y violentos movimientos de cabeza, pero él perseveró.

—Quiero que mi piel toque la suya, sentirla desnuda, tumbada a mi lado, hacerla mía, solo mía, y observarla cuando la pasión explote en su interior, como el otro día en la playa…

—No…

Él le cerró aún más las manos sobre la cara, temiendo que se soltara de un tirón y saliera corriendo.

—Esto ya no es un juego. Ya no. No aquí. Esto es real,

Natalie, y usted y yo también. Puedo sentirlo cuando la toco, cuando la abrazo, cuando la miro a los ojos. —Lentamente y con fiereza, susurró—: Acabará sucediendo.

Nunca la había visto llorar antes, pero en ese momento pudo sentir la humedad en sus mejillas, provocada, estaba seguro, por la frustración, la ira y la confusión. Le limpió las lágrimas con los pulgares, pero no la soltó. Todavía no.

—¿Por qué se empeña en combatir esto? —le preguntó con aspereza—. ¿Por qué no permite que sea lo que es?

—Porque no puedo, Jonathan —respondió ella con la respiración entrecortada—. No con usted. Esta es mi decisión, y no lo quiero de esta manera. Es mi amigo, no el hombre al que me entregaré en cuerpo y alma.

En cualquier otro momento de su vida, Jonathan se habría sentido ofendido o descorazonado por una afirmación tan apasionada que pretendía ser un frío rechazo. Pero sabía que ella estaba mintiendo, aunque todavía no se lo había reconocido a sí misma. Sus palabras de rechazo también lo hicieron sonreír en su interior cuando pensó realmente en ellas. Ella insistía en considerarlo un amigo, aun después de que él se hubiera aprovechado de sus sentimientos en la playa, aun después de que en ese momento estuviera forzando sus emociones. La amistad entre los sexos era, en el mejor de los casos, infrecuente, y sin embargo, ya estaba empezado a quedarle claro que esa era la manera que tenía Natalie de enfrentarse en su fuero interno al violento e inefable cariño que sentía por él, una apego que crecía por momentos. Y ese apego, decidió mientras reconocía un primer atisbo verdadero de alivio, sería la ventaja que necesitaría cuando ella finalmente descubriera quién era él.

La besó con ternura en la frente y se apartó un poco, mirándola fijamente a la cara, que todavía reposaba entre sus manos, aunque parcialmente oculta por las sombras.

—Tal vez cambie de opinión acerca de los hombres y la atracción después de que conozca al Caballero Negro.

Natalie respiró hondo y abrió los ojos, consiguiendo recuperar algo el control sobre sí misma cuando él se apartó un poco, se relajó y desvió la conversación de ellos.

Jonathan sonrió abiertamente, intentado rebajar la tensión.

—En cualquier caso tardaría horas en quitarle toda esa ropa para aprovecharme de usted. Es imposible que lo haga aquí, cuando la diversión está a punto de empezar y todavía no hemos bailado.

Ni con toda la compasión y fortaleza, inteligencia y comprensión que albergaba en su interior era capaz Natalie de entender los estados de ánimo de Jonathan, ni sus sentimientos —si es que tenía alguno más allá de la lujuria—, ni sus razones para estar allí y hacer lo que hacía, ni por qué hablaba con aquella pasión desenfrenada, cuando ella no era más que otra mujer que pasaba unas pocas semanas en su compañía. Cada día transcurrido, Natalie descubría que Jonathan era más atractivo a la vista, más afectuoso y amable que el día anterior, pero también cada vez más exasperante y osadamente masculino, besándola con descaro aun después de que ella hubiera insistido en que no lo hiciera, acariciándola como si llevaran años siendo amigos íntimos. Sacaba lo mejor de ella en cada ocasión, y en lo más profundo de su ser, en alguna parte, como en un murmullo casi inconsciente, sabía que Jonathan estaba ganando el pulso que le estaba echando a su buen juicio y a su cuerpo, a su corazón y a su alma. Quería ser dura, deseaba hacerle comprender cuáles eran sus sentimientos hacia él y su pasado y que hacía mucho tiempo que se había mentalizado sobre el camino que seguiría. Sencillamente, él no entraba en los planes de su vida.

Sabía que se estaba ruborizando mientras la miraba de hito en hito, aunque la oscuridad escondía bien su turbación. Se limpió las mejillas con la palma de la mano, furiosa consigo misma por reaccionar tan licenciosamente cada vez que él la tocaba, pero aún más por sucumbir a las lágrimas y que él se hubiera dado cuenta. Odiaba a las mujeres lloronas que gimoteaban ante los hombres por cualquier catástrofe insignificante, real o imaginaria, y hasta ese momento realmente no había llorando jamás delante de nadie. No la favorecía en absoluto, y lo sabía. Sin embargo, Jonathan hacía que afloraran sus pasiones sin ninguna dificultad, aunque las lágrimas no habían provocado su enfado, algo que Natalie supuso era bueno.

Luchando para impedir que se le hiciera un nudo en la garganta, se apartó un poco de él y cruzó los brazos delante de ella.

—¿Nos va a presentar ya?

Transcurrieron varios segundos, y Jonathan no dijo nada, se limitó a observarla con intensidad, como si se esforzara en sofocar un torbellino de emociones dentro de él. Entonces, y sin que mediara el más mínimo roce físico, ella sintió cómo la envolvía su ternura.

—Mañana. Esta noche es demasiado arriesgado para él, y en cualquier caso, debería pasarla conmigo.

Ella abrió la boca para protestar, pero las palabras no salieron. Oyó risas a lo lejos, y el sonido de los violines, las trompas y los oboes que llegaban a través de las ventanas parcialmente abiertas, y olió la madreselva que bañaba el cálido aire nocturno. La realidad había vuelto, y ella no había cedido. Estaba al mando, o lo estaría de nuevo cuando por fin conociera al ladrón. En ese punto la mascarada con Jonathan tocaría a su fin, y su vida empezaría a dar un nuevo giro, bastante más excitante y desafiante que no lo incluía a él. Aunque Natalie acabó por admitir que resultaba un tanto doloroso, pero las decisiones correctas en la madurez a menudo iban acompañadas del dolor.

—Tengo que verlo, Jonathan, y no puedo esperar mucho más.

—Lo sé. —Él se volvió hacia la casa y le ofreció un brazo—. ¿Baila conmigo?

Natalie titubeó por un instante, pero de nuevo la lejana luz de la farola se reflejó en la sonrisa de convicción de Jonathan, incluso de aliento y honestidad, y en esos momentos no pudo sino confiar en él.

Alisándose las faldas, recobrada la serenidad una vez más al haber perdido el momento su seriedad, acepto su brazo, caminaron hasta el banco para recoger el abanico de Natalie y, uno al lado del otro, recorrieron con garbo el sendero del jardín y volvieron a entrar en la casa.

10

El salón de baile había pasado de caluroso y viciado a ardiente y opresivo, pero Natalie apenas lo advirtió. Abrió el abanico, agitándolo mecánicamente, y estudió a los caballeros invitados con renovado interés. Jonathan caminaba a su lado, impasible como siempre, o al menos no tan descaradamente sudoroso como los demás. Pero en ese momento muchos de los presentes se dirigían de nuevo al exterior, y las ventanas ya habían sido abiertas completamente, así que, después de todo, tal vez disminuyera el calor.

Natalie vio entonces a Annette-Elise en el centro de la pista de baile bailando un vals con su padre, y los pensamientos empezaron a agolpársele en la cabeza. Se detuvo y se quedó mirando fijamente, lo que obligó a Jonathan a hacer lo mismo. Este desvió la mirada hacia el lugar en el que Natalie mantenía fija la suya y se inclinó para susurrarle al oído.

—Deslumbrante, ¿no es verdad?

Ella supo que se estaba refiriendo al collar. A sus dieciocho años, Annette-Elise solo podía ser descrita como una mujer de moderado encanto. Llevaba el pelo castaño claro recogido en lo alto de la cabeza e intentaba esconder su tez rubicunda bajo unos rizos que le caían por la cara. Era gruesa de constitución, aunque no gorda, casi... carente de formas, sin pecho ni cintura, como si se dijera, y, por desgracia, su falta de experiencia la había llevado a intentar llamar la atención hacia lo uno y lo otro con el corte del vestido. Era evidente que la elección de la ropa para la ocasión había sido hecha bajo la supervisión de la madrastra, porque la muchacha lucía un vestido de satén verde menta de lo menos favorecedor, a lo que contribuían con saña unos enormes lazos verde esmeralda y metros y metros de encaje blanco repartidos por toda la extensión de la falda. Pero todo lo relacionado con su aspecto pasaba en la práctica inadvertido en cuanto se echaba un simple vistazo al collar.

La pieza era espléndida —impresionante—, y Natalie no pudo por menos que quedársela mirando fijamente. Tenía un diseño marcadamente anguloso, no era suave ni redondeado, como solía ser lo habitual. La gruesa cadena de oro no mediría más de treinta y cinco centímetros de largo, no obstante lo cual aparecía cubierta en toda su extensión por una docena de esmeraldas, separadas algo más de medio centímetro unas de otras y talladas en grandes cortes, cada uno de más de tres centímetros cuadrados. Pero lo que hacía al collar tan incomparable era que las esmeraldas no colgaban en círculo, sujetas al collar de oro por su parte superior. Un joyero experto había invertido una cantidad enorme de tiempo en seccionar cada esmeralda a la perfección y en unirlas luego de manera individual en el lugar exacto, ya fuera en las esquinas, en los lados o en cualquier otro sitio de la parte superior o de la inferior, añadiendo oro cuando se había hecho necesario, de manera que cada piedra colgaba completamente derecha en ángulo recto en relación a las demás y al suelo cuando se lucía. Las esmeraldas por sí solas valían probablemente una fortuna. Pero el valor del collar, intacto como estaba en ese momento, era sin duda alguna incalculable, y Natalie no había visto cosa igual en su vida.

—A eso es a lo que él ha venido aquí —susurró ella con creciente asombro. Levantó la vista hacia Jonathan, que la observaba una vez más con cierto regocijo. Sin que mediara respuesta alguna, él la condujo entonces hacia la pista de baile, dándole tiempo solo para que sujetara el abanico contra la suave lana de la manga de su levita y se levantara las faldas con la otra mano cuando él se la cogió en la suya.

El contacto la impresionó cuando empezaron a moverse rítmicamente al compás de la música, no porque Jonathan se pegara más de lo adecuado, sino porque el recuerdo del vals que habían bailado hacía años era el más intenso de cuantos tenía. Quizá él recordara los besos y las caricias al detalle, pero ella se acordaba del baile, de los ojos de Jonathan, arrebatadoramente brillantes, taladrándole los suyos desde una cara y una sensibilidad ocultas tras una máscara de satén negro. Durante cinco años había pensado a menudo en aquella noche, a veces fantasiosamente, en ocasiones con una tremenda desazón, pero siempre con una minuciosidad como si hubiera sucedido el día anterior.

—¿En qué está pensando?

Las palabras de Jonathan interrumpieron el curso de sus pensamientos, y Natalie se sorprendió parpadeando rápidamente para volver a la realidad.

—Que quiero estar presente cuando él las robe.

Jonathan rió en voz baja, aunque su mirada no titubeó ni un instante, y la rodeó con más fuerza por la cintura para acercársela, haciéndola girar con pericia por la pista.

—¿Cree que es eso lo que él busca esta noche?

—¿Usted no?

—Supongo que es una suposición tan razonable como cualquier otra —admitió él.

Natalie movió el pulgar arriba y abajo por la mano de Jonathan, mientras él le sujetaba la suya.

—Pero también creo que hay algo más —reveló ella con una pizca de excitación—. Creo que la razón de que esté aquí es política.

El comentario captó toda la atención de Jonathan.

—¿En serio? ¿Y por qué lo cree?

Natalie levantó los hombros de manera insignificante.

—El Caballero Negro no es famoso por robar cosas por dinero, y si eso fuera todo lo que quisiera, podría robárselo sin problemas a los ingleses. Madeleine y yo tuvimos una conversación al respecto al principio de la noche, y llegamos a la conclusión de que si el Caballero Negro hace acto de presencia, robará unas joyas que valgan algo más que su mero valor crematístico. —Se inclinó para acercarse mucho a la cara de Jonathan y susurró—: Creo que estas esmeraldas son valiosísimas, y probablemente robadas, y tal vez tengan algún valor político, ya sea para el gobierno francés, ya para el inglés.

Jonathan la miró fijamente a los ojos durante unos instantes. Su expresión no cambió ni un momento mientras calculaba si los pensamientos que acaba de expresar Natalie eran fruto del conocimiento o de la conjetura, al tiempo que la falda del vestido de Natalie le abrazaba las piernas, y los pies de ambos trazaban figuras sobre la pista de madera con un rítmico chasquido que seguía el aumento gradual de la música y el murmullo de las conversaciones que los rodeaban.

Al final, en voz baja pero firme, él preguntó con prudencia:

—¿Madeleine le dijo eso?

Que no la creyera capaz de deducirlo por sí misma la irritó de inmediato. Natalie se retiró un poco, sintiendo que el rubor le subía por las mejillas.

—Hablamos de ello largo y tendido, y llegamos juntas a esa conclusión.

—Ah, entiendo.

Fue un reconocimiento fácil que no revelaba nada. Estaba calmándola, y eso a ella no le gustaba lo más mínimo. Por supuesto que el robo de las joyas también podía tener algo que ver con la conversación que había oído por azar en el piso de arriba, en la biblioteca, hacía menos de una hora, pero no parecía muy probable que fuera así, y no se lo iba a comentar a Jonathan. Los franceses siempre estaban pensando en la manera de destronar al rey reinante, y la mayor parte de las veces no pasaba de ser mera palabrería jactanciosa y carente de sentido práctico provocada por el exceso de bebida, sobre todo en una reunión social como aquella. Lo que había oído era interesante de anotar, pero no grave, y decírselo a él como si se tratara de algo importante lo más probable es que la hiciera parecer tonta. Sin embargo, se negó a dejar que el asunto se acabara en aquel punto.

—¿Se le ocurre una idea mejor para que él esté aquí, Jonathan, querido? —le preguntó, parpadeado. Acto seguido, abrió los ojos como platos, fingiendo una inocencia exagerada—. ¡Tal vez vaya detrás de mis camafeos! —le susurró con un grito ahogado de sorpresa—. Confío en que protegerá mis pertenencias como un marido devoto, si me abordara en uno de los oscuros pasillos del conde de Arlés con la intención de apoderarse de mis joyas.

Los ojos de Jonathan brillaron con una especie de consideración llena de admiración por la respuesta de Natalie, y a punto estuvo de soltar una carcajada, esforzándose al máximo por intentar mantener una expresión neutra, lo que Natalie advirtió sin demasiada dificultad.

El vals terminó, pero empezó otro de inmediato; él no la soltó y siguió bailando con ella sin cesar, como si no se hubiera enterado en absoluto del cambio de música.

—Los camafeos son joyas semipreciosas en el mejor de los casos, Natalie, y apenas valen el tiempo del Caballero Negro. —Jonathan inclinó la cabeza ligeramente, y recorrió a fondo cada centímetro de su rostro con la mirada—. Puede que después de mirarla bien, prefiera tenerla a usted.

Natalie le lanzó una sonrisa un tanto burlona.

—¿Y protegerá usted a su preciada esposa de sus ardorosos avances?

—Oh, con mi vida, Natalie, querida —confesó de inmediato.

Aunque Natalie sabía que en ese momento Jonathan estaba siendo sarcástico con ella, las palabras se fundieron en su interior, satisfaciendo algo que no pudo precisar con exactitud.

Él cambió de tema bruscamente.

—¿De qué más hablaron usted y Madeleine?

Tal vez fuera simple intuición, pero Natalie estaba segura de haber detectado en la pregunta una pizca de… ¿inquietud? Rotundamente, merecía la pena que siguiera el juego hasta el final.

—Hablamos de usted, Jonathan —reveló ella con dulzura.

—¿Eso hicieron?

Ella sabía que estaba más que intrigado, aunque nada dispuesto a admitirlo o a mendigar respuestas.

—La verdad es que a Madeleine parece gustarle, como ocurre aparentemente con todas las mujeres. —Lanzó una rápida mirada hacia el techo dorado, arrugando la frente como si intentara recordar—. Las dos decidimos que es usted encantador y rápido de mente, seguro de sí mismo y agradable a la vista.

Los ojos de Natalie volvieron a posarse en la cara de Jonathan, que estaba sonriendo abiertamente; si era debido a que esos eran unos rasgos positivos o porque sencillamente le encantaba estar en boca de las mujeres fue algo que a ella no le quedó claro. Pero se negó a quedarse ahí.

—También le dije que pensaba que usted era un poco demasiado alegre y frívolo con su fortuna, con esa afición suya a deambular por el mundo a su libre albedrío sin más objeto que el de conseguir unos cuantos cachivaches triviales y la oportunidad de jugar. Por su parte, Madeleine lo defendió, insistiendo en que es usted más profundo de lo que yo presumo.

—Y lo soy —recalcó él con un repentino aire de gravedad, y su sonrisa se desvaneció lo suficiente para sugerir que ya no iba a ser tan juguetón con ella.

Una oleada sofocante de incertidumbre envolvió a Natalie. No eran exactamente celos lo que sentía, sino algo así como un ligero resentimiento por el hecho de que la francesa pudiera tener más intimidad con él que ella. Y que tuviera tal sentimiento la hizo arder de ira.

—Me pregunto cómo sabe ella eso, Jonathan —comentó en tono cortante.

—Porque tiene los ojos abiertos, Natalie —le respondió él sin rodeos.

En cierto sentido aquello fue lo más hiriente que alguien le había dicho en mucho tiempo, y él supo también que así se lo había tomado ella. Natalie pudo verlo en la mirada penetrante de Jonathan en ese momento, en sus cejas juntas, en la dureza de su mentón y en sus labios apretados, ya no muy sonrientes, sino desafiándola a responder con una irónica sonrisita de suficiencia apenas perceptible.

—Tal vez le apetecería comer algo —dijo él como un hecho consumado, soltándola cuando su segundo vals tocó a su fin.

Antes de que ella pudiera responder, la cogió por el brazo y la condujo a través de la multitud hacia una de las mesas del refrigerio. Madeleine estaba allí, alta y elegante en su precioso vestido, conversando agradablemente con un caballero de mediana edad. No muy lejos de Madeleine, también junto a la mesa del bufé, estaba Annette-Elise comiendo remilgadamente bombones con los dedos, su madrastra y su padre al lado, y los tres rodeados por cuatro o cinco conocidos de la clase acomodada del lugar, o hablando de las esmeraldas o quizá guardándolas. Robarlas así, llevándoselas del cuello de la dama y delante de cientos de personas sería una hazaña increíble. Por primera vez, Natalie sintió un asomo de duda acerca de las habilidades del Caballero Negro.

Madeleine se volvió hacia ellos cuando se acercaron.

—¿Qué tal les fue el paseo? —preguntó con verdadero interés.

—Encantador —contestó Natalie desapasionadamente.

—Pero demasiado corto, por supuesto —añadió Jonathan sin titubeos, sujetándola con más fuerza por el brazo—. Solos como estábamos, creo que a mi esposa le habría gustado… seguir allí.

A Natalie le pareció increíble que dijera aquello. Las mejillas empezaron a arderle de nuevo, y abrió el abanico, buscando de manera desesperada que el aire se moviera, incapaz de mirarlo. No necesitó hacerlo cuando sintió la mirada ardiente de Jonathan en su mejilla.

—Y es un escenario de lo más romántico para los amantes —sugirió Madeleine con una leve sonrisa en la boca. Entonces, abandonando estratégicamente el tema, se volvió hacia el caballero que estaba a su lado—. Monsieur et madame Drake, permítanme que les presente a monsieur Jacques Fecteau, un viejo conocido de mi difunto esposo, Georges. Es un joyero de París que ha venido a Marsella por asuntos de negocios. No le había visto desde hacía… —Miró al francés—. ¿Cuánto…?, ¿cinco años?

—Como poco —ratificó el hombre alegremente en un inglés excelente—. Pero ahora nos volvemos a encontrar. Qué coincidencia, *non*?

Natalie le ofreció la mano. El hombre era de la misma estatura aproximada de Madeleine, corpulento pero vestido con tino con una levita y uno pantalones grises, camisa blanca y fular negro. Lucía unas gruesas patillas y un pelo engominado del color de la corteza mojada. Tenía una boca grande y jovial y sus ojos se empequeñecían con alegría cuando sonreía. Cuando le cogió los dedos entre la palma de la mano y le besó levemente los nudillos, concentró toda su atención en Natalie.

—Madame Drake. Es un placer.

—Monsieur Fecteau.

El hombre levantó la vista hacia Jonathan.

—Y monsieur Drake, madame DuMais ya me ha hablado de usted y de su interés en comprar propiedades en Europa. ¿Disfrutan de su estancia en Marsella?

—Oh, pues claro, monsieur Fecteau. ¿Y usted?

Natalie interpretó bien su papel mientras intercambiaban los cumplidos de rigor, enterándose de que el hombre había viajado ampliamente por el extranjero durante varios años aprendiendo su oficio, lo cual explicaba su buen dominio del inglés. Pero, pese a todos sus esfuerzos, encontró dificultoso centrarse en la conversación, la cual, en general, se le antojó harto forzada y mundana, aunque Madeleine y Jonathan se mostraron especialmente interesados. Durante más de cinco minutos Jonathan permaneció erguido a su lado, con las manos a la espalda, absorto en las explicaciones de monsieur Fecteau acerca de lo que él describió como un atroz viaje al sur la semana anterior: algo relacionado con la pérdida de una rueda de su carruaje y posterior hundimiento en un terraplén embarrado, lo que le había obligado a él y a dos damas a esperar durante horas bajo un calor asfixiante antes de poder seguir viaje, así como el desvanecimiento de una de ellas, lo que ocasionó que a continuación el cochero tuviera que reanimarla con un poco de agua fría de un arroyo cercano.

Era la disertación más extemporánea y sin sentido de la que Natalie hubiera formado parte jamás, y no sabía muy bien por qué. Simplemente le parecía superficial. Y artificiosa. Deberían haber estado bailando, alternando con los demás invitados, bebiendo champán, disfrutando del jolgorio y, sin embargo, tanto Jonathan como Madeleine no paraban de asentir con la cabeza y de hacer comentarios consecuentes, de pie al lado de la mesa de la comida, escuchando con atención a un parisino que peroraba sobre las diferencias del calor seco del norte de Francia y el calor húmedo del sur.

Y entonces, sucedió. Madeleine se puso sutilmente al lado de Natalie para acercarse a la bandeja de los dulces y del pan de nueces, inclinándose con tanta cautela detrás de Annette-Elise, que en ese momento comía a su lado, que Jacques Fecteau dejó de hablar a mitad de frase y se quedó mirando de hito en hito y con la boca abierta las esmeraldas, para entonces completamente en su línea de visión y solo a unos centímetros de distancia.

—¡Por Dios bendito, qué pieza más maravillosa! —farfulló sobrecogido, cambiando ya a su lengua nativa.

Se hizo el silencio en torno a ellos cuando Fecteau se movió para acercarse, absorto de pronto en el trabajo de joyería del collar, el destello de las gemas y el brillo del oro.

Natalie percibió un inmediato cambio en la atmósfera. La música, el baile y la fiesta continuaban en torno a ellos, pero nadie en la vecindad lo advirtió. Jonathan seguía detrás de ella, callado y atento. A la izquierda de Natalie, a medio metro de distancia, estaba un hombre muy alto con unos rasgos insólitamente delicados. Michel Faille, vizconde... de algo, Natalie no fue capaz de recordarlo, seguido de Alain Sirois, vizconde de Lyon. Madeleine se los había presentado al principio de la velada. El conde de Arlés estaba entre Alain y Claudine, su esposa, que tenía una mano apoyada en el borde de la mesa del bufé. Y todos estaban rodeando a Annette-Elise y sus valiosísimas esmeraldas.

Fecteau siguió acercándose, concentrado en las joyas y ajeno a todo lo demás.

—Asombroso —susurró el joyero—. Un trabajo excelente.

Henri se irguió, y sonrió con jactancia.

—Una herencia familiar. Nos sentimos tremendamente orgullosos de que nuestra hija luzca las esmeraldas en esta ocasión con tanta elegancia.

—Por supuesto —farfulló Fecteau.

Los ojos de Henri se entrecerraron.

—Creo que no nos han presentado, ¿monsieur...?

—Fecteau —terminó Madeleine por el aludido con una voz y unos modales desenfadados y encantadores—. Es un viejo conocido de mi difunto marido, conde y joyero de París. Llegó ayer mismo a Marsella con gran sorpresa para mí, y le pedí que me acompañara esta noche. —Alargó la mano y le tocó el brazo a Henri mientras sus ojos centelleaban con una discreta familiaridad—. Confío en que no le importe que en cierta manera antes hayamos evitado las presentaciones.

Henri, colorado e inquieto, pareció no saber qué contestar, y sin embargo se mostró absolutamente encantado de que una mujer tan atractiva se le acercara con tanta naturalidad.

Claudine se aclaró la garganta, volviendo bruscamente al tema.

—¿Es usted un experto en joyas de gran valor monsieur Fecteau?

—Bueno, llevo en el negocio más de veinte años —respondió el hombre con garbo, haciendo caso omiso del deje de duda contenido en las palabras y en la falta de tacto de Claudine. Entonces, el joyero volvió a mirar el collar con unos ojos que eran unos redondos lagos de asombro—. Mi especialidad son las falsificaciones, la bisutería, y jamás he visto algo que supere esto.

Alguien soltó un grito ahogado, y Fecteau, sin advertirlo, miró a Henri directamente por primera vez, sonriendo con seguridad.

—Un trabajo magnífico. Habrá pagado una gran suma, ¿no es así?

El primer impulso de Natalie fue aplaudir ante la respuesta, pertinente y llena de tacto, algo que probablemente Claudine y su simpleza no entenderían sin mediar una explicación. Entonces, Natalie sintió un inconfundible cambio en la atmósfera. La tensión que los rodeaba se convirtió en algo tangible, ardiente y opresivo sin una razón evidente, aunque inconfundible incluso para aquellos ajenos a su significado.

Natalie se quedó inmóvil, con el corazón latiéndole de repente con fuerza, y el momento adquirió una irrealidad como ella jamás había experimentado. Durante unos segundos, nadie dijo nada. Entonces, Annette-Elise se puso pálida mientras levantaba los dedos hacia su cuello.

—¿Papá?

Henri parpadeó rápidamente y pareció recobrarse.

—Está en un error, monsieur Fecteau. No tiene usted ninguna experiencia. Le aseguro que estas esmeraldas son auténticas.

La orquesta dejó de tocar en ese instante, convirtiendo las pequeñas discusiones sobre música en el salón de baile en un zumbido.

El joyero pareció desconcertado.

—No… no sabe cuánto lo siento. —Se mojó los labios con la lengua y abrió los ojos como platos, confundido—. Supuse que lo sabía.

—¿Que lo sabía? —bramó Michel Faille, y su amplia boca se estilizó cuando los músculos de su cuello se tensaron contra el cuello de la camisa—. Lo que sabemos es que esas esmeraldas con valiosísimas, y que una vez pertenecieron a la reina de Francia. Lo que no sabemos es quién es usted exactamente, y cuál es su propósito al propagar una información falsa en relación con unas joyas de las que no sabe nada.

Su voz fue aumentando con cada palabra, y Natalie se dio cuenta de que la reacción del joyero fue la de sentirse cada vez más ofendido. En ese punto, otros invitados a la fiesta que estaban en las inmediaciones se callaron y empezaron a prestar atención al intercambio de palabras.

Fecteau levantó la barbilla de manera casi imperceptible, respiró hondo y miró a Henri con convicción.

—Le ruego que me perdone, conde, pero conozco mi oficio. He sido joyero profesional durante más de dos décadas, yo mismo he fabricado falsificaciones de originales tanto para la clase media como para la aristocracia, y conozco una falsificación en cuanto la veo. —Con una voz profunda y solemne, proclamó—: Y este collar es una falsificación.

Natalie sintió que Jonathan la cogía de la mano, entrelazándole los dedos con los suyos y apretándoselos suavemente, y se le secó la boca.

Henri palideció.

—Es imposible —dijo con voz áspera—. Han estado guardadas en mi caja fuerte durante semanas.

Una calma opresiva se extendió por la sala. Fecteau se agarró las manos a la espalda con decisión.

—Entonces, conde de Arlés, si cree que estas esmeraldas son auténticas, le pido que considere que su caja fuerte ha sido forzada y que ha sido hábilmente engañado. No tiene más que raspar con un cuchillo o cualquier instrumento afilado el oro, y lo arrancará. En cuanto a esas cosas verdes no son más que vidrio.

Alain empezó a sudar, y su frente se perló de sudor; Michel enrojeció de ira; Annette-Elise aferró las esmeraldas, y su tez rubicunda estaba ya tan blanca como los lirios de un cementerio. Durante unos segundos, nadie hizo nada, y entonces, Claudine dijo entre dientes:

—La caja, Henri, ve a comprobar la caja fuerte.

Hacer aquello era inútil, puesto que las joyas, de estar Fecteau en lo cierto, ya habrían sido robadas. Pero el conde se dio la vuelta, se dirigió a toda prisa hacia la puerta y salió al vestíbulo.

Todo el mundo empezó a hablar al mismo tiempo; el ruido devino en un repiqueteo, y el calor se hizo opresivo. Natalie permaneció en silencio, disfrutando del extraño momento de emoción y tensión, sabiendo que el Caballero Negro estaba allí, probablemente observando. Jonathan le acarició los nudillos con el pulgar, y ella levantó la vista con cautela para tomar nota de su ligera expresión de curiosidad. Él no tenía que conocer bien el idioma para entender lo que estaba ocurriendo o la atrocidad de todo ello.

Madeleine empezó una desenfrenada y animada charla entre el joyero, Claudine y los otros dos hombres, y Natalie sintió que Jonathan tiraba de ella con absoluta naturalidad para que se hiciera a un lado uno o dos pasos.

—Lo ha hecho él —dijo ella en voz baja.

—Con su estilo habitual —le contestó Jonathan en un susurro—. Pero esto no ha acabado todavía.

Al cabo de unos segundos Henri volvió a entrar en la sala, y todos se volvieron; el silencio cayó de nuevo sobre la multitud al presenciar su expresión de asombro. Parecía enfermo ya cuando se dirigió de nuevo a trompicones a la mesa del bufé, la piel de un gris pálido, los ojos desorbitados por el terror y la frente perlada de gotas de sudor, que le resbalaban hasta la barbilla.

—¿Qué es esto? —preguntó con voz áspera y entrecortada, mostrando una bolsa de terciopelo negro con manos temblorosas—. ¡Qué es esto!

El silencio se volvió ensordecedor. El movimiento se detuvo. Fecteau alargó la mano con prudencia hacia la bolsa con un semblante de rotundo y consciente pesimismo. Con dedos ágiles hurgó en el interior y sacó cuidadosamente el contenido.

—¡Oh, Dios mío! —susurró alguien.

Depositada cuidadosamente en la palma de su mano estaba una réplica del collar, si bien hecha de piedras negras y un metal barato y solo de la mitad de su tamaño. Era una broma desmoralizante, un tributo a la burla.

A Fecteau se le pusieron los pelos de punta.

—Esto es plata pobre, conde de Arlés, y las piedras son de ónice negro. Es una piedra semipreciosa. Bastante corrientes, aunque son unas buenas piezas y probablemente valgan más que las falsas esmeraldas. —Le dio la vuelta en las manos—. Poco frecuente, la verdad. Normalmente una sirve para hacer, bueno… camafeos de ónice.

Por primera vez en toda la noche una ráfaga de aire marino sopló a través de los ventanales abiertos, recrudeciendo la conmoción colectiva con la fría realidad. Entonces, un ruido sordo empezó a correr de nuevo entre la multitud, de indignación entre aquellos que estaban confabulados, de confusión e incertidumbre cuchicheada entre los que seguían sin saber nada.

De repente, Henri empezó a enfurecerse, rojo como la grana, los puños apretados a los costados, los ojos llorosos por una ira que no podía empezar a ubicar, la nuez subiendo y bajando convulsamente mientras tragaba saliva, incapaz de hablar.

Michel agarró a Fecteau por el cuello con una mirada de odio en los ojos, lívido pero con las mejillas rojas y brillantes.

—¿Lo robó usted?

—¡Monsieur Faille! —dijo Madeleine en un grito ahogado, poniéndose entre los dos hombres.

Michel no le hizo caso.

—Qué coincidencia que esté usted aquí esta noche…

—¡Cállese, Michel! —le espetó Alain, tirando del hombre alto con manos temblorosas hasta conseguir liberar al joyero—. Los insultos injustificados solo causarán mayores problemas y atraerán miradas indeseadas.

Fecteau parecía consternado cuando retrocedió, aferrando todavía el collar de ónice con los dedos de una mano, mientras se alisaba la levita con la otra.

—No he robado nada —insistió, con la voz quebrada por los nervios—. No soy capaz de imaginarme cómo yo o cualquiera podría haber robado semejante collar del cuello de su hija durante este baile. Y si lo hubiera robado antes de hoy, le aseguro, monsieur, que no estaría aquí ahora.

Eso era lógico y todo el mundo lo sabía.

Alain volvió su corpulenta figura hacia Madeleine y su acompañante.

—No cabe duda de que tiene toda la razón, monsieur Fecteau. Acepte nuestras más sinceras disculpas.

Con eso, el jaleo se hizo atronador, y Annette-Elise empezó a llorar, todavía aferrando los cristales sin valor. Entonces, Henri cogió el collar, tirando con fuerza de él una vez. El broche se rompió fácilmente, y las piedras cayeron del cuello de su hija a sus manos.

—Nos registrarán —dijo Natalie en tono sombrío.

Muy lentamente, Jonathan murmuró:

—No, no lo harán. No pueden.

Ella lo miró a la cara con expresión interrogante.

—Registrar a cualquiera aquí esta noche arruinaría su prestigio social, y no pueden llamar a las autoridades, cuando han sido ellos los que han robado el collar primero. —Y con una afirmación vagamente jactanciosa, añadió en un susurro—: Han perdido las esmeraldas y lo saben.

Ella lo observó, mientras Jonathan seguía mirando fijamente al conde con dureza y perspicacia, sin darse cuenta de que un mechón de cabellos negros le caía sobre la frente. Pero fue la certeza que transmitieron su voz y su actitud y la expresión de su boca, no exactamente una sonrisa, sino apenas una línea ascendente, un gesto de absoluta satisfacción, de triunfo insulso pero definitivo… lo que hizo que a Natalie le asaltaran las dudas. Era como si Jonathan acabara de ganar el premio de un juego de azar desafiante y altamente temerario.

Como si hubiera robado el collar él mismo.

Natalie se quedó completamente inmóvil, paralizada, al mismo tiempo que un asomo de comprensión empezaba a formarse en su interior. En algún lugar a mucha distancia oyó que la música se reanudaba interpretada con torpeza. Henri y varios hombres abandonaron rápidamente el salón de baile; Madeleine hablaba en susurros con Fecteau, y sin embargo, en ese momento, los pensamientos de Natalie iban más allá de ellos, a otro lugar, a otro momento que se le antojó entonces muy lejano.

«… Es moreno, sofisticado, encantador, inteligente, atractivo, y hace buenas acciones para ayudar a la gente. También corre el rumor de que tiene los ojos azules…»

Un escalofrío, gélido y entumecedor, la recorrió, y empezó a temblar.

«¿Y el Caballero Negro está en Marsella?», le había preguntado a Jonathan.

«Lo estará cuando lleguemos allí.»

—Oh, no… —susurró Natalie.

Jonathan la miró, y sus ojos vibrantes buscaron los de ella cuando se dio cuenta de la expresión de Natalie.

«Es apasionante, y viaja, y… vive para la aventura. Sé que esto parece un poco extraño, pero creo que también me busca.»

Más allá de cualquier duda, tan contundente como un puñetazo en el estómago, apareció allí, delante de ella. Todas las preguntas y creencias, toda la esperanza en su futuro murió rápidamente en su corazón, todos sus sueños hechos añicos por un golpe increíble de certeza. ¿Por qué no lo había visto antes? ¿Cómo podía no haberlo sabido? Porque incluso la idea era algo que no podía haber imaginado jamás; una pesadilla hecha realidad que jamás podría aceptar.

—¿Natalie?

Estaba paralizada, temblando por dentro, mirándole fijamente a sus maravillosos ojos, bajo un ligero ceño de curiosidad. De repente, Natalie tuvo una poderosa sensación de cólera y de aplastante vergüenza por las cosas que le había confiado, por la humillación demoledora de sentirse engañada reiteradamente, de ser utilizada.

Él seguía sujetándole la mano, y el tacto en ese momento se hizo tan abrasador como el aceite hirviendo sobre la piel. Pero con una aguda intuición casi instantánea de lo que el futuro deparaba no se desasió de un tirón. Una oleada torrencial de lógica la inundó, impidiendo que cometiera un acto inmediato e irracional. Las respuestas estaban allí, ante ella, adquiriendo claridad y sentido mientras empezaba a encajar las piezas, pero faltaba la prueba. Ya fuera por un saber fruto de su agudeza, ya por un instinto irresistible, la cuestión es que su mente tomó las riendas en ese momento, y para bien o para mal, hizo que se detuviera.

No podía permitir que Jonathan lo supiera. No allí, en el baile, delante de cientos de personas. Él la había tomado por idiota, y lo odiaba por eso. Pero había robado las esmeraldas por un motivo, y Natalie sentía ahora una profunda curiosidad por saber cuál era este, dónde estaban las joyas y cómo lo había hecho, y por encima de todo, por la razón de que la hubiera llevado con él en ese viaje. Si se enfrentaba a Jonathan en ese momento, provocaría una situación embarazosa para ambos, pero, por encima de eso, sería él quien ganaría. Y ella no podía permitir que lo hiciera.

Jonathan no podía ganar.

Tranquilizándose, con la mente trabajando de manera frenética y entrecerrando los párpados con una amplia sonrisa de intenciones ocultas, murmuró:

—Solo estoy un poco… impresionada.

Jonathan volvió a acariciarle los dedos con un pulgar, y Natalie reprimió el impulso de abofetearlo con todas sus fuerzas. En su lugar, le apretó la mano con ternura.

—Creo que ahora me tomaría una copa de champán.

Jonathan la miró fijamente a los ojos unos instantes.

—¿Le gustaría irse?

Natalie bajó la mirada para escudriñar a la multitud. Dos o tres parejas se precipitaron hacia la pista de baile en un descarado intento de ignorar los desagradables momentos, mientras la seda y el satén volvían una vez más a agitarse entre frufrús al ritmo de una música interpretada con demasiada intensidad; pequeños grupos de personas susurraban por los rincones o ante las mesas del refrigerio, comiendo o bebiendo; otros más aprovechaban para marcharse con discreción.

Con resolución y una calurosa sonrisa de excitación que ya no sentía, Natalie volvió a mirar los encantadores y engañosos ojos de Jonathan y dio inicio a la mejor interpretación de su vida.

—Ahora no —dijo ella con donaire—. Me gustaría… ver en qué acaba todo esto.

Aquello apaciguó a Jonathan, que pareció relajarse.

—Entonces, sea el champán. —Le soltó la mano por fin, y levantó la suya para ahuecársela en la barbilla—. ¿Y por qué no divertirnos mientras podamos? Diría que me debe al menos un baile más antes de que la entregue al ladrón.

Natalie lo odió por aquello, por su desenvoltura, por su irresistible encanto, por las atenciones que le prestaba y el insaciable deseo que había entre ellos, y que él había utilizado con tanta pericia en beneficio propio. ¿Y qué había dicho Madeleine? «¿Me pregunto cómo planea Jonathan abordar esta presentación?» Él le había dicho que sería al día siguiente, y eso le daba tiempo. Tiempo para pensar en algo que pusiera la ventaja en sus manos. Pensaría en algo. Tenía que hacerlo. Entonces, tendría el control de la situación y ganaría.

Vaya si ganaría.

11

Natalie tardó casi diez minutos contemplando fijamente el baúl de Jonathan antes de decidir que había llegado el momento de abrirlo y examinar su contenido. Como era natural, registrar los efectos personales de Jonathan sería algo de lo más vergonzoso, pero no tenía alternativa. Era la única manera de tener la certeza absoluta. Él acababa de salir para ir a comprar un almuerzo frío a uno de los pueblos cercanos, dejándola con la promesa de que hablarían cuando volviera. Tal conversación versaría, sin duda alguna, sobre las esmeraldas y el Caballero Negro, y Natalie quería estar preparada. Aunque primero tenía que encontrar las joyas, por los medios que fuera, y estaba más que segura de que Jonathan no las llevaba con él cuando se marchó. Si las hubiera llevado en el bolsillo probablemente se habría notado, y de todas maneras Natalie era incapaz de imaginarlo vendiéndolas, lo cual habría sido la única razón para arriesgarse a llevarlas encima. Eso significaba que todavía estaban allí. Y el único lugar donde podrían estar era en alguna parte entre sus pertenencias personales.

Habían regresado del baile poco después de las dos de la madrugada. La fiesta había continuado en cierta medida después de que se hubiera descubierto la falsificación de las esmeraldas, aunque el ambiente había decaído bastante. La mayoría de los invitados se fueron pronto, pero ella y Jonathan se habían quedado por la insistencia de ella, ya bailando, ya alternando con los demás invitados, hasta ser casi los últimos en marcharse. El conde de Arlés no había vuelto a aparecer después del fiasco con Fecteau, pero Claudine había puesto todo de su parte para mantener viva la fiesta por Annette-Elise. En realidad, era todo lo que podía hacer, y Natalie sintió lástima por las dos. Apenas se podía decir que el baile hubiera sido un éxito, pero, al fin y a la postre, tampoco había acabado bochornosamente.

Sin embargo, Natalie se sentía extraordinariamente orgullosa de sí misma. Su actuación había sido magnífica, porque había logrado que Jonathan ignorara al hecho de que ella hubiera descubierto de pronto su identidad. Eso le daba a ella poder, algo que le resultaría de gran provecho en los días venideros. Durante las últimas nueve horas Natalie no había hecho otra cosa más que ser presa de una permanente inquietud interna, dormir poco y esconder sus intenciones lo mejor que pudo, incluido el deseo casi de matarlo, aunque en su lugar decidió no perder la calma. A las seis de la mañana, tumbada junto a la figura despreocupada y profundamente dormida de Jonathan, se le había ocurrido. En ese momento ya tenía un plan, y una manera de utilizar a Jonathan tal y como él la había utilizado a ella desde el mismo instante en que había entrado en su casa de la ciudad.

Así que, con decisión, y antes de que pudiera cambiar de idea, se arrodilló por fin junto al cerrado baúl de metal, alisó la falda morada en torno a ella, hizo saltar los cierres de latón y levantó la tapa.

Si esperaba que el contenido la sorprendiera, estuvo en un error. Jamás había hecho algo tan atrevido en su vida, por supuesto, como tampoco había curioseado tan íntimamente entre la ropa interior de un hombre. Pero su primera impresión al levantar la tapa fue la de asombro, por el sumo cuidado con que todo estaba doblado y colocado en el interior. Desde las camisas hasta los zapatos, todo estaba perfectamente ordenado. Por extraño que pareciera, nunca había esperado semejante cosa de Jonathan. Por un lado, parecía tener una personalidad harto caprichosa, y sin embargo, su manera de vestir y su estilo eran más acordes con los gustos elegantes y reservados de un caballero, lo cual, tuvo que recordarse, era en realidad.

Con cuidado, empezando por el lado izquierdo del baúl, levantó las camisas, una a una, y las fue colocando en el suelo a su lado. Detrás vinieron los pantalones, tres pares, que también sacó con cuidado. Bajo estos, en el fondo, había dos pares de zapatos. Ninguna esmeralda, aunque metió los dedos con cautela en los zapatos para asegurarse de que no estuvieran dentro.

Luego, pasó al lado derecho del baúl. Había evitado adrede empezar por ese lado porque se había dado cuenta de que había más efectos personales —el peine, la navaja de afeitar, el cepillo de dientes y los polvos y la ropa interior— que no eran asunto suyo. Pero, no obstante, para llegar al fondo del baúl, tenía que registrarlo todo.

Con manos ansiosas fue sacando los objetos de tocador y los colocó a su lado. A continuación, y aumentando el ritmo, empezó a levantar las prendas interiores dobladas, sintiendo que su incomodidad iba en aumento cada vez que tocaba una, pero recordándose el fin que la animaba. Necesitaba las esmeraldas y tenía que darse prisa.

Entonces, por fin, cuando las dudas empezaban a calar en su ánimo, descubrió el objeto de su registro. Una bolsa de terciopelo negro, exactamente igual que la que había contenido el collar de ónice, descansaba de manera visible entre las dos últimas prendas.

El primer pensamiento que la asaltó fue que él las había dejado en un lugar tan visible porque sabía que ella las buscaría. Pero, tras solo unos segundos de reflexión, se dio cuenta de que tal conjetura era errónea. Jonathan no sabía todavía que ella había descubierto su identidad. Parecía un poco tonto por su parte no haber escondido las joyas en un bolsillo secreto o en unos zapatos, pero lo cierto es que no tenía tiempo para especular acerca de sus tácticas como ladrón. Lo único que le ocupaba la mente era imaginar la regocijante expresión de desconcierto de Jonathan, de la que iba a ser testigo cuando se enfrentara a él.

El corazón le latió con fuerza cuando cogió la bolsa, no sin cierta sorpresa al comprobar que era más ligera de lo que esperaba. Con un arrebato de euforia, la abrió a toda prisa para contemplar su contenido.

El brillo y el resplandor de las piedras verdes y del oro la dejaron sin respiración. El collar era aún más espléndido, no exactamente una joya femenina que embelleciera a una mujer rodeándole el cuello, sino más bien una original obra de arte para ser mostrada sobre la piel cálida, mientras todo lo demás se desvanecería detrás de su esplendor.

Dejó caer la bolsa al suelo sin darse cuenta y pasó lentamente el pulgar por las esmeraldas, frías aunque radiantes, dejándolas resbalar entre los dedos, mientras una sonrisa de suprema satisfacción le fue curvando poco a poco los labios. El valiosísimo collar robado estaba en ese momento en sus manos. Todas las dudas se desvanecieron. Tenía el poder por fin, y lo utilizaría. Iba a ganar.

Miró rápidamente por encima del hombro hacia el reloj de la cómoda. Era casi mediodía. Jonathan regresaría en cualquier momento.

Sujetándose un rizo rebelde detrás de la oreja, volvió a guardar las esmeraldas en su protector envoltorio de terciopelo, dejó la bolsa en su regazo y volvió a colocar a la perfección todas las pertenencias de Jonathan en el baúl, tras lo cual cerró la tapa.

Acto seguido, con rapidez y determinación recién adquirida, consciente solo de manera vaga de hasta qué punto iban a cambiar las cosas entre ellos, fue hasta su baúl, situado cerca del ropero. Abrió la tapa con rapidez y hundió el brazo bien adentro, hasta que su mano encontró una de sus botas altas de piel negra. La sacó de debajo de los zapatos y otras prendas, se sentó cómodamente en el suelo y empezó a trabajar.

Una de las mejores anécdotas que su madre le había contado jamás acerca de su abuelo hacía referencia no solo a su huida, sino al ingenio que había demostrado en su ejecución. El hombre jamás habría salido con vida si no hubiera sobornado al carcelero. Y nunca habría podido hacer tal cosa si no hubiera escondido varias monedas de oro bajo las suelas de sus zapatos, las cuales había dejado huecas con ese fin concreto. Cuando los campesinos lo registraron, no le encontraron nada encima, pero no se les ocurrió buscar detenidamente en su calzado. Ni tampoco se le ocurriría a Jonathan, porque ella había seguido el consejo de su madre y, a lo largo de los años, había vaciado varios zapatos para poder esconder dinero en ellos si, estando de viaje, alguna vez la necesidad así lo exigía. Sería una tontería, como dirían muchos, pero el haberlo hecho iba a servir por fin en ese momento a sus propósitos. Escondería las esmeraldas en su bota, donde estarían seguras y nadie las descubriría.

Tras intentar hacer palanca varias veces y de la frustrante rotura de una uña, la suela inferior de piel del alto tacón acabó por soltarse. Su idea inicial era la de ocultar tanto las esmeraldas como la bolsa dentro, a fin de mantener las joyas bien protegidas, pero pronto se le hizo evidente que no había suficiente espacio para todo, y solo entrarían las joyas. Y eso, a duras penas.

Después de sacar una vez más el collar de su envoltorio de terciopelo, lo protegió con la mayor delicadeza posible dentro del tacón y, haciendo una presión considerable con la mano, consiguió encajar la piel superior lo suficiente para asegurar el contenido. Con una amplia sonrisa de satisfacción por el logro obtenido, le dio la vuelta a la bota en las manos. Advertir que la suela de piel no encajaba del todo en la madera exigiría un examen minucioso, ¿y a quién se le iba a ocurrir mirar? El escondite era perfecto.

Natalie volvió a colocar la bota dentro del baúl, metiéndola debajo de varios pares de zapatos solo por seguridad, y cerró la tapa. Fue entonces cuando oyó las pisadas de Jonathan en el sendero de piedra.

Se levantó con rapidez, agarrando con fuerza la bolsa vacía, y se dirigió corriendo al otro lado de la habitación, donde se sentó en uno de los sillones de mimbre en el preciso instante en que él entraba.

Jonathan se detuvo para mirarla fijamente, con la boca torcida en una media sonrisa, la cabeza ligeramente inclinada y, de manera intuitiva —o por la respiración nerviosa de Natalie o tal vez solo por la tensión del ambiente—, percibió que algo estaba diferente, que algo había cambiado. Nada más entrar en la habitación, con la cesta de la comida en la mano, y después de cerrar la puerta tras él, la expresión desapareció.

—Encontré unas gallinas asadas a buen precio —dijo Jonathan en tono agradable, mientras se dirigía a la mesa situada junto a Natalie y depositaba la cesta encima. Miró a Natalie a la cara con unos ojos que se entrecerraron con un insignificante asomo de sospecha—. ¿Ha ocurrido algo mientras he estado fuera?

El corazón de Natalie empezó a latir aceleradamente. Como siempre, él la abrumaba con su presencia, allí ante ella, vestido de nuevo sin ceremonias con una camisa de lino color crema y unos pantalones marrón oscuro, el pelo alborotado por su paseo bajo la brisa y la piel bronceada pese al escaso tiempo pasado en la costa mediterránea. Pero el momento del enfrentamiento había llegado, y ella se negó a permitir que Jonathan pensara que estaba en situación ventajosa solo por lo evidente de su turbación, de la que él solía ser claramente consciente.

Así que, con fortaleza, y eligiendo el momento de la revelación con pericia, siempre según ella, le cogió una mano a Jonathan, le volvió la palma hacia arriba y colocó allí la bolsa de terciopelo.

—Encontré su collar, Jonathan —confesó en un susurró sensual.

Ella le oyó contener la respiración, una inspiración corta y seca, pero Jonathan le sostuvo la mirada y no movió la mano. La inseguridad que Natalie percibió en él en ese momento la llenó de confianza en sí misma y de una satisfacción extrema.

Con un suave movimiento, Natalie se llevó una mano a la nuca y tiró de la cinta que le sujetaba el pelo, dejando que sus espesos rizos cayeran libremente, tras lo cual se quitó los zapatos de dos puntapiés. Algo bastante impropio de una dama en mitad del día, pero quería parecer cómoda y segura de sí misma para la conversación que se avecinaba. Se removió en el sillón, levantó las piernas y los pies bajo el vestido para apoyarlos en el asiento, y sonrió triunfalmente, esperando.

Al final, Jonathan echó un vistazo a la bolsa, pasando los dedos por el terciopelo.

—¿Qué cree que sabe, Natalie? —preguntó él en voz baja.

Ella cruzó los brazos con indiferencia por delante del vientre.

—Sé que tengo las esmeraldas.

Durante unos instantes de insoportable silencio, Jonathan no hizo nada. Levantó entonces los ojos para mirarla fijamente una vez más, pero en lugar de la ansiedad o la ira que ella esperaba ver en su expresión, Jonathan sonrió, y en sus ojos brilló una especie de diversión orgullosa. Aquello la turbó de forma tan inesperada que flaqueó, algo que, Natalie estuvo segura, él había advertido.

—¿Registró mi baúl?

En ese momento, ella se retorció en el sillón, incorporándose un poco cuando la calidez la inundó.

—¿Cómo, si no, iba a tenerlas?

Jonathan arqueó las cejas.

—Cómo, si no, por supuesto.

Él arrojó la bolsa sobre la mesa y se dejó caer pesadamente en el sillón contiguo al de Natalie, cruzando las manos con educación sobre el regazo y mirándola con lo que ella solo pudo describir como una manera placenteramente calculadora.

—Confío en que no me haya robado la navaja de afeitar.

Natalie estuvo a punto de soltar una carcajada, conteniéndose con dificultad.

—Lo pensé durante un instante, Jonathan, pero entonces recordé lo peludo que es.

Jonathan se rió al oír eso. Con mucha suavidad. Observándola.

—¿Y volvió a dejar en sus sitio todos… mis objetos personales?

A Natalie le ardieron las mejillas, y el nerviosismo hizo que se llevara una mano a la cabeza y se pasara los dedos por el pelo. Aquello fue un error, porque los ojos de Jonathan siguieron el movimiento con gran familiaridad.

—Creo que nos estamos desviando de la cuestión, Jonathan —insistió ella con dureza.

—Mmm… La cuestión. —Él se relajó un poco contra el respaldo de mimbre, golpeando ligeramente los pulgares entre sí—. ¿Qué es lo que quiere saber?

—¿Madeleine es espía? —preguntó Natalie sin ambages, en un tono de voz monótono.

—Sí —respondió él sin evasivas—. Sirve al gobierno británico con ese fin, y fue elegida deliberadamente como mi contacto en Marsella para este trabajo. Es muy buena en lo que hace, y extremadamente leal a la causa británica.

Natalie parpadeó, sorprendida por su rápida y sincera respuesta.

—¿Trabaja usted para el gobierno?

Jonathan frunció la boca, y la concentración le surcó la frente de arrugas.

—No exactamente. Trabajo para tres individuos: sir Guy Phillips, lord Nigel Hughes de Cranbrook y, de forma más directa, para Christian St. James, conde de Eastleigh. Los tres son amigos míos, aunque sir Guy es mi contacto oficial, y, como Caballero Negro, estoy bajo sus órdenes. Nosotros (los cuatro) somos los únicos que sabemos la relación de ellos con mi trabajo. Si alguna vez me pillan o me detienen, jamás podrán verse implicados excepto si confieso, y eso no ocurrirá. No estoy metido en política, exactamente; trabajo con independencia de ellos, aunque hay varios miembros de las altas esferas gubernamentales que saben quién soy. Sir Guy es uno de ellos y quien organiza mis contactos por toda Europa... a fin de conseguir ayuda, si lo necesito.

Natalie lo miró de hito en hito, perpleja.

—No me puedo creer que me esté contando todo esto tan fácilmente.

Él respiró hondo, escrutando el rostro de Natalie intensamente.

—Confío en usted, Natalie.

Nunca cuatro sencillas palabras la habían ablandado de forma tan absoluta. Pero no fue solo lo que había dicho, sino el significado que se escondía detrás, y la ternura contenida en su voz profunda y en sus ojos.

—Entonces, ¿por qué lo hace? —continuó ella en voz baja.

Jonathan reflexionó durante un instante.

—Lucho por reparar las equivocaciones, pero hay algo más. En muchos de los trabajos que hago, pienso que mi labor es, en buena medida, una manera... de arreglar las cosas. Cosas que no pueden ser arregladas de otro modo. Pongo al descubierto el comercio ilegal o a personas que son tan inteligentes que, de lo contrario, no podrían ser pilladas cometiendo acciones ilegales o poco honestas... tanto personales como políticas. A veces me ocupo de asuntos de Estado, aunque los que están en el gobierno, aparte de unos pocos escogidos, ignoran por completo mi implicación en... bueno... en tenderles una trampa a los criminales políticos para que sean descubiertos y detenidos, o en localizar el paradero del dinero procedente de la extorsión o del robo de armas. No soy técnicamente un espía; no se me ha entrenado formalmente para nada. Más bien trabajo por mi cuenta, aprendiendo sobre la marcha. Se me proporciona una información detallada sobre una situación concreta, y como lo haga es cosa mía. De vez en cuando necesito ayuda y la recibo de manera incondicional, como en el caso de Madeleine. La mayor parte de las veces trabajo solo, y la mayoría del trabajo que hago consiste simplemente en robar algo, de manera que afecte al desenlace de una situación más amplia. Cuando termino el trabajo, se me paga, y se me paga muy bien.

—Por sir Guy.

—Sí, y por mis otros dos benefactores. Se me paga con fondos privados, no con dinero procedente del tesoro público. —Jonathan hizo una pausa, y sus ojos se fueron oscureciendo mientras se clavaban en los de Natalie. Entonces, inclinándose hacia delante, con los codos en las rodillas, y las manos cruzadas delante de él, bajó la voz hasta convertirla en un profundo susurro.

—Me inventé el Caballero Negro hace seis años, Natalie, y aunque mi trabajo me ha hecho rico, mi actividad como ladrón solo busca mejorar la sociedad y mi satisfacción personal. No es por el dinero. Cada uno de esos logros es lo que me convierte en el hombre que soy, e incluso si no me volvieran a pagar jamás, no creo que pudiera dejarlo del todo. Disfruto con lo que hago y confío en seguir haciéndolo, en el grado que sea, durante el resto de mi vida. —Y con suma cautela, añadió—: ¿Cree que puede aceptarlo?

Natalie no supo qué decir ni qué quería concretamente de ella con una pregunta tan directa. La voz y los modales de Jonathan eran de una profunda gravedad, y la miró fijamente a los ojos, esperando una respuesta. Y entonces, ella comprendió.

Una fuerte ráfaga de viento frío procedente del mar sopló a través de la ventana abierta detrás de él, haciendo que las cortinas se hincharan a su alrededor en un resplandor verde mar que contrastaba con su pelo. Pero Jonathan no pareció advertirlo, concentrado como estaba solo en ella y en la importancia de su contestación.

Con toda la sinceridad de la que era capaz, sabiendo lo mucho que aquello le importaba a Jonathan, Natalie murmuró:

—Si me está pidiendo que guarde silencio acerca de esto y de su identidad, Jonathan, por supuesto que lo haré. Le juro que jamás diré una palabra. —Entonces, torció adrede la boca en una sonrisa de complicidad, intentando levantar el ánimo y volver al asunto más inminente—. Además, ahora no podría desenmascararlo aunque quisiera. Tengo mis propios asuntos.

Él la miró fijamente, calculando las motivaciones de Natalie, escudriñándole el rostro en busca de respuestas que él todavía no podía detectar, o quizá tan solo sopesando el desafío que se avecinada. Entonces, se volvió a sentar lentamente, colocando los codos sobre los brazos del sillón, la barbilla apoyada en la punta de los dedos, estudiándola.

—Parece que también tiene mis esmeraldas.

Con los ojos brillantes, Natalie contuvo una risita triunfal.

—Sí, las tengo. Y antes de que conciba alguna idea sobre robármelas, deje que le garantice que nunca las encontrará.

Él bajó los ojos descaradamente, primero a sus pechos, luego a sus caderas y piernas, perfilado todo por una sencilla blusa blanca y una falda sin ballenas.

—Supongo que no me concederá el placer de registrar sus pertenencias personales.

Nunca un hombre la había hecho sentir tan absolutamente incómoda con una mirada y una sencilla frase como hacía Jonathan, y hacía continuamente. La vergüenza volvió, pero ella ignoró el sentimiento como desoyó los comentarios descarados de Jonathan. Dobló las rodillas, apoyando la planta de los pies en el cojín y se rodeó las piernas con los brazos a modo de protección.

—¿Cuándo las robó? —preguntó Natalie con una aspereza un tanto excesiva.

Jonathan volvió a mirarla a los ojos.

—El viernes.

—¿El viernes?

—En realidad, tal vez fuera el jueves por la mañana —corrigió con un encogimiento de hombros—. Mientras usted dormía, en cualquier caso.

Natalie negó con la cabeza a causa del asombro.

—¿Me dejó aquí sola, en plena noche, entró en casa del conde de Arlés, más tarde en su estudio privado, le reventó la caja fuerte, robó las esmeraldas y luego volvió aquí y se metió de nuevo en la cama?

—Esa es… una descripción bastante precisa de los acontecimientos.

Natalie no supo si escandalizarse por el atrevimiento o sentirse orgullosa del logro, pero sin duda cada vez se sentía más intrigada.

—¿Y cómo lo hizo?

—Sin hacer ruido.

A pesar suyo, Natalie sonrió abiertamente, mordiéndose el labio para evitar reírse.

Jonathan estiró las piernas tranquilamente y cruzó los pies.

—Aunque no le reventé la caja fuerte, tan solo la abrí. Y no robé las esmeraldas, sino que le di el cambiazo.

—Por las falsas.

—Sí.

—¿Y cómo diablos aprendió a abrir una caja fuerte que no ha visto antes?

—Con la práctica.

—Está siendo evasivo.

Jonathan arqueó las cejas con inocencia.

—Estoy siendo sincero.

Ella apoyó la barbilla en las rodillas.

—¿Y si me llego a despertar y descubro que se ha ido?

Aquello hizo reír a Jonathan.

—Sería capaz de dormirse durante una carrera de cuadrigas, Natalie.

El comentario la sorprendió e hizo que se sintiera tan ofendida por la energía de la réplica como extrañamente reconfortada porque él hubiera prestado atención realmente a su forma de dormir.

Natalie siguió adelante sin responder:

—¿Por qué se molestó en ir al baile entonces, si ya las tenía en su poder?

Él la desafió maliciosamente.

—¿Por qué cree usted?

Natalie no debería haber preguntado aquello. Él sabía que ella conocía la respuesta. Jonathan estaba al corriente de lo mucho que ella había estudiado al ladrón y de cuánto lo admiraba y deseaba formar parte de su vida. Fue desconcertante, mortificante, cuando Natalie pensó en todo lo que le había contado, en todo lo que le había confiado. Pero lo que evitó que tanta mortificación la desanimara o la empujara a huir de él fue su determinación a igualar el marcador.

—Porque es su estilo —dijo ella de manera desapasionada, aunque bajando la vista para observar la fina y sedosa tela de la camisa de Jonathan—. El Caballero Negro no es un ladrón convencional. Hace las cosas para llamar la atención, queriendo formar parte de la acción y que se le distinga de los demás por su estilo. —Natalie volvió a mirar la encantadora, atractiva y arrogante cara de Jonathan—. Con toda franqueza, Jonathan, me sorprende que no dejara una tarjeta de visita.

—No necesito hacerlo. Los rumores se extenderán solos.

El comentario de Natalie tenía la pretensión de ser un insulto sutil, pero él no pareció tomárselo así.

—Su actitud en todo este asunto resulta bastante pretenciosa —dijo ella con brusquedad.

Él negó con la cabeza lentamente.

—Ni es pretencioso ni idiota el que uno trabaje como mejor sabe. Por el contrario, es algo que hay que hacer con inteligencia y mucho cuidado.

Natalie esbozó una sonrisita de indignación.

—Pues quedarse cerca de la escena del crimen para acabar siendo sospechoso no parece la mejor manera de proceder ni la más prudente.

Jonathan puso una cara de auténtica sorpresa.

—¿Y por qué habrían de sospechar de mí?

—Es usted inglés —dijo ella con exasperación.

—Con una identidad falsa imposible de descubrir.

Natalie se irguió.

—Preparada por Madeleine…

—Que nunca ha sido ni es ni será jamás mi amante.

La atrevida declaración la pilló absolutamente desprevenida. No venía a cuento; sin duda era una explicación que Natalie no había pedido. Jonathan había pensado en ello, y por razones particulares, lo había recalcado por su cuenta y riesgo con la firme intención de dejárselo absolutamente claro. Lo que ella no acababa de entender era la razón de que se molestara en hacerlo.

Irritada, se pasó las manos por el pelo.

—Eso me trae sin cuidado.

—A mí me parece que le importa mucho.

Fue la ligereza de la afirmación, unida a la aspereza de la voz, lo que hizo que Natalie se desconcertara. Pero Jonathan no estaba siendo totalmente descuidado en la elección de las palabras. Las estaba calibrando, algo que Natalie podía percibir en la determinación de su expresión y de sus ojos, que volvían a estar fijos en los de ella.

Con la voz temblándole por la intensidad de la ira, ella susurró:

—Le odio, Jonathan. Lo desprecio profundamente.

Él sonrió irónicamente.

—No me lo creo. Si me odiara tanto, ya me habría matado. O abandonado.

—¡Es tan arrogante…!

—No, soy positivo —matizó él.

—Me toma por idiota.

—Usted no es idiota, Natalie. Es una de las mujeres más inteligentes que he conocido jamás.

Natalie apenas le oyó, ocupada en golpear los brazos del sillón con los puños cerrados, negándose a ceder.

—Usted me mintió, me humilló…

—Tenía un trabajo que hacer.

—Podía habérmelo dicho —dicho ella con fiereza.

Jonathan suspiró y se frotó el mentón con los dedos.

—Si lo hubiera hecho, o no me habría creído o no estaría ahora conmigo aquí. No me gustaba ninguna de las dos posibilidades. —Él dejó caer los brazos y bajó la voz—. Me gusta mirarla, Natalie, hablar con usted todos los días, sentirla entre mis brazos. —Titubeó unos segundos y susurró con aspereza—: Me gusta la idea de tenerla a mi lado.

Natalie tuvo realmente que poner en orden y contener deliberadamente sus emociones, procurando no exponer su confusión a la atenta mirada de Jonathan. Deseaba odiarle de manera apasionada; deseaba inclinarse sobre él y besarlo en los labios con toda la suavidad y deseo de los que fuera capaz. Quería vengarse de él; pero en su confusión sentimental, también se dio cuenta de que lo quería para algo más. Para mirarlo, para hablar, para sentir. Para estar a su lado.

Sin previo aviso, Jonathan alargó una mano para cogerle los dedos de los pies, que le sobresalían por debajo del vestido. Se los acarició con ternura, lo que hizo que el cuerpo de Natalie vibrara con una maravillosa sacudida. Jonathan sabía a la perfección que ella no lo odiaba, a pesar, incluso, de todo lo que él había hecho, pero Natalie no estaba dispuesta a que él se apartara de la importantísima conversación sobre las esmeraldas con tanta facilidad. Probablemente podría seducirla en ese mismo instante; y probablemente él también lo sabía. Eso la enfureció. Tenía que volver al asunto de su ataque.

Ella apartó los pies con brusquedad y se levantó, se dirigió a la ventana y apoyó las palmas en el alfeizar, mirando fijamente el cielo azul claro sin nubes.

—Fecteau también estaba implicado, ¿no es verdad?

—Por supuesto —reconoció él en voz baja—. El conde de Arlés, o más exactamente, alguien que trabajaba para él, le robó el collar al duque de Newark hace varios meses, Natalie. Es una joya de un valor incalculable que una vez perteneció a María Teresa de Austria, y que él y otros miembros de la aristocracia francesa creen que debería haber ido a parar a la hija de aquella al casarse con su rey. Los ingleses la compraron legalmente (lo cual, hasta donde sé, está perfectamente documentado), pero en este país hay unos cuantos que por razones egoístas querían que el collar regresara a su tierra. Ellos nos lo robaron; y yo se lo he vuelto a robar. —Carraspeó—. Y ahora parece que usted me lo ha robado a mí.

Fue una afirmación directa. Jonathan quería que ella se explicara, pero no estaba dispuesto a preguntar abiertamente, o quizá a curiosear en lo que él empezaba a percibir como un asunto muy privado.

En la habitación se hizo un silencio absoluto, y el desasosiego reinante en el ambiente solo se vio alterado por el sonido del batir de las olas en los lejanos acantilados y el canto de un pájaro. El delicioso olor de la comida hizo que a Natalie le sonaran las tripas, pero no estaba de humor para comer. Estaba demasiado inquieta, a lo que contribuía la mirada de Jonathan clavada en su espalda, y que ella percibía, y la mera idea de que estaba a punto de revelarle el verdadero motivo que la había llevado a Francia le estaba poniendo los nervios de punta.

Por fin, se dio la vuelta para mirarlo directamente a la cara. Él siguió observándola, con prudencia, sentado cómodamente en el sillón de mimbre, con la barbilla en la palma de la mano y una pierna cruzada sobre la otra, esperando.

—Le devolveré el collar, Jonathan.

—En ningún momento lo he dudado, Natalie —respondió él casi de inmediato.

Natalie sintió la piel caliente y la boca seca, y cruzó las manos delante de ella, retorciéndoselas con fuerza ante lo que se avecinaba. Era el momento de la verdad.

—S… supongo que recordará que le mencioné que necesitaba la ayuda del Caballero Negro.

—Sí, me parece recordarlo.

El tono de indiferencia y la inexpresividad del rostro de Jonathan provocaron que a Natalie le resultara espantosamente difícil ir al grano. Tampoco la ayudaba mucho que él no le hiciera preguntas ni mostrara el menor atisbo de curiosidad.

—Necesitaba que robara algo para mí —reveló con voz temblorosa.

La expresión de Jonathan no se alteró en ningún momento.

—Creo que se refiere a que quiere que yo robe algo para usted.

Natalie notó que enrojecía hasta la raíz del cabello, pero siguió mirándolo fijamente a los ojos.

—Sí, eso mismo.

Jonathan esperó, expectante, con las cejas arqueadas.

—¿Me va a decir de qué se trata?

—¿Lo robará?

Él la miró con extrañeza.

—¿Cómo puedo responder, si no sé de qué se trata?

Aquello era de una lógica aplastante, y sin embargo, era la parte más difícil de todo. Durante meses Natalie había pensado la manera en que se lo revelaría al Caballero Negro, un hombre que ella presumía sería imparcial, ajeno a la cuestión, racional, y a quien le preocuparía el pago. Jamás había considerado ni remotamente que fuera a verse implicado un amigo, y menos uno hacia quien sus sentimientos abarcaban todo el espectro posible y, pese a lo cual, resultaban tan difíciles de definir.

—Es de una importancia trascendental para mí, Jonathan —confió ella débilmente—, y tremendamente personal.

—Eso deduje o no habría arriesgado tanto.

Sus palabras fueron de una sinceridad absoluta, y la afectaron, porque ella sabía lo que significaban. Natalie se agarró los codos por delante de ella, frotándoselos con las yemas de los dedos.

—La situación podría tener unas consecuencias sociales de la mayor gravedad.

La expresión de preocupación y la gravedad en el tono de Natalie despertó las simpatías de Jonathan.

—Dígamelo de una vez, Natalie —presionó son suavidad—. No podré ayudarla, si no sé de qué está hablando.

El momento había llegado, y ella no tenía ni idea de por dónde empezar. Con el pulso latiéndole aceleradamente, lo miró directamente a los ojos.

—Mi madre no ha sido siempre… sincera con mi padre.

—¿En serio? —dijo él sin comprender. Al cabo de unos segundos, añadió—: Supongo que eso es bastante frecuente en muchos matrimonios.

Natalie se movió, inquieta, cambiando su peso de un pie a otro, apoyándose en el alféizar en busca de sostén, abrazándose.

—No lo entiende.

Jonathan abrió mucho los ojos, pero no dijo nada.

Presa de una profunda vergüenza, Natalie susurró por fin:

—Me refiero a ser fiel…, a respetar el lecho conyugal. Mi madre se ha estado viendo con otro.

Allí de pie, a un metro de distancia del hombre de sus sueños, mientras le revelaba secretos familiares de naturaleza íntima, Natalie no recordó haberse sentido tan desconcertada en años. Pero Jonathan no parecía impresionado; su expresión permaneció imperturbable.

—Entiendo —murmuró él por fin.

Natalie miró hacia la pared, y su mirada se deslizó por los cuadros, grandes y pequeños, cada uno de ellos una obra de arte, hasta que acabó deteniéndose en un preciosa acuarela pintada en tonos verde mar y marrón oscuro.

—No estoy segura de cuándo empezó este desliz —prosiguió ella—, pero sé positivamente que tuvo lugar hace varios años y que duró unos cuantos meses. Me… me parece que fue una aventura amorosa.

—Tal vez su información sea inexacta —dijo él en voz muy baja tras un instante de reflexión—, o quizá no fuera más un coqueteo inocente, exagerado por los rumores.

Ella sabía que Jonathan intentaba ser delicado con sus sentimientos; ¡cómo deseaba que él tuviera razón!

—No es inexacta, Jonathan —le corrigió, volviéndose hacia él—. Ni fue solo un coqueteo inocente. Si no estuviera tan absolutamente segura al respecto, jamás habría venido a Francia para contratarlo.

El mimbre crujió bajo él cuando Jonathan se puso las manos en las rodillas y se levantó del sillón dándose impulso.

Pero no se acercó a ella. En su lugar, cruzó los brazos por delante del pecho y se irguió, observándola atentamente.

—¿Contratarme para qué?

Natalie respiró hondo y levantó la barbilla con obstinación.

—El hombre objeto de su indecoroso cariño fue Paul Simard, un parisino oficial de la Guardia Nacional. Mi madre lo conoció durante un destacado acontecimiento social, en una de sus muchas visitas al continente, y se enamoraron el uno del otro. Y al final... se liaron.

Natalie no supo describirlo de otra manera, y quizá él se estuviera riendo por dentro. Pero no podía permitirse pensar en eso. El momento de la verdad había llegado, y ya no tenía nada que perder.

—Como le he dicho, el asunto prosiguió durante algún tiempo, tras lo cual mi madre volvió a Gran Bretaña... y junto a mi padre, que nada sabía. Pero el problema, Jonathan, es que el asunto no acabó ahí. De ser así, no habría pruebas. En contra de lo que cabía esperar, las hubo.

En ese momento Jonathan pareció confundido.

—¿Que hubo qué?

—Pruebas.

—¿Pruebas de...?

Natalie apretó la boca con irritación.

—Pruebas... —Ella hizo un violento ademán con la mano—. Pruebas de la relación, del romance. De que mi madre era la querida complaciente del francés.

Él la miró fijamente con dureza.

—Natalie, ¿qué está tratando de decirme?

Ella dejó caer las manos a los costados, esforzándose por tranquilizarse.

—Paul Simard murió hace tres años, en París. Apenas dos meses más tarde mi madre empezó a recibir peticiones de dinero. Parece ser que ella y su amante francés... mantuvieron correspondencia durante algún tiempo, después de que ella regresara a Gran Bretaña, y ahora el hijo de Paul Simard,

Robert, tiene en su poder las cartas de amor y la está chantajeando bajo la amenaza de hacerlas públicas. El contenido de las cartas no deja lugar a dudas en cuanto a la naturaleza de la relación. Mi madre está pasando un infierno, mientras paga cuando puede, sin saber qué hacer a continuación y temerosa de enfrentarse a mi padre. Jonathan, creo que sabe que si alguien llega a leer esas cartas o el comportamiento indecente de mi madre llega a oídos de la alta sociedad, su reputación acabaría arruinada, mi familia se vería envuelta en un escándalo y sería demoledor para mi padre.

Dio un paso hacia él, bajando la voz hasta convertirla en un susurro vehemente.

—Necesito que me acompañe a París, encuentre a Robert Simard y le robe las cartas de mi madre. Seis en total. Cuando lo logre, le devolveré las esmeraldas.

Jonathan se la quedó mirando boquiabierto, presa de una incredulidad absoluta. De haber estado con cualquier otra mujer, se habría desternillado de risa al oír semejante orden. ¿En qué se había convertido su vida para que en ese momento se encontrara en una situación tan ridícula, metido en aquella farsa de proporciones increíbles? Era el ladrón más famoso de Europa. Su inteligencia, su estilo incomparable y sus éxitos se habían convertido en legendarios. Por sus manos habían pasado valiosísimos objetos exóticos, había pasado de matute de un país a otro diamantes valorados en miles de libras esterlinas y había ayudado a enmendar injusticias sociales, y perseguido y encontrado a criminales políticos; incluso era el responsable indirecto de evitar la caída de gobiernos. Y sin embargo, allí estaba ella, de pie ante él en una elegante pose, el pelo brillante entibiado por el sol cayéndole por los hombros, el exquisito cuerpo lleno de curvas rígido por la determinación, exigiéndole que la llevara a París para robar... ¿unas cartas de amor? La había subestimado. De entrada era taimada, con una cara y una figura preciosas y, casi con total seguridad, una mente enferma. También estaba hablando totalmente en serio, y Jonathan se encontró en un aprieto.

Pero era Natalie, y no su irrisoria petición, lo que le daba que pensar. Jonathan era incapaz de recordar una ocasión en su vida en que hubiera posado su mirada en algo tan increíblemente dulce como aquella mujer inocente que revelaba la infidelidad de su madre a un hombre del que conocía su fama de mujeriego. Natalie tenía las mejillas rojas como la grana por una vergüenza que ni siquiera podía verbalizar, y la mirada vibrante por el miedo mientras intentaba expresar el acto de la mala conducta sexual en palabras como «se liaron». Tenía unos modales maravillosos y una buena voluntad que no creía haber visto jamás en otra mujer, una inclinación a la bondad y a la fidelidad en el matrimonio que rara vez se daban. Y todo eso lo indujo a adoptar un comportamiento que no acabó de comprender. De repente, le entraron ganas de alargar una mano hacia ella y atraerla contra su cuerpo duro para reconfortarla, para extraer la calidez y la dulzura de sus labios en una ansiosa búsqueda de la pasión. Sintió unas ganas enormes de sentirla.

—¿En qué está pensando, Jonathan? —murmuró ella con un ligerísimo asomo de temor.

Durante unos instantes la miró a los ojos en silencio. Entonces, Jonathan sonrió débilmente, reconociendo la derrota, y se pasó los dedos por el pelo.

—Que en realidad no quiero ir a París.

Natalie se enfureció, cerró los puños en los costados, y su mirada centelleó con una furia explosiva.

—Estaba segura de que lo haría por las esmeraldas —adujo ella—, pero también estaba preparada para la contingencia de que considerase que mi situación era una tontería o que carecía de importancia…

—No creo que sea una tontería ni que carezca de importancia —la interrumpió con sinceridad—. Creo que no es más que otra forma de chantaje.

Aquello la detuvo durante varios segundos. Luego, volvió a entrecerrar los párpados con calma, su boca se torció en una sonrisa de triunfo supremo, y empezó a acercarse a él como si tal cosa.

—Si me lleva a París, le daré algo más, Jonathan.

Ella no lo había interpretado bien. Él no había dicho exactamente que no iría. Pero en ese momento a Jonathan le picó la curiosidad, lo que a su vez, le impelió a no revelar sus intenciones.

—¿Más? —la azuzó.

Natalie ya estaba enfrente de él, con sus senos rozando casi el pecho de Jonathan, y su expresión irradiaba perspicacia mientras consideraba sus objetivos.

—Si me lleva a París y recupera las cartas de mi madre —le insinuó con prudencia— le daré algo que le puede resultar de utilidad. Algo que quiere. Algo muy valioso para usted y sus… convicciones.

No fue su actitud, sino lo insólito de que utilizara aquellas palabras lo que aturdió a Jonathan.

—¿Qué podría tener que fuera más valioso para mí que el inestimable collar de esmeraldas?

Natalie frunció el ceño de manera casi imperceptible; si por especulación o por confusión, fue algo que no le quedó claro a Jonathan. Entonces, el rostro de Natalie adquirió una expresión de gravedad.

—Creo que es cosa suya descubrirlo —dijo con un susurro de lo más sensual—. Pero no le decepcionaré, Jonathan.

Quizá fuera su tono de absoluta certeza, tal vez solo las expectativas que flotaban en el aire, la previsión de cosas que estaban por llegar, pero con un arrebato salvaje e indescriptible de ansiedad física, Jonathan al fin la entendió, y se atrevió a imaginar las posibilidades. En ese momento lo supo, y eso lo impresionó sobremanera.

—¿Tan importantes son esas cartas para usted?

—Lo significan todo para mí —contestó ella con resolución.

La mirada de Jonathan se deslizó por cada uno de los rasgos de la cara de Natalie, desde las largas y espesas pestañas y las cejas alzadas, hasta los labios perfectos y la línea suavemente delineada de la barbilla y el mentón, pasando por la frente, las sienes y los prominentes pómulos. Entonces, extendió la mano y le tocó el pelo, acariciando los sedosos mechones con los dedos, maravillándose por la suavidad y la textura, y deseó sentirlo contra sus mejillas, su cuello y su pecho. Hacerla suya con el consentimiento de ella, acurrucarse en su calidez, abrazarla contra él en el ardor del éxtasis significaría todo para él. Y ella también lo sabía.

—¿Y cómo puedo confiar en que cumpla el trato hasta el final? —preguntó él en voz baja y áspera.

La mirada de Natalie se fundió con la suya.

—Porque dijo que ya confía en mí, y le creo.

Lo que le tenía cautivado era la inteligencia de Natalie, se percató en ese momento, la rapidez que tenía para hacerse cargo de los problemas y su arrojo por experimentar la aventura de la vida.

Con una débil sonrisa, Jonathan dejó caer los brazos a los costados.

—Tal vez no pueda aceptar eso, Natalie. Quizá debería limitarme a registrarla para encontrar las esmeraldas.

Ella sabía que la estaba provocado, y sin embargo, aquello no era lo que había esperado que dijera. Se apartó un poco de él, indecisa.

—Nunca las encontrará en mis baúles…

—No lo dudo —le cortó él con simpatía—. En cualquier caso, tardaría semanas en registrarlos.

Envarándose, desoyendo el comentario, Natalie afirmó:

—Y como es natural, ni se le habrá pasado por las mientes registrar mi persona. En consecuencia, creo, Jonathan, que no tiene elección.

A él le divirtió la absoluta confianza en sí misma de Natalie. Pero no hizo ningún comentario en voz alta. La mirada que le lanzó llevaba implícita su absoluta determinación a registrarla de verdad, lenta y acariciadoramente, disfrutando cada segundo con un placer indescriptible.

—La llevaré a París —susurró Jonathan de forma cómica—, y una vez allí, me dará todas las cosas valiosas que me ha prometido.

Aquello fue una exigencia, y Natalie comprendió su significado con un ligero titubeo mientras sentía el alivio inundándola de pies a cabeza y sostenía la mirada implacable de Jonathan que transmitía con tanta expresividad cuáles eran sus deseos.

—Acepto sus condiciones, Jonathan —dijo con un repentino arrebato de entusiasmo—. Partiremos esta tarde…

—No, partiremos mañana.

Aquello la dejó perpleja.

—¿Por qué?

A Jonathan no le pasó desapercibida la actitud desafiante de Natalie, el sutil henchimiento de sus senos y caderas. Ella le entregaría todo en París, pero aún no estaba preparado para renunciar a la inocencia ni al tiempo a solas en aquella íntima vivienda de la costa mediterránea.

—Porque sigo siendo el jefe, Natalie, con independencia del poder que tenga sobre mí. No lo olvide.

Ella le lanzó una mirada de odio, a punto de replicarle con contundencia. Pero Jonathan no le hizo ningún caso, se apartó de ella por fin y se dirigió de nuevo a grandes zancadas hacia la mesa donde el almuerzo, frío ya probablemente, los esperaba.

—Comamos. Estoy hambriento.

Natalie, sin decir ni una palabra más y echando humo por las orejas, se dirigió con garbo al lado de Jonathan y se volvió a sentar.

12

Natalie se pasó el cepillo por el pelo por última vez, lo dejó en el tocador y se levantó. Ciñéndose el cinturón de la bata, se la cerró por el cuello con los dedos y se volvió por fin hacia la cama.

Jonathan ya estaba acostado bajo la colcha, boca abajo, con la cabeza enterrada en la almohada y los brazos por debajo de esta, probablemente dormido, que era como a Natalie le gustaba que estuviera cuando finalmente hacía reposar su cuerpo al lado de él. La habitación estaba a oscuras, salvo por la luz que desprendía un pequeño quinqué colocado junto a la cama y el potente reflejo de la luna llena sobre la lejana agua, que brillaba a través de las ventanas.

Habían pasado juntos su último día en Marsella, relajándose en la playa, hablando de cosas triviales así como de algunas de las aventuras de Jonathan como Caballero Negro sobre las que Natalie había sentido siempre una particular curiosidad. Ella se había reído con el relato de varias de sus historias, había disfrutado de su compañía con un respeto y una admiración crecientes por varias de sus hazañas, muchas de las cuales a Natalie se le antojaron increíbles, y a la sazón se sintió encantada de no haber partido hacia París de inmediato. Exceptuando su enfado inicial, cuando se había enfrentado a él en relación con su identidad, en cuanto el engaño y los secretos dieron paso a la sinceridad entre ellos, el día resultó, bueno… perfecto.

Natalie se dirigió al borde de la cama, se quitó la bata, que dejó a los pies del lecho, bajó la luz y se metió lentamente bajo las sábanas. Apenas había sitio suficiente para los dos, lo que le había obligado a esforzarse al máximo todas las noches para no tocar a Jonathan en ninguna parte. Aun así, las más de las veces, se había despertado en algún momento para encontrarse con que le había puesto los pies en las piernas o el brazo sobre el pecho desnudo, aunque, a Dios gracias, Jonathan parecía no haberse percatado de la circunstancia o que, en cualquier caso, esta le traía sin cuidado. Dormía sin ningún atuendo nocturno más allá de unos viejos pantalones, algo que a Natalie se le antojaba extraño, aunque en realidad no era asunto suyo. Por supuesto, ella siempre iba decentemente tapada.

Jonathan se revolvió y se puso de costado, volviéndose hacia ella. Natalie se tumbó de espaldas, con los brazos cruzados con cuidado sobre el vientre, sabiendo de manera intuitiva que, después de todo, él no estaba durmiendo, sino observándola a la luz de la luna.

—¿Qué hace con su perro? —susurró ella, mirando fijamente el techo a través de la penumbra.

—¿Qué? —contestó él con voz baja y áspera.

—Su perro —repitió Natalie—. Cuando realiza las rápidas escapadas como Caballero Negro, ¿qué es lo que hace con él?

Jonathan respiró hondo y movió el cuerpo para ponerse cómodo.

—Solo me ausento de la ciudad durante unos pocos días, así que mi ama de llaves y mi mayordomo cuidan de él. Si me voy al extranjero, como en este viaje, les concedo unas vacaciones pagadas al ama de llaves y al mayordomo y llevo el perro a la finca que mi hermano tiene cerca de Bournemouth.

Natalie volvió la cabeza para mirar lo que podía ver de la cara de Jonathan.

—¿Se lleva al perro hasta la costa?

Jonathan esbozó una débil sonrisa en las sombras.

—Siempre. —Y tímidamente, añadió—: Quiero a mi perro.

Eso la hizo sonreír, algo que Natalie estuvo segura que él podía distinguir, porque el claro de luna le iluminaba intensamente el rostro.

—¿Por qué lo llamó Espina?

—Porque es una espina que tengo clavada.

—Pero, sin embargo, lo quiere lo suficiente para llevárselo a casi ciento sesenta kilómetros de casa, cuando ya tiene empleados domésticos que podrían alimentarlo y sacarlo a pasear.

—No es lo mismo —contestó él en voz baja—. Vivian y Simon también lo quieren; y a sus hijos les encanta jugar con el perro. Y eso también me da la oportunidad de visitarlos.

Natalie hizo una pausa momentánea, y cuando cayó en la cuenta de las implicaciones, su voz se tornó seria.

—Vivian y Simon saben quién es usted.

Fue una afirmación fruto de una repentina conclusión, y Jonathan se rió un poco en voz baja.

—Por supuesto que lo saben. Me gusta que mi hermano sepa dónde estoy y qué estoy haciendo. Confío en él y en su esposa. Aunque, exceptuando aquellos con los que trabajo, y ahora usted, son los únicos que saben lo mío. Y nunca se lo dirán a nadie.

Aquello enfureció a Natalie por completo. Vivian era la que le había sugerido que primero hablara con Jonathan, la que le había confiado que Jonathan conocía al Caballero Negro. Vivian también estaba al tanto de los encaprichamientos de Natalie, tanto con el mito como con el hombre, y sin embargo la había enviado a una aventura desesperada e incierta con pleno conocimiento de la vergüenza que podría acabar causándole.

Apretó los labios, mientras volvía los ojos una vez más hacia el techo oscurecido.

—La mataré por mentirme y remitirme a usted de esta manera.

Jonathan suspiró.

—Creo que ella sabía lo que estaba haciendo.

Aquellas palabras susurradas habían tenido la intención de tranquilizar, pero, por el contrario, la mente de Natalie sucumbió a la idea más devastadora de todas.

—¿Vivian le habló de mí?

Jonathan guardó silencio durante un instante, un instante tan largo, de hecho, que Natalie acabó por volverse hacia él. Jonathan la observaba con aire pensativo, aunque incluso eso fue más una percepción que una evidencia, porque la expresión de su cara, a solo unos centímetros de distancia de la de ella, era apenas distinguible.

Al final, Jonathan se incorporó un poco, apoyando el codo en la almohada, con la barbilla y la mejilla en la palma de la mano derecha y la mano izquierda apoyada en la sábana junto al hombro de Natalie.

—He hecho algunas averiguaciones acerca de usted durante estos últimos años, Natalie. Fue así como llegué al conocimiento de sus ocasionales cortejadores. —Empezó a restregar las yemas de los dedos contra la sábana—. Pero, en realidad, Vivian no me contó mucho sobre usted, y no, antes de que usted me lo pidiera, no sabía que ella la había remitido a mí.

Su reconocimiento hizo que Natalie sonriera abiertamente con algo más que un ligero alivio y con cierta satisfacción por enterarse de que había preguntado de verdad por ella.

—Entonces, la seguiré considerando mi amiga —dijo ella un tanto arteramente. Como aclaración, añadió—: Y tampoco me cortejó nadie. Jamás he sentido el más mínimo interés por ninguno de los estirados conocidos masculinos que acuden a mi salón.

—Excepto por mí —replicó él con voz profunda.

—Usted nunca ha acudido a mi salón —le recordó ella con aire inocente.

Jonathan sabía que ella estaba esquivando el tema y volvió a sonreír.

—No, y creo que también sería exacto decir que soy algo más que un conocido.

—A todas luces no somos más que conocidos, Jonathan —le corrigió, volviendo a posar la mirada en el techo.

Él se le acercó tanto que durante un segundo Natalie pensó que podría atreverse a besarla en la sien. Con los labios casi rozándole la oreja, Jonathan susurró—: Los conocidos de sexo diferente nunca duermen juntos, Natalie.

La calidez de su cara rozó la de Natalie; ella pudo notar el olor de su piel y, por más que confiaba en que fuera un caballero, el nerviosismo afloró libremente.

—Pero esto se debe por completo al azar… a un acuerdo comercial, por decirlo de alguna manera.

—Yo no lo llamaría ni azar ni negocio —contestó él—. Lo llamaría destino.

Jonathan dejó que la afirmación flotara en el silencioso aire nocturno. Y al final, cuando Natalie supo que él no añadiría nada más hasta que ella lo hiciera —o lo volviera a mirar— ladeó la cabeza de manera casi imperceptible, solo lo suficiente para mirarlo fijamente a los ojos, que la oscuridad mantenía demasiado ocultos para ser leídos.

No obstante, ella arguyó con valentía:

—Esto nada tiene que ver con el destino. Estoy aquí por necesidad. Ni por lo más remoto he estado interesada en usted jamás, excepción hecha de sus habilidades como ladrón. Dejando a un lado su atractivo, en su cuerpo no hay ni el menor indicio de instinto conyugal.

—Muchas mujeres pensarían lo contrario —recalcó él con una formalidad fingida.

—Justo lo que estoy diciendo, querido Jonathan.

Aquello volvió a divertir a Jonathan. Más que verlo, Natalie pudo sentirlo, aunque él no discutió. La observó, con la cara a centímetros de la de ella y los dedos rozando el brazo de Natalie a través del liviano algodón, mientras se movían arriba y abajo por la sábana.

—Y sin embargo, quería casarse con un ladrón —insistió

él voz baja—. A buen seguro, no esperaría encontrar nada hogareño en él. ¿O es que todo fue una historia inventada en mi honor?

Dijo las palabras… como si se escaparan de su boca, y sin embargo, ella supo por la seriedad de la entonación que se lo estaba preguntando de verdad. Sin embargo, Natalie no podía hablar de eso ni desvelar lo lejos que había llegado en sus fantasías.

—Tiene razón —admitió ella con dulzura—. Mentí.

Él esperó un instante, y entonces la agarró del brazo con la mano y se lo apretó con suavidad.

—Y lo hace terriblemente mal.

El pulso de Natalie empezó a latir aceleradamente, tanto por el íntimo contacto como por la implicación de las palabras de Jonathan. Sabía que ella estaba mintiendo en ese momento, y que sus intenciones originales eran exactamente las que había confesado. Pero, ¡ay!, Jonathan hizo un alarde de caballerosidad al no tratar de agravar la vergüenza de Natalie, aunque, por instinto, y quizá porque ella estaba empezando a conocerlo tan bien, Natalie se percató de lo mucho que Jonathan deseaba que lo admitiera y le explicara sus sentimientos más íntimos.

Y sin embargo, no podía. Por dos veces ya en su vida había sido humillada a causa de la sinceridad de sus revelaciones a Jonathan Drake, y con eso era más que suficiente. Ya había demasiada intimidad entre ellos, allí tumbada junto a él en la cama, sintiendo su calidez, oliendo el salobre aire marino mezclado con el seductor aroma a masculinidad de Jonathan. Natalie cambió de tema sin inmutarse.

—Fue usted el que donó cientos de libras al hogar para chicas descarriadas de lady Julia Beverly, ¿no es así, Jonathan?

Percibió la sorpresa que le había causado a Jonathan el cambio de tema, y quizá incluso su consternación porque ella ya no quisiera hablar sobre ellos. Él guardó silencio durante varios segundos, limitándose a seguir mirándola fijamente bajo el claro de luna mientras le acariciaba un brazo con aparente distracción. Pero aquello era algo que Natalie ansiaba saber; era uno de los mayores misterios de Londres, y en su momento provocó sustanciosos cotilleos que corrieron por toda la ciudad. La mayoría de ellos daban por cierto que el acto había sido instigado por el Caballero Negro, aunque fue uno de aquellos incidentes que no habían conducido directamente a él.

Al final, Jonathan respiró hondo y asintió con la cabeza en señal de reconocimiento.

—Fue hace cosa de unos dos años —empezó diciendo pensativamente—. Se me pidió que investigara el robo de un antiguo reloj de bolsillo con incrustaciones de diamantes, cuya desaparición fue denunciada por sir Charles Kendall. Este afirmó que se lo habían robado en su club, durante una partida de naipes entre varios miembros de la aristocracia en la que las apuestas habían sido elevadas. Me vi involucrado porque la descripción del reloj coincidía con otro robado nueve años antes al señor Herold Larken-James, un abogado y coleccionistas de antigüedades de gran valor, que murió en un incendio antes de que se pudiera encontrar el reloj y se le restituyera.

»Lo cierto es que el trabajo me llevó semanas, uno de los más largos que he realizado, porque tuve que arriesgarme a entrar en la casa de todos los hombres que habían participado en la partida de naipes. Pero mi investigación acabó dando sus frutos cuando encontré el reloj en el cajón del guardarropa de Walter Pembroke, un almirante de la Marina jubilado que lo había afanado durante la partida, donde todos habían estado apostando fuerte y demasiado bebidos para advertirlo. Al final, resultó que se trataba, por supuesto, del reloj del señor Larken-James, porque tenía sus iniciales grabadas con gran delicadeza en el interior, y dado que estaba muerto y que no tenía familia a quien poder devolverle el reloj, decidí destinarlo a una buena causa. Técnicamente, y puesto que nadie tenía legítimo derecho sobre la joya, me pertenecía.

Intrigada, y olvidadas las intimidades, Natalie se puso de costado, volviéndose por completo hacia él, obligando a

Jonathan a soltarle el brazo. Natalie apoyó el codo en la almohada como él, con la palma de la mano en la mejilla, y bajó la voz hasta convertirla en un susurro.

—¿Y no podría ser que sir Charles se lo comprara a la persona que se lo robó al señor Larken-James y se considerara legítimo propietario?

Jonathan hizo un leve movimiento de negación con la cabeza, y las comisuras de su boca descendieron en un leve fruncimiento.

—Eso mismo me planteé en su momento, antes de enterarme de que sir Charles había acudido al despacho del abogado en busca de consejo apenas dos semanas antes de que se denunciara la desaparición del reloj. El reloj fue robado más tarde, un día que sir Charles había concertado convenientemente una cita. Tal cosa está documentada. Como es natural, el señor Larken-James no sospechó de él, pero con los años he aprendido que las clases altas no saben de modales cuando se trata de las inclinaciones más despreciables de la naturaleza humana.

Fascinada, Natalie dedicó unos segundos a pensar en ello.

—¿Y por qué escogió la causa de lady Julia?

Sin titubeos, Jonathan respondió:

—Porque sir Charles, un personaje de escasa decencia, tenía la repugnante costumbre de arrojar ocasionalmente a las chicas de su servicio a tan desafortunada condición, despidiéndolas luego sin ninguna referencia que les permitiera ganarse la vida, lo que daba con ellas en la calle. Me pareció adecuado que el sujeto ayudara a mantener a otras que quizá habían caído en desgracia de manera similar, así que envié el reloj a lady Julia, sugiriéndole que lo vendiera discretamente si necesitaba fondos para su hogar. Así lo hizo un mes más tarde, y yo le envié una carta anónima a sir Charles informándole con detalle de cuál había sido el destino de su reloj.

Presa de la excitación, Natalie estaba deslumbrada.

—¿Y quién le pagó a usted, entonces? Sin duda, no sus benefactores. No tenían ningún motivo.

Jonathan hizo un imperceptible gesto de indiferencia con el hombro.

—No cobré por ese trabajo.

Natalie parpadeó.

—¿Se arriesgó a ser descubierto y quizá arrestado por nada?

Él se inclinó hacia ella para murmurar:

—De vez en cuando, Natalie, hago mi trabajo solo porque me parece que está bien.

Había sido un acto piadoso, un servicio altruista hacia los menos afortunados, se percató ella, no un engaño del que alardear, como cuando había robado las esmeraldas, y Natalie no pudo por menos que sonreírle con la mirada.

—Qué noble que es usted, Jonathan —dijo, tomándole el pelo.

—Puedo serlo a veces.

—Al menos podría haber hecho que se le reconociera el mérito —añadió ella en voz muy baja.

—No tengo nada que demostrar a nadie —admitió él con delicadeza.

Natalie lo miró fijamente a la cara, que estaba a escasos centímetros de la suya, sintiendo la calidez y la satisfacción que los envolvía, la serena sensación de amistad que había entre ellos. Natalie anheló levantar una mano y apartarle el pelo de la frente con los dedos, tocarle la barba del mentón, el vello del pecho desnudo. Tuvo que echar mano de todos sus recursos para contenerse. Pero de pronto, allí tumbada, tan cerca físicamente el uno del otro, en aquella íntima conexión con él, se le ocurrió que no le haría la pregunta más personal de todas.

—¿Por qué hace esto, Jonathan? ¿Qué le hizo decidir convertirse en un ladrón, inventarse una personalidad ficticia... tan increíble?

Jonathan alargó una mano hacia los lazos de cinta que colgaban del cuello del camisón de Natalie y empezó a enroscarse uno en los dedos. No habló de inmediato, lo que incitó a Natalie a insistir en busca de detalles, mientras adelantaba el pie derecho lo suficiente para rozarle la espinilla con los dedos.

—No diré una palabra —susurró ella.

Jonathan hizo una pequeña y contenida exhalación.

—No es ningún secreto. Nunca se lo he dicho a nadie.

Natalie siguió acariciándole la pierna sin responder nada, esperando que él no decidiera dejar de confiar en ella en ese momento.

Al final, Jonathan dejó caer el brazo que le sujetaba la cabeza e instaló el cuerpo cómodamente al lado de Natalie, apoyando la mejilla en la almohada una vez más y mirándola directamente.

—Usted es hija única —empezó—, y mujer, así que puede que no lo entienda. Pero soy el segundo hijo de un conde.

Natalie apoyó la cabeza junto a él, metiendo las manos bajo la almohada con una sonrisa.

—Ya sé eso, Jonathan. Todavía no me ha impresionado.

Él le devolvió la sonrisa.

—No se tome mi afirmación a la ligera, Natalie. Piense en lo que significa. Solo somos dos, Simon y yo, a los que nos separan diecinueve meses. Mi padre estuvo encantado con que su esposa le diera dos hijos, pero probablemente me habría ido mejor si hubiera sido una niña…

Natalie le interrumpió en un tono burlón.

—Viniendo de alguien que no tendrá que serlo jamás, eso es una tontería —le reprendió—. Usted tiene alternativas, y todo el mundo a su disposición; lo que se espera de mí es que me case y tenga hijos y que me plegue a los caprichos de mi marido.

Él le acarició una mejilla con ternura con el dorso de los dedos.

—No lo entiende. Hablo estrictamente de la atención que los padres prestan a sus hijas. Sí, soy hombre, y puedo tomar mis propias decisiones, ir a los sitios y hacer las cosas que me plazcan. Sé que la sociedad me permite cosas que le están vedadas a las mujeres. —Se aclaró la voz—. Y por supuesto, me gustan las mujeres demasiado para querer ser una alguna vez. Me siento muy agradecido por haber nacido varón.

Natalie se puso un poco tensa al oír el comentario, pero él no pareció advertirlo, siguiendo antes de que ella pudiera hacer algún comentario y volviendo a alargar la mano hacia los lazos que le mantenían el camisón cerrado en el cuello.

—Estoy hablando de mí como individuo, Natalie —explicó con voz apagada—. Mis padres nos querían tanto a Simon como a mí de la misma manera, nada hay que objetar al respecto. Pero mi hermano fue educado para que fuera conde; yo lo fui por si acaso llegara a serlo. Se suponía que mi hermano tenía que ser educado; en mi caso, se suponía que lo fuera menos, porque realmente no importaba, toda vez que no dirigiría las propiedades de la familia. Mi hermano fue preparado para ser importante; a mí se me permitió hacer lo que me diera la gana la mayor parte del tiempo. Mi hermano era el serio, el que hacía frente a sus responsabilidades con eficiencia, y a una edad temprana; yo era mucho más sociable y bromista por naturaleza, y se me… consintió más, por decirlo de alguna manera.

—Diría que hay muchos nobles que desearían ser los segundones —sugirió ella—. Y en esa condición tendrían todas las posibilidades y elecciones a su alcance, y la presión del éxito no recaería con tanta fuerza sobre sus hombros.

—Supongo que los hay —convino él—. Y puede que, de haber tenido varios hermanos y hermanas, no me sintiera así.

Natalie frunció el ceño.

—¿Sentirse de qué manera, exactamente?

Jonathan hizo una pausa, y su frente se arrugó al recordar y concentrarse en pensamientos ocultos.

—Cuando tenía catorce años, sorprendí una conversación privada entre mis padres. Estaban hablando de mí, sobre mi naturaleza despreocupada y mi poca afición a los estudios. —Con un titubeo, añadió—: Mi madre mencionó que prestaba demasiada atención a las chicas y a la diversión.

—Eso no parece haber cambiado —dijo ella sin ninguna expresión.

Jonathan sonrió débilmente, pero desoyó el comentario, acomodando la cabeza y el cuerpo para poderlos acercar a ella aún más; tanto que Natalie pudo sentir de hecho el calor que desprendía su piel y el suave aliento de Jonathan en las mejillas cuando habló.

—Hablaron seriamente de enviarme lejos —reveló con aspereza—, de enviarme al extranjero… a un colegio de niños en Viena. Mi madre se mostró reacia, pero ella y yo estábamos muy unidos, así que esto no fue una sorpresa. Mi padre tenía la sensación de que yo carecía del refinamiento de un niño de buena familia y de que un ambiente estricto, pensado para inculcar una buena conducta moral, era lo que necesitaba para corregir mi inclinación a lo que él consideraba un comportamiento irresponsable. Aunque, al final, gracias a la determinación de mi madre y a la adoración que mi padre le profesaba, se me permitió seguir en Gran Bretaña. Por lo que sé, nunca más volvieron a hablar del asunto. Jamás me hablaron de su conversación, y nunca supieron que yo supe que había tenido lugar. —Bajó la voz hasta convertirla en un susurro huraño—. La idea de ser enviado lejos no me sorprendió, la verdad es que ni siquiera me inquietó mucho. Pero lo que cambió mi vida fue la conversación en sí que mantuvieron aquel día, Natalie, y jamás lo olvidaré. Mi madre, entre lágrimas, dijo: «Siempre pensé que Jonathan sería el inteligente». A lo que mi padre respondió: «No es inteligente, es retorcido. Es un niño mal criado que no pasará de ser un calavera de la alta sociedad y que acumulará deudas a las que tendrá que hacer frente Simon. Simon será nuestro orgullo; Jonathan, quien arruine nuestra reputación».

Natalie se sintió invadida por una poderosa oleada de compasión y simpatía que la recorrió de pies a cabeza, mientras consideraba hasta qué punto una conversación, incluso bienintencionada, podía desconsolar a un niño, si este la oía por accidente. No había nadie en el mundo que comprendiera mejor la sensación de no estar a la altura de los ideales establecidos, de ser subestimada y poco valorada.

—Sé lo que es no satisfacer suficientemente las expectativas paternas, Jonathan —le dijo ella tranquilizadoramente, en un susurro suave como la seda.

Jonathan le clavó la mirada cuando contestó con pasión:

—Lo sé. Usted es la primera persona a la que le he revelado esto, Natalie, y lo he hecho porque es la única que lo comprendería.

Natalie se sintió atraída hacia él por esta simple afirmación, dicha con absoluta sinceridad y con una profunda emoción, con una absoluta confianza. Estaba tumbada a su lado, los dos juntos en una pequeña y cálida cama de una casa preciosa a orillas del mar en una tierra encantada, y, en ese momento, para ella, eran las dos únicas personas del planeta.

—Entonces, ¿por qué decidió hacerse ladrón? —preguntó mirándole a los ojos—. ¿No significa eso que ganaron sus padres?

Él le puso la mano sobre el camisón, la palma sobre el pecho, aunque justo debajo del cuello, y por primera vez, la descarada acción no la molestó en absoluto. Se le antojó algo maravillosamente natural.

—Piense en ello, Natalie —sugirió él con voz suave y profunda—. Ganamos todos.

Fue en ese momento cuando ella lo comprendió todo. Jonathan vivía la vida que se esperaba de él y de su posición, una vida libre de preocupaciones, pero con la estabilidad inherente a un trabajo honrado, mientras que su ingenio y logros increíbles como fantástico ladrón quedaban ocultos bajo la aparente frivolidad y alegría tan habituales de la alta sociedad. Por encima de todo, se había convertido en el hombre que quería ser, con la integridad que sus padres jamás habían alcanzado a vislumbrar.

—Pero ellos llevan muertos años, Jonathan —argumentó ella con prudencia—. Nunca le conocieron como el Caballero Negro. Jamás conocerán sus éxitos.

Él volvió a sonreír.

—Lo sabré yo.

Natalie le devolvió una amplia sonrisa.

—Y Simon.

—Y Simon —convino él.

El silencio creció en torno a ellos, la calma inundó la habitación, y ninguno de los dos se movió. Jonathan la veía mejor que ella a él, se percató aquel con un leve reconocimiento de la ventaja que esto le daba. Por detrás de él, la luna llena proyectaba su brillo en los vívidos ojos de Natalie, tan llenos de expresividad, en su cara y en el pelo brillante que le caía en ondas sobre los hombros y los pechos. Desde que ella se había metido sigilosamente en la cama, había querido tocarla, rodearla con sus brazos y atraerla hacia él, pero como siempre, dado que sabía cuál sería la reacción de Natalie, reprimió su deseo. Así que, como era natural, fue una completa sorpresa que ella levantara la mano y le tocara cautelosamente la cara, ahuecándosela en el mentón y acariciándole la mejilla con la palma mientras estudiaba lo que podía distinguir de sus facciones en la penumbra.

Jonathan la observó sin decir palabra, paralizado por el temor a que ella se detuviera. Era la primera vez que lo tocaba a propósito, y lo hizo con una ternura que fluía desde ella como un resplandor y que los envolvía a ambos con fuerza, y Jonathan no quiso que aquello terminara.

—¿No le apena todo esto ahora, que sus padres no llegaran a saber nunca en qué se ha convertido? —preguntó Natalie en un profundo susurro.

—No, la verdad es que no —respondió al fin Jonathan, cediendo a la proximidad—. Creo que les habría complacido, si lo hubieran sabido. Me siento contento con la manera en que se ha desarrollado mi vida, y disfruto con lo que hago. Lo único fastidioso del asunto es que es una ocupación muy solitaria. Natalie, ojalá la tuviera a mi lado para hacerme compañía en cada una de mis empresas.

Al principio Natalie no supo cómo tomarse aquello.

Apartó la mano de la cara de Jonathan mientras sus ojos se convertían en unos redondos lagos de incertidumbre con un ligero rastro de prudencia. Luego, su boca se dilató en una sonrisa.

—Sería un problema.

—Pero un problema siniestramente divertido —bromeó él.

—Acabaría aburriéndose de mí, Jonathan.

Él soltó una risita.

—No puedo imaginarme aburriéndome de usted, Natalie.

—Esa es una afirmación especialmente extraña viniendo de un caballero conocido por su naturaleza jaranera —le reprochó con ligereza—. Y en algún momento nos pillarían. No podría mentir a mis padres sobre mi paradero en cada ocasión.

—Podría casarse conmigo, y así la llevaría conmigo a todas partes.

Sugirió esto con mucha soltura, en un tono jovial que le sorprendió. Pero a Natalie la inquietó. Jonathan pudo sentir bajo las yemas de sus dedos que los latidos del corazón de Natalie aumentaban sin cesar y oír la respiración nerviosa y superficial que escapaba de sus labios.

La miró fijamente, inseguro. Entonces, Natalie se fue poniendo notoriamente seria, y en el lapso de unos segundos la atmósfera entre ellos se convirtió en un estado de acusado estatismo.

—Jamás me casaré con alguien como usted, Jonathan —afirmó ella con profunda y afligida convicción—. Es un hombre maravilloso, encantador y creo que muy inteligente. Pero he visto lo que la infidelidad puede hacerle a un matrimonio. Lo he experimentado, y jamás me pondré en situación de… No, si puedo escoger. Si llego a casarme, será con alguien que se entregue a mí, y no creo que alguien que ha estado con tantas mujeres pueda entregarse a una para toda la vida.

Por primera vez en su vida, Jonathan sintió el peso abrumador del arrepentimiento y el horripilante atisbo de algo parecido al pánico tomando forma lentamente en la boca de su estómago. Una determinación real y concentrada adornaba los rasgos de Natalie, y aquello le molestó a Jonathan más de lo que creía posible.

—Pero quería casarse con el Caballero Negro —insistió él, aparentando más tranquilidad que la que sentía—. Y los rumores le atribuían múltiples romances.

Natalie entrecerró los ojos; su boca se transmutó en una línea sombría.

—Era solo eso, Jonathan, rumores, lo cual, lamentablemente para mí, ha resultado ser verdad.

Aquello lo irritó un poco.

—Entonces, ¿cuánto es demasiado, Natalie? ¿Tres? ¿Quince? ¿O es que espera casarse con alguien virgen?

Ella no supo ni remotamente cómo responder a eso, mientras sus conflictos internos afloraban a la vista de Jonathan, alumbrando su expresión.

—Creo que la mayoría de las damas son lo bastante afortunadas para casarse con hombres vírgenes —respondió Natalie con energía.

Jonathan negó lentamente con la cabeza.

—Creo que la mayoría de las mujeres son ingenuas o ignorantes.

Aquello la enfureció, y durante un momento Jonathan tuvo la certeza de que ella abandonaría la cama. Pero no lo hizo; Natalie le sostuvo la mirada y no pareció advertir que él seguía manteniéndole la palma de la mano en la base de su cuello.

Entonces, la expresión de Natalie se relajó, bajó las cejas poco a poco y se rindió.

—Quizá los hombres también lo sean —susurró casi de forma inaudible.

Tal admisión enterneció a Jonathan. Sabía lo que ella había querido decir y se percató de inmediato de lo difícil que debía de ser para alguien que jamás había experimentado los placeres de alcoba tener que entenderlo y luego lidiar con todo lo relacionado con ello. Todavía tenía que disfrutar de lo mejor de la cuestión, aunque ya había sido testigo de primera mano de lo más feo del tema: una traición.

—¿Por qué arriesgó su reputación, todo su futuro, para ayudar a su madre, cuando ella ha sido la causa del resentimiento que anida en usted?

Natalie volvió a abrir los ojos para mirarlo, y sus cejas se juntaron delicadamente en una confusión evidente.

—No vine a Francia por ella, Jonathan —confesó en voz baja y sombría—. Me queda muy poco afecto en el corazón hacia una mujer que me ha estado fastidiando durante veintidós años predicándome la virtud y que con tanta presteza condena el comportamiento inmoral de cualquier dama, cuando ella misma ha mentido de la manera más dolorosa imaginable. —Sacudió la cabeza con repugnancia—. No iría ni a Rochester por ella. Pero iría a cualquier rincón del mundo por ahorrarle a mi padre la vergüenza del adulterio de mi madre.

Por fin, todo se aclaró para Jonathan. Ya comprendía las motivaciones de Natalie.

—¿Lo sabe su padre?

—¿Lo del romance?

Él asintió con la cabeza de manera casi imperceptible.

Natalie se acurrucó más contra la almohada, arrebujándose en la colcha.

—Lo sabe. Él la sigue queriendo, lo cual se me hace inimaginable. —Su expresión se ensombreció—. Quedó desconsolado cuando se enteró de la verdad, Jonathan, cuando mi madre admitió que amaba a aquel francés. En toda mi vida había visto a mi padre así. Se le rompió el corazón. Durante mucho tiempo la tensión en casa se hizo insostenible, y es ahora cuando las cosas empiezan a asentarse y a recobrar la normalidad de antaño. Pero su matrimonio nunca volverá a ser el mismo. Ella lo arruinó. Solo confío en que usted sea capaz de conseguir esas cartas antes de que la alta sociedad se entere del desliz de mi madre. No creo que mi padre sobreviviera a la humillación.

Jonathan le acarició el cuello con el pulgar, sintiendo los fuertes latidos de su pulso, disfrutando de su calor y suavidad en las yemas de los dedos. El claro de luna arrancaba destellos perlados a la blanca piel de Natalie y hacía que su pelo brillara como la plata. Jonathan se lo tocó con la mano libre, entrelazándolo entre sus dedos al tiempo que se le desparramaba por el pecho y la sábana.

—Uno no puede predecir los altibajos del amor y el matrimonio, Natalie. —A Natalie no le convenció tal aserto, y Jonathan le lanzó una sonrisa tranquilizadora para explicárselo—: Lo que quiero decir es que es imposible saber cómo reaccionará un individuo ante las situaciones de la vida. No se puede juzgar a una persona por su pasado.

Natalie se puso tensa.

—Mi padre no tenía ningún pasado…

—Que usted sepa —la interrumpió—. Y es probable que su madre, tampoco. Me apuesto lo que sea a que llegó virgen a su noche de bodas, y sin embargo, eso no impidió que fuera infiel.

Aquello la hizo sentir incomoda, y él, por si servía de algo, sintió cierto regusto triunfal.

Entonces, Natalie respiró muy hondo, con resolución, y en la oscuridad clavó la mirada en los ojos de Jonathan.

—Jamás me casaré con un hombre que posiblemente me haga daño. Compartir la intimidad con diferentes mujeres antes del matrimonio solo haría a un hombre más proclive a darse cuenta de lo que pierde cuando la luna de miel se haya acabado.

—Eso no lo sabe —argumentó él con seriedad.

—No se trata de que sepa si es verdad o no, Jonathan, sino de que, sencillamente, no correré el riesgo —contestó con renovada convicción—. No me casaré con un hombre que no me ame como mi padre ama a mi madre. Él sabe cuál es su color preferido, su vino favorito, sus flores predilectas… Puede encargarle la comida hasta el último detalle, porque sabe exactamente lo que le gusta a ella. Conoce sus estados de ánimo, sus alegrías y sus temores, y la adora por las cosas buenas que tiene y a pesar de las malas.

Inclinándose hacia él, Natalie agarró con firmeza la almohada con una excitación luminosa que ya no podía contener.

—Quiero que el amor sea divertido, excitante y nuevo; algo compartido… un secreto romántico entre los dos. Quiero que mi marido sepa que odio bordar y montar a caballo y el chismorreo entre las damas; que adoro el chocolate y los días lluviosos y oscuros, y las comedias de Shakespeare, y la emoción y el brillo de la ciudad por la noche; que mi color favorito es el azul oscuro brillante; que siempre he querido ir a la ópera a Milán y que sueño con ir algún día a la China.

El entusiasmo desapareció de su cara como por ensalmo mientras negaba con la cabeza con pequeños movimientos de desdén.

—Geoffrey Blythe no sabe esas cosas sobre mí. Sabe que soy de buena familia y que poseo una dote decente, la cual serviría probablemente para pagar cualquier futura deuda que contrajera, si es que no la perdía antes. La cosa es aún peor, pues nunca se ha preocupado por saber cuáles son mis intereses ni mis deseos. Lo único que le importa, así como a todos los demás caballeros que me visitan, es que soy de buena cuna y que pariré unos hijos sanos. Sin embargo, mi madre me casaría con cualquiera de ellos mañana mismo. Si no me quieren por lo que soy, ¿qué es lo que impedirá que cualquiera de ellos acabe aburriéndose de mí y del lecho conyugal y se vaya a otro? Mi madre no sabe que a mi padre le encanta el otoño en el campo, que adora dar largos paseos por el bosque y que lee poesía cuando está preocupado. Ella no lo ama, y yo no me casaré por menos de eso.

La pasión de Natalie lo embelesó; su dulzura lo estremeció. Jonathan no consiguió que le saliera la voz tras semejante revelación de penas y añoranzas e incluso de ira ante las indignidades de la vida. La miró fijamente a los ojos grandes y hermosos, sintió su calor junto a él y de nuevo lo acuciaron las ansias de cogerla entre sus brazos y consolarla completamente.

Comprendió las razones que anidaban tras las conclusiones de Natalie, y sin embargo, quiso zarandearla hasta que creyera en él, en la sinceridad de su pasado, en la naturaleza de sus deseos y en las añoranzas de su corazón. Pero en ese preciso instante, más que cualquier otra cosa que hubiera podido desear nunca, lo que quería es que Natalie confiara en él.

Por instinto más que por cálculo, Jonathan empezó a acariciarle descaradamente el cuello con movimientos suaves y tenues. Natalie no reaccionó en apariencia al gesto y se limitó a seguir mirándolo fijamente con una calma calculada. Él sabía que Natalie estaba pensando en lo que le acababa de decir, intentando calcular su reacción y esperando que él le respondiera.

—¿Sabe —susurró él con mucha lentitud, sin apartar los ojos de ella ni un instante— con qué desesperación deseo hacerle el amor? No a su cuerpo, Natalie, sino a usted. ¿Sabe lo difícil que resulta aguardar algo tan maravilloso?

La determinación de ella flaqueó al oír esas palabras, o quizá fuera solo la confianza en sí misma, y sus ojos traicionaron el primer rayo auténtico de duda, de emociones desatadas y de voluntad confundida.

Y a causa de esa pequeña duda por parte de Natalie, que Jonathan interpretó como una respuesta positiva, y a causa del ímpetu de su propia necesidad salvaje, cogió los lazos con los dedos y tiró de ellos dulcemente hasta que se soltaron, abriendo la parte superior del camisón de Natalie.

La respiración de ella se hizo superficial, pero se sintió cautivada… por el atrevimiento de Jonathan, por sus propias ansias interiores que, con el transcurso de los días, cada vez se le hacían más difíciles de contener.

Con una reverencia cargada de prudencia, unida a un nerviosismo totalmente desconocido para él, Jonathan colocó la palma de la mano directamente sobre la piel entre los pechos de Natalie, tardando solo unos segundos en regocijarse de la cálida suavidad que sentía bajo la mano y los dedos. Entonces, antes de que ella pudiera protestar o moverse, deslizó la mano hacia un lado y le cubrió por completo el pecho desnudo.

Natalie tomó aire con fuerza al sentir el contacto, pero aparte de eso permaneció inmóvil, concentrada y con la mirada fundida en la de Jonathan; no por miedo, sino con una sensación creciente de asombro.

Al final, Natalie tragó saliva con dificultad, con los ojos brillantes por las lágrimas antes de cerrarlos definitivamente, y con serenidad, agarró la muñeca de Jonathan y se la sacó de debajo del camisón. Pero lo mejor de todo fue que ella no le soltó. Se aferró a su brazo y lo sostuvo con fuerza contra su pecho, entre los senos, como si fuera un objeto valioso que ella no quisiera perder.

Jonathan permaneció inmóvil a su lado, observándola durante un rato largo mientras Natalie sucumbía al sueño, sintiendo el rítmico pulso de su corazón contra la mano.

13

Jonathan cruzó las puertas principales de la Sorbona y salió al sol resplandeciente de la tarde. Bajó los escalones lentamente, pasando al lado de los estudiantes ataviados casi con uniformidad con pantalones azul oscuro y levitas negras, y se dirigió hacia las calles llenas de obreros sin cualificar, de aspirantes a artistas y escritores y de caballeros vestidos con pantalones de cuadros escoceses y chalecos primorosamente bordados que paseaban ociosos por los bulevares con elegante despreocupación.

El clima político en toda Europa estaba cada vez más revuelto. Tanto en su propio país como en el continente había graves problemas económicos. El mismo París era un cúmulo de descontentos donde no se paraba de hablar de revolución y de reforma tanto en las reuniones públicas como privadas de legitimistas, radicales y republicanos; entre los campesinos y los artesanos; y por supuesto, entre los ciudadanos de la clase media. La tensión seguía creciendo en la ciudad, y esa fue la única razón para que Jonathan hubiera buscado alojamiento fuera de la urbe, para considerable irritación de Natalie, una mujer que adoraba la excitación urbana en todo momento.

Su primera parada había sido en las dependencias de la Guardia Nacional francesa, que se había saldado con escasa información acerca de Paul Simard y su familia. La Guardia tenía sus propios problemas, descuidada como había sido por

Luis Felipe durante ya siete años completos. Luis Felipe era el rey de los franceses —el Rey de los Ciudadanos—, no el rey de Francia, y como persona detestaba el conflicto, hasta el punto de ningunear a aquellos que habrían de proteger su trono si el descontento acababa en verdadera rebelión. Jonathan ignoraba si esto era bueno o malo; realmente no tenía una opinión al respecto, pero se daba cuenta de que tanto empeño en conseguir la paz a cualquier precio podía socavar el poder de un hombre en un país que se deleitaba en manifestaciones y reformas. Luis Felipe tenía aliados en Gran Bretaña, por supuesto, y entre ellos a la reina Victoria, a quien le gustaba el francés, en general, siempre que se pudiese olvidar el escándalo suscitado solo un año antes por la insistencia de Luis Felipe en casar a su hijo con la hermana de la reina de España, cuando Victoria lo había recibido una vez en Windsor y honrado con la Orden de la Jarretera. En ese momento, había nuevos escándalos de naturaleza doméstica relacionados con la ineficacia electoral francesa y la corrupción del ministro de la Guerra de Luis Felipe.

La situación se encaminaba hacia un desenlace negativo. Se podía sentir en el aire. El pueblo francés, en casi todos sus estratos sociales, estaba inquieto, la oposición estaba empezando a organizarse y cada uno de los grupos propugnaba su propia causa mediante airados discursos pronunciados en banquetes organizados a tal fin por los distintos grupos políticos. Sir Guy había estado en lo cierto. El monarca reinante en ese momento estaba perdiendo la batalla, y en opinión de Jonathan sería solo cuestión de tiempo antes de que la agitación civil se convirtiera en violencia y Luis Felipe abandonara el trono camino del exilio o fuera asesinado por personajes influyentes, como era el caso de Henri Lemire.

Jonathan se detuvo en una concurrida esquina, vestido con la misma seria indumentaria que llevaba el día de su reunión con Madeleine, y que resultaba algo incómoda para el calor de mediados de julio. La suerte los había acompañado en un viaje sin incidentes hasta la capital, ya que la última semana se había mantenido nublada y anormalmente fresca para estar en pleno verano, y el sol había hecho su primera aparición en días hacía solo dos horas.

Jonathan observó el movimiento de la calle de la ciudad durante unos minutos, sin prestar apenas atención al tráfago congestionado de personas, a los gritos y al ruido del tráfico, al olor de los cuerpos sin asear y del estiércol de los caballos, que se mezclaban con los de las carretas de los vendedores ambulantes, desbordantes de pollos y corderos asados, panes cocidos y flores recién cortadas.

Jonathan tuvo que admitir que a la sazón se encontraba en un buen atolladero; no tanto por lo que se había enterado en los treinta minutos que había permanecido en la universidad, que ya era bastante preocupante en sí, sino por su conciencia. Tres días de investigaciones en París le habían aportado pocas noticias acerca de Robert Simard. Había empezado por la Guardia Nacional con la esperanza de obtener información sobre el padre del sujeto, en tanto que antiguo oficial del cuerpo, pero no había conseguido casi nada, excepto que su hijo, Robert, había sido otrora profesor de literatura en la Sorbona. En consecuencia, esa tarde se había trasladado hasta allí con grandes esperanzas en cuanto pudo concertar una cita con el rector, pero sus esperanzas se habían hecho añicos cuando se enteró de que Robert Simard llevaba viviendo felizmente en Suiza como profesor reputado, esposo abnegado y amantísimo padre de seis hijos desde hacía cinco años. Aquello, por lo tanto, solo podía significar una de dos cosas: o que Natalie estaba equivocada acerca de las cartas de amor —de dónde o de quién procedían— o que le había mentido.

Hundió las manos en los bolsillos, se dio la vuelta y empezó a andar por la calle lentamente; hacia el sur, creyó, pero lo cierto es que no estaba prestando atención. Tendría que alquilar un medio de transporte para regresar a la posada en la que se alojaban, y esta se hallaba a varios kilómetros en las afueras de la ciudad, pero primero quería pensar.

Los últimos días con Natalie habían sido difíciles para él. Sus sentimientos hacia ella eran confusos y, si los consideraba con honestidad, empezaban a ser muy profundos. Sin embargo, no tenía ninguna seguridad sobre qué motivaba la situación ni qué repercusiones tendría todo ello para su futuro. La atracción mutua solo parecía intensificarse por momentos, y no estaba muy seguro de que no fuera a sofocarse con una simple relación sexual. Casi había llegado a la conclusión de que acabarían siendo amantes, y asimismo sabía que, en su fuero interno, Natalie también era consciente de ello, con independencia de que decidiera o no reconocerlo.

Sin embargo, lo que le traía a mal traer era saber con qué firmeza se oponía ella a pensar siquiera en casarse con él. Aquello era algo que tenía que ver con sus convicciones, y para su creciente preocupación, estaba empezando a pensar que incluso si la seducía, de lo cual estaba casi convencido de poder hacer, ella seguiría sin consentir convertirse en su esposa. Él podría forzar el asunto, pero probablemente eso solo ocasionaría un distanciamiento irreparable entre ellos, y a partir de ahí Natalie jamás aprendería a confiar en él ni a amarlo como hombre. Él le gustaba, se lo pasaba bien con él, lo deseaba apasionadamente, pero eso era todo lo lejos que ella permitía que llegaran sus sentimientos. En ese momento, Jonathan tenía que admitir que le encantaría tremendamente que se enamorase de él y daba por sentado que tal sentimiento se debía a que Natalie era la primera mujer que conocía que se hubiera resistido tan concienzudamente a hacerlo. Si ella lo amaba, y se lo reconocía a sí misma, probablemente cedería y se casaría con él, que era el desenlace ansiado por Jonathan. Pero este no sabía cómo combatir la tozudez de Natalie y su firme convencimiento de que él acabaría haciéndole daño. Ella no confiaba en sus sentimientos, y Jonathan no tenía ni idea de qué hacer al respecto.

Gruñó con incomodidad, deteniéndose de improviso, lo cual casi provocó que una oronda mujer que llevaba un niño de cada mano chocara con él, aunque Jonathan apenas se dio cuenta de la circunstancia mientras se frotaba los ojos con las yemas de los dedos, completamente absorto en sus pensamientos.

Habría sido muy sencillo, si Robert Simard siguiera viviendo en París y hubiera estado chantajeando a la madre de Natalie, tal y como esta había deducido. Las cartas en sí habrían sido fáciles de robar. Sin embargo, lo que más le molestaba del asunto a Jonathan era la idea de que ella pudiera haberse inventado toda la historia. Pero ¿con qué fin? ¿Para obligarlo a llevarla a París? Aunque ella tuviera vínculos políticos y el deseo de ver derrocado al monarca, ¿por qué iba a necesitar estar allí, en medio de la agitación, para presenciarlo en directo? ¿Por qué habría de recurrir a las mentiras y al chantaje, cuando él no tardaría en descubrir que la historia del adulterio de su madre era mentira? Natalie no era tonta, y la mera idea de que fuera a meterse en semejantes complicaciones a Jonathan se le antojaba rocambolesca, cuando no ridícula.

No; tras un instante de meticulosa reflexión, Jonathan llegó al convencimiento de que ella le había contado la verdad tal y como ella la creía. Y tampoco se había inventado la tierna exteriorización emocional que tanto lo había impresionado la última noche que pasaron en Marsella. A Natalie le causaba una honda tristeza todo el asunto, de eso estaba seguro, e incluso sin su intento de engaño y chantaje, él la habría ayudado. El collar que en ese momento Natalie mantenía oculto en el fondo de un baúl carecía de importancia para él. Era la inocencia de Natalie, su respeto y admiración, y su alma lo que él valoraba.

Así que, de pie en medio de una concurrida acera del centro de París, con el sol de última hora de la tarde ocultándose por detrás de los altos edificios, y los sonidos y olores de los caballos que chacoloteaban y de los bulliciosos transeúntes llenando el aire, Jonathan se sintió abatido, solo e impotente y sin saber muy bien qué hacer a continuación. Sobre todo, se percató, lo que le consumía era el desconcertante pensamiento de que pronto tendría que informar a Natalie de que le había fallado. Ahí era donde su conciencia lo golpeaba con toda su fuerza.

No tenía ni idea de qué decirle. Robert Simard era un profesor casado que vivía en Suiza, llevaba una vida decente y sacaba adelante una familia. Las posibilidades de que fuera el chantajista eran remotas. El hombre tendría muy poco que ganar, y sí mucho que perder, si era descubierto o detenido. Eso implicaba que otra persona tenía las cartas, o decía tenerlas, y estaba utilizando el nombre de Robert Simard justo porque sabía que el francés estaba viviendo tranquilamente en otro país. Tal situación parecía mucho más lógica. La única manera de que Jonathan pudiera obtener más información sería hablando con la mismísima madre de Natalie, y esa era una idea que lo aterrorizaba por completo. También era posible que todo estuviera siendo realizado desde Gran Bretaña, que alguien a quien la madre de Natalie no conocía se hubiera enterado del romance —y de la correspondencia subsiguiente— y él o ella la estuviera chantajeando desde la comodidad de su pintoresco salón inglés. Pero, una vez más, había demasiadas preguntas, insuficientes pistas y nada que él pudiera hacer en París sin tener más detalles.

Paralizado, Jonathan se quedó mirando la calle fijamente con expresión ausente. Natalie lo estaba aguardando, esperanzada con que su día en la ciudad se revelara productivo, y cuando se enterase de que Jonathan no tenía las cartas en su poder sería presa del abatimiento. Aunque lo que más lo desasosegaba era que cuando ella se enterase de que no tenía nada para darle, se enfurecería por su incompetencia, lo consideraría un mentiroso, o peor aún, un idiota, haría sus maletas y volvería a Gran Bretaña sin él. Jonathan tenía suficiente amor propio para darse cuenta de que no correría ese riesgo. En Francia, ella estaba esencialmente a su cargo; dependía de él. En Gran Bretaña, si no era su esposa, podía negarse en redondo a verlo, y eso sería el fin de todo.

Su única otra opción, y por supuesto la exquisita y grati-

ficante, consistía en engañarla y luego privarla de su virginidad, tal y como ella le había ofrecido en Marsella. Pero Jonathan, incluso dejando en mal lugar a su ocasionalmente poco
honesto pasado, jamás había sido tan malvado como para
quitarle la inocencia a una mujer con una mentira descarada.
Ahora se enfrentaba a una tremenda decisión moral, a una
prueba de su personalidad como hombre. Sí, se casaría con
ella. La reputación de Natalie se mantendría intacta. Esa no
era la cuestión. Pero ¿sería capaz de engañarla tan descaradamente para que ella se entregara a él de buen grado a cambio
de una falsedad? No lo sabía, pero pensó que no podía. Y sin
embargo, la alternativa era perderla.

Jonathan dio media vuelta y volvió sobre sus pasos. Una
ráfaga de viento hizo volar los periódicos viejos y las hojas
de la calle contra sus piernas. Se hacía tarde. Natalie le estaría
esperando, y él tendría que tomar su decisión en el camino de
regreso a la posada.

14

Natalie odiaba cualquier tipo de espera. La hacía sentir nerviosa y agitada, y cuando lo que tenía que esperar era algo tan importante como las cartas de amor que impedirían que su padre tuviera que sucumbir a toda una vida de bochorno y compasión ante la sociedad, apenas podía permanecer quieta en su asiento. Jonathan le había dicho tajantemente que no continuaría con un asunto tan delicado si ella insistía en acompañarlo a la ciudad, y Natalie había transigido porque, planteadas así las cosas, no tenía elección. Pero en ese momento, mientras permanecía sentada en un banco de hierro forjado acolchado en la lujosa rosaleda situada a espaldas del albergue de la Cascada, sintió que su fastidio iba en aumento. Ya había anochecido, y Jonathan no había regresado todavía con noticias. Era el hombre más desesperante que había conocido, y cuando no sentía el desesperado impulso de rodearle el cuello con los brazos y besarlo con desesperación, deseaba estrangularlo. Como en ese momento.

Recostándose por completo contra el blando cojín amarillo, Natalie cerró los ojos, se puso las manos en el regazo, entrelazó los dedos e intentó pensar en otra cosa.

No tenía ni idea de por qué los dueños habían puesto ese nombre al albergue de la Cascada. No había ninguna en las cercanías. Aunque era un sitio absolutamente encantador para alojarse, en pleno campo, bastante aislado en un valle y rodeado de unos exuberantes y cuidados jardines que contenían sobre todo rosas, pero también otras especies aparentemente exóticas, flores y plantas que ella no había visto nunca. No estaban tan lejos de la ciudad, pero nadie lo diría al despertarse con el canto de los pájaros y el aroma de las rosas húmedas, que entraban por las ventanas abiertas empujados por la brisa.

La posada de dos plantas solo tenía seis dormitorios, situados al lado de la cocina, un comedor y un salón central, que estaba decorado en burdeos y en diversos tonos de verdes. El cuarto de ellos, que daba al jardín de rosas por la parte de atrás, estaba decorado con un gusto delicadamente femenino, adornado con detalles color ciruela, azul verdoso claro y amarillos pastel, y albergaba solo una cama pequeña y confortable, dos sillones de lectura, una mesita de noche y una chimenea. Ya llevaban alojados allí tres días, y aunque Natalie lo encontraba apacible y encantador, empezaba a aburrirse. Jonathan había deducido esto bastante pronto, y esa mañana había mencionado que intentaría confiscar las cartas ese mismo día, si podía encontrar a Robert Simard. Entonces, por fin, podrían pasar a otra cosa. Pero ¿a qué?

La idea de volver a casa la deprimía. Durante las últimas semanas había estado llevando una especie de existencia de cuento de hadas. Adoraba Francia, sus gentes y su cultura relajada. Y estar allí con una compañía tan placentera hacía que todo fuera más delicioso aún. Esa era la parte triste, en realidad. La aventura había sido emocionante, pero si hubiera ido con cualquier otro que no fuera Jonathan ni de lejos habría resultado de ese modo. Volver a casa con la misión cumplida, sabiendo que los días transcurrirían sin la presencia de Jonathan, la inundó de un insólito sentimiento de arrepentimiento y de una agitación sin igual.

Cada vez era más profundo el afecto que sentía por él. Se dio cuenta de ello en ese momento, aunque no tenía ni la más ligera idea de qué hacer al respecto..., aparte de alejarse de él, lo cual carecía de todo pragmatismo mientras siguieran en el continente. Si se dejaba llevar por sus sentimientos, al final estos solo le causarían dolor. Jonathan era un seductor de la alta sociedad, un hombre que coqueteaba sin miramientos y que tomaba amantes a su antojo. Jamás podría serle fiel a una mujer, y esa sería la única manera en que ella lo tendría. Había intentado aclararlo en Marsella, exponer sus convicciones de manera razonable y sin fingimientos. Natalie se negaba a ser su amante, y sin duda así lo había dicho, aunque, como era natural, y ateniéndose a su reputación y personalidad, Jonathan la había tocado de inmediato en una parte íntima del cuerpo, haciendo aflorar toda el ansia que ella llevaba dentro a la vista del ego de Jonathan. Él la deseaba físicamente, e incluso en ese momento, estremeciéndose interiormente ante la idea de placeres desconocidos, Natalie se dio cuenta de que también lo deseaba, y eso era lo que tenía que combatir. Ya estaba perdiendo su corazón por él —lo cual la enfurecía terriblemente consigo misma— y con eso era suficiente. Ella había superado por fin los sueños de romanticismo. Pero si entregaba su cuerpo a Jonathan, perdería una parte de sí para siempre.

Natalie se quitó los zapatos, recogió los pies para metérselos debajo del vestido, y se abrazó las rodillas contra el pecho en un intento de alejar los pensamientos indecentes de su cabeza. Se había dado un largo baño esa tarde… a falta de algo mejor que hacer, la verdad. Decidió que, puesto que seguían en el campo, se vestiría de manera informal, poniéndose una sencilla blusa de seda blanca y una falda de muselina rosa sin armazón. También había decidido olvidarse de las trenzas y los lazos, y en su lugar se dejó el pelo suelto para que se secara a la cálida y ligera brisa nocturna. Su madre se habría muerto del susto si hubiera tenido la más remota idea de dónde se encontraba ella en ese instante, lo que llevaba puesto —o lo que no llevaba, como en el caso del corsé y las medias—, y que sus rebeldes rizos le colgaban sueltos por la espalda y al aire libre, donde cualquiera podía verla. Las damas británicas que seguían la moda llevaban varias capas de lazos que las cubrían casi de los pies a la cabeza, incluso para los paseos informales por el parque los días más calurosos del verano. Aquello era una estupidez e innecesario, en opinión de Natalie, aunque sus opiniones nunca surtían el más mínimo efecto sobre su madre. Ella lo llamaría libertinaje; Natalie lo llamaba libertad.

Con una sonrisa de satisfacción, volvió la cara hacia lo que quedaba de la puesta del sol. Allí podía hacer lo que se le antojara, y sintió una profunda alegría al pensar que a Jonathan, al contrario que a tantísimos caballeros, eso no le importaba. Aunque era un hombre refinado, no era estirado en absoluto; si bien era correcto, le gustaba jugar; aunque se preocupaba por la seguridad de Natalie, no obstante le permitía una libertad relativa para hacer lo que quisiera. Era encantador, excitante e inteligente, y uno de los mejores amigos que jamás había tenido, que la aceptaba tal cual era y que no ponía condiciones. Deseaba de todo corazón que él quisiera seguir siendo su amigo durante los años venideros.

Por supuesto que sería triste abandonar la reconfortante presencia diaria de Jonathan, y Natalie tuvo que admitir que, en contra de su costumbre, tenía sentimientos encontrados al respecto de cómo seguiría siendo su relación una vez que él se casara, de lo cual, curiosamente, Jonathan parecía repentinamente deseoso. También tenía algún problema al imaginárselo besando a otra mujer con la misma intensidad con que la besaba a ella, aunque procuraba no pensar en ello. Adoraba los besos de Jonathan, y tenía que reconocer que aquellos momentos de intimidad sería lo que más echaría de menos.

Natalie suspiró y abrió los ojos gradualmente al intenso despliegue floral de todos los colores y a unos arrebatadores ojos gris azulado que la miraban fijamente a solo un metro de distancia.

Parpadeó, un poco asustada al ver la atractiva figura de Jonathan descollando sobre ella con las manos en las caderas y la expresión inescrutable. De inmediato sucumbió a la vergüenza, como si él estuviera inmiscuyéndose en sus pensamientos más íntimos. Sabiendo que era testigo del rubor de sus mejillas, pero intentando hacer caso omiso, Natalie le miró directamente a los ojos, sonriendo.

—No le oí.

Jonathan arqueó las cejas.

—Eso es evidente.

Al no añadir nada más, Natalie le preguntó con prudencia:

—¿Lleva mucho rato aquí?

—¿En qué estaba pensando exactamente?

La pregunta directa la asustó un poco, pero se negó a dejar que él se diera cuenta. Y dado que no quería que Jonathan supiera que casi no estaba pensando en nada que no fuera él, que era exactamente lo que él estaba pensando, Natalie se aprovechó de la circunstancia.

—Estaba pensando en usted, Jonathan —admitió ella, con los ojos grandes y la expresión radiante de exagerada inocencia—. Estaba pensando en lo agradable que ha sido el tiempo que hemos pasado juntos en Francia, en lo romántico que es, sobre todo a la hora de escoger el alojamiento, y en cuánto echaré de menos los tiernos besos entre nosotros cuando volvamos a Gran Bretaña. —Hizo una pausa y volvió a sonreír con maldad—. Y en otras cosas.

La respuesta confundió totalmente a Jonathan. No sabía si creerla, algo que, por supuesto, era lo que ella quería. Se limitó a observarla durante unos segundos, reflexionando acerca de la verdad que escondían sus palabras.

—¿Otras cosas? ¿Qué más podría haber?

Natalie hizo un imperceptible encogimiento de hombros.

—Trivialidades.

—¡Ah…! —Jonathan se acercó al banco con una gran zancada al oír la evasiva, se dio la vuelta y se dejó caer al lado de Natalie, ocultando lo que quedaba de sol con su corpulencia, mientras se inclinaba hacia delante con los pies separados, los codos en las rodillas y las manos cogidas por delante de él.

—¿Estaba pensando realmente en besarme?

Era una pregunta jactanciosa, que ocultaba un verdadero

deseo de saber, y Natalie no pudo por menos que alegrarse en su fuero interno.

—Por supuesto, Jonathan —respondió ella con cortesía—. Besa usted de maravilla. Por otro lado, cualquiera puede mejorar en casi todo con la práctica, y sé que usted posee mucha.

Jonathan desvió la mirada hacia las rosas, sacudiendo la cabeza en una débil muestra de derrota mientras sus labios sonreían. Natalie percibió la diversión marcada en el rostro de Jonathan, aunque él intentaba ocultarlo.

—He de suponer, entonces, querida Natalie, que usted ha roto la norma. Ha sido maravillosa desde el primer beso.

¡Tenía que decirlo y prender la mecha! Natalie había conseguido tener el control con sus comentarios, obligándole a suponer cuáles eran sus pensamientos e intenciones, pero como siempre ocurría, él sabía exactamente lo que tenía que decir para recuperar la ventaja.

Ella se irguió un poco y cambió de tema.

—Veamos… ¿Qué he hecho hoy? Ah, sí, me di un largo baño, escuché al hospedero regañar a voz en cuello a los niños del pueblo por arrancar las fresas del huerto y observé a las abejas polinizar las flores, así como otras cosas igual de emocionantes. ¿Ha hecho usted algo igual de excitante mientras trabajaba en la gran ciudad sin mí?

Jonathan le lanzó una rápida mirada, posiblemente para ver si estaba enfadada de verdad; luego, bajó la vista al sendero de grava y empezó a tamborilear los dedos entre sí con las manos sobre su regazo.

—Estoy seguro de que su día ha sido bastante más relajante que el mío.

—Llevo ya una semana relajada.

—Esto también es más seguro…

—¿De qué me está protegiendo, Jonathan? ¿De los carteristas? —dijo jadeando sarcásticamente, y se agarró el cuello con la mano—. ¡Dios mío!, ¿y si atrapara a uno *in fraganti*? No sabría qué hacer con un ladrón, si le echara el guante.

Jonathan apretó los labios para evitar soltar una carcajada, o quizá solo intentó contenerse de soltar una grosería. Sin embargo, antes siquiera de que pudiera intentarlo, Natalie saltó al asunto de mayor importancia.

—Y ya que hablamos de ladrones, ¿fue capaz de robar las indecentes cartas de amor de mi madre?

Jonathan se puso un poco tenso, respiró hondo y titubeó lo justo para que ella intuyera lo peor.

—No encontró a Robert Simard, ¿no es así? —preguntó ella, casi suplicando que la tranquilizara diciéndole lo contrario.

Jonathan siguió mirando fijamente el suelo.

—Sé dónde está.

Natalie no tuvo ni idea de qué significaba aquello, y no estuvo segura de si debía sentirse aliviada o preocupada. Él no se estaba comportando en absoluto como un ladrón profesional que hubiera concluido una fructífera jornada de trabajo.

—Pero no tiene las cartas —afirmó ella con lentitud.

Después de varios segundos de silencio, Jonathan empezó a arrastrar el pie derecho adelante y atrás por la grava.

—Robert Simard vive en Suiza —le reveló en voz baja— con su mujer y su familia, y así ha sido durante los últimos cinco años. Es altamente improbable que esté involucrado.

Fue necesario un buen rato para que sus palabras penetraran en la mente de Natalie, para que esta recogiera la información y la reuniera en un pensamiento coherente. Ella escudriñó la abundante mata de pelo brillante que le caía a Jonathan por la frente, la sombra oscura de la barba del mentón, mientras la noche empezaba a sumirle la cara en las sombras. Sintió el calor que desprendían su hombro y su pierna, tan próximas a ella, y en un instante de absurdidad, se preguntó la razón de que se fijara en esas cosas, cuando su vida parecía dar vueltas sin control.

—Es un reputado profesor de literatura, Natalie —prosiguió él en un tono apagado—. Entre los estudiantes, una esposa y seis hijos no veo la manera de que sacara tiempo para chantajear a su madre, aun en el caso de que quisiera hacerlo. También me he enterado de que sus iguales lo consideran un hombre de moral intachable y que se gana bien la vida. No necesita el dinero, y no me lo imagino metiéndose en tantos problemas por venganza. Si lo pillaran y fuera detenido, perdería todo lo que aprecia.

Natalie sintió que la boca se le secaba. Su pulso se aceleró. Jamás había imaginado que pudiera tratarse de otra persona.

—No lo entiendo —dijo entre dientes—. Mi madre está absolutamente segura de que es él.

Jonathan se volvió y la miró directamente con el ceño fruncido.

—¿Y que le hace pensar eso?

Natalie negó débilmente con la cabeza.

—No… no estoy segura. Sé que él la detestaba y que la consideraba la causante de todo, al seducir a su padre, que también estaba casado.

—¿Es probable eso?

—Tal vez sí. —Natalie cerró los ojos y se pasó la palma de la mano por la frente, sintiendo que un rubor ardiente le subía de nuevo por las mejillas, y en ese momento, mientras revelaba los secretos íntimos de la familia, le resultó difícil mirar a Jonathan—. Ha recibido tres anónimos, tres cartas amenazantes por correo exigiéndole dinero, y así es como ha estado pagando. Por correo. Se niega a denunciarlo a las autoridades, por las implicaciones sociales, como es evidente, pero sospecho que también porque ha podido ser infiel antes (con alguien en Gran Bretaña), y no quiere que eso llegue a saberse.

Tras un segundo o dos de silencio, Natalie abrió los ojos una vez más. Jonathan la contemplaba con atención, pensativo.

—¿Y su padre conoce la relación entre ella y el francés, pero ignora que alguien la está chantajeando bajo la amenaza de sacar a la luz las explícitas cartas de amor que ella le escribió?

—Sí. Exacto.

Jonathan esperó.

—¿Conoce él la existencia de las cartas que su madre le escribió a Paul Simard?

—Sí —dijo ella muy bajito—. Su existencia surgió durante una conversación.

—¿Una conversación?

Aquello hizo que Natalie volviera a sentirse incómoda y se hundió un poco más en el banco.

—Entre ellos. Una… discusión acalorada.

—Entiendo… —Tras una breve pausa, Jonathan preguntó con prudencia—: ¿Estaba en casa su padre en algunas de las ocasiones en que llegó el correo?

Natalie frunció el ceño.

—No lo sé. ¿Por qué?

La brisa cambió de dirección, levantándole el pelo a Natalie por delante de la cara, y sin pensárselo, Jonathan alzó la mano y se lo apartó de la mejilla, contemplándola en silencio y observando detenidamente sus facciones. Él estaba juntando las piezas de un rompecabezas particular, pero no se lo hizo saber a Natalie. Estaba siendo prudente… demasiado.

—¿En qué está pensando, Jonathan? —preguntó ella con amabilidad.

Él dudó antes de contestar, a todas luces sopesando la decisión de revelar su opinión sobre el asunto, pero Natalie se negó a retroceder.

Finalmente, Jonathan bajó la voz hasta convertirla en un profundo susurro.

—Es evidente que las cartas existen, pero no sé quién está amenazando a su madre, Natalie, ni dónde está exactamente esa persona. Estoy dispuesto a robarlas por usted, pero necesito más información. Y necesito más tiempo.

—¿En qué otro sitio puede buscar? —murmuró ella sombríamente—. ¿Por dónde empezaría?

Jonathan entrecerró los ojos mientras intentaba mostrar una sonrisa reconfortante.

—No lo sé todavía. Pero puede que tenga que permanecer en Francia más tiempo del previsto.

Jamás en dos años Natalie había pensando que el Caballero Negro pudiera fracasar. Era el mejor, una leyenda a cuyo nombre iban unidos notables éxitos. Hacía solo unos instantes había disfrutado de la dicha de estar en Francia con él, llena de esperanza. En ese momento, se debatía bajo el peso aplastante de una derrota inminente.

—Mis padres volverán pronto a Gran Bretaña, Jonathan.

La expresión de tranquilidad de Jonathan cedió su puesto a la preocupación.

—¿Cuándo?

—Dentro de tres semanas —contestó ella, pasándose la mano arriba y abajo por la pierna—. Eso no nos deja mucho tiempo para estar juntos.

Jonathan suspiró y se recostó completamente contra el cojín con las rodillas separadas y las manos cruzadas en el regazo.

—No —admitió, volviendo la mirada una vez más hacia las rosas—. Pero tal vez sea suficiente.

Ella se preguntó cómo podía saber eso, pero puesto que no dijo nada más, Natalie no insistió en conocer otros detalles. Era evidente que Jonathan estaba pensando en las maneras de poder ayudarla y no había hablado de las esmeraldas en toda la conversación, ni tampoco del regalo de agradecimiento prometido por Natalie. Sentía un auténtico compromiso hacia ella, y eso era todo cuanto ella podía pedirle. Y Natalie lo valoró muchísimo, porque en ese momento no tenía a nadie más en el mundo.

De pronto, sentada a solas con él en un esplendido jardín florido, con el apaciguador sonido del susurro de las hojas y el aroma de las rosas flotando en el inminente crepúsculo, el tiempo se detuvo cuando una leve claridad la envolvió. Jonathan siempre había sincero con ella, incluso en ese momento, cuando probablemente se sintiera avergonzado por su falta de éxito y sin saber qué decir. Y desde su propio sentimiento de compasión, con el corazón rebosante de ternura, ella reconoció la profundidad de sus emociones; no con angustia ni cólera por el aparente fracaso de Jonathan, sino con una floreciente lealtad exclusiva hacia él.

Natalie dejó caer las rodillas a un lado, apoyándolas junto al muslo de Jonathan, alargó las manos para cogerle del brazo, se lo rodeó con ellas y lo atrajo hacia el pecho. Encogiendo más los pies bajo el vestido y acurrucándose junto a él, le apoyó la cabeza en el hombro.

—Las encontrará para mí —susurró ella apasionadamente, mirando las rosas con fijeza—. Creo en usted, Jonathan. Es mi mejor amigo.

Jonathan jamás se había sentido tan profundamente conmovido. Un violento y repentino arrebato sentimental le hizo un nudo en la garganta y no pudo responder, incapaz de hablar. Nunca habría esperado semejante reacción por parte de Natalie, una resignación tan dulce a sus palabras y una fe semejante en su experiencia y habilidades; tanta fe en él. Sintió entonces una oleada inmediata de culpabilidad por haber exagerado la verdad egoístamente solo para mantenerla a su lado el mayor tiempo posible, y de enfado consigo mismo por malgastar el tiempo en la ciudad, cuando podía haber estado allí, y por no creerla.

Un silencio mágico los envolvió, y Jonathan disfrutó del momento, con la cabeza de Natalie en su hombro, y su cuerpo, caliente y suave, tan cerca del suyo. El sol se ocultó por fin tras las colinas del oeste, y las ventanas de la posada se iluminaron con lámparas, haciendo que por todo el jardín se extendiera un color dorado.

Bajó la cabeza lo suficiente para sentir el pelo de Natalie en la mejilla, y cerró los ojos a la suavidad que le acariciaba la cara, rozándoselo atrás y adelante con los labios, aspirando el olor que desprendía sin desear otra cosa que seguir sentado allí con ella durante horas, saboreando aquella extraordinaria cercanía.

Y entonces, muy lentamente, empezó todo. Ella se volvió

hacia él, y con un tacto delicado, casi titubeante, apretó los labios contra la mejilla de Jonathan. Los mantuvo allí durante unos segundos antes de bajarlos hasta el mentón y, poco a poco, subírselos hasta la sien. No eran besos exactamente, solo unas suaves caricias de su cálida boca contra la piel de Jonathan.

Un fuego estalló de repente dentro de él; en apariencia, no se movió, casi incapaz de respirar. Se mantuvo inmóvil, disfrutando de la sensación que le procuraba el contacto de las piernas de Natalie contra su muslo, de los exuberantes pechos contra su brazo, de la dulzura que ella le prodigaba a manos llenas en ese preciso instante. Por el momento sería suficiente, si Natalie se echaba para atrás. Pero no lo hizo. Levantó el brazo que tenía libre y le colocó la palma en el cuello, recorriéndole el mentón con el pulgar mientras jugueteaba con los demás dedos con el pelo de su nuca.

Sin embargo, Jonathan no hizo nada, esperando el afecto que ella desvelaba por fin, aunque confiando de manera desesperada en que no lo hiciera. Ella no le había tocado jamás con anterioridad, había negado siempre la fuerza de la atracción que había entre ellos, tan evidente para él incluso la noche que se habían conocido hacía ya cinco largos años. Entonces, por fin, como si hubiera aceptado gradualmente una lucha interna que ya no podía evitar, Natalie dejó de mover los labios y los dedos y levantó la cabeza para mirarle a los ojos.

El corazón de Jonathan empezó a latir con fuerza. El resplandor procedente de la posada arrojaba solo una tenue luz sobre los rasgos de Natalie, pero, incluso en las sombras del anochecer, él le leyó los pensamientos, comprendió su ansiedad por tener una experiencia que no había conocido nunca, fue testigo de la emoción que traslucían sus ojos y le abrasaban los suyos.

Jonathan siempre consideraría aquel como uno de los momentos de ternura más poderosos de su vida. Ella le miró fijamente a los ojos, expresando solo un débil rastro de temor, siendo mucho más perceptible el irresistible asombro del descubrimiento de algo, algo nuevo y maravilloso.

Natalie llevó cuidadosamente los dedos hasta los labios de Jonathan, rozándolos con lentitud, sin mover la mirada ni un instante, mientras intentaba evaluar la reacción de su compañero ante aquel contacto. Y a partir de ahí, Jonathan ya no pudo contenerse más. Le besó los dedos con delicadeza; primero uno, luego otro, más tarde todos, uno a uno, mientras subía la mano a la cara de Natalie, colocándole la palma en la mejilla y acariciándosela con el pulgar.

Permanecieron así, atrapados en el tiempo, hasta que, finalmente, con voz entrecortada y profunda Jonathan susurró su nombre, y ella se entregó, cerrando los ojos y volviendo la cabeza lo suficiente para besarle la palma y frotarse la mejilla contra su mano.

El corazón de Jonathan se derritió de asombro; su cuerpo flaqueó de incredulidad ante el cambio experimentado en ella, y que él jamás había previsto.

Con los ojos cerrados, Natalie volvió a levantar la cara, depositándole unos besos diminutos en la mejilla y en la mandíbula, en la barbilla y en los labios.

Él respondió por fin con la misma moneda al desasir de Natalie el brazo que le quedaba libre y, volviéndose ligeramente, ahuecarle las manos en la cara, tras lo cual contestó con sus propios besos, rozándole las mejillas, la frente y las pestañas con los labios. Ella le colocó las palmas de las manos en los hombros, acariciándolo con los dedos a través de la tela de la levita y la camisa.

Jonathan se dio cuenta de adónde lo llevaría Natalie solo en su fuero interno, pero no se podía permitir creer que lo llevaría allí esa noche. Todavía no. Los sueños se convertían en algo doloroso cuando se esperaban durante mucho tiempo y no se satisfacían nunca. Quería lo que ella le daría, pero solo la guiaría, nunca la empujaría a ello.

Aunque, a veces, el mejor de los sueños se convertía en una realidad impresionante, como en ese momento, cuando, finalmente, después solo del más fugaz de los titubeos, ella se abalanzó hacia delante con un suspiro de rendición y colocó la boca directamente en la suya.

Jonathan supo que esa era la entrega irrevocable que Natalie le hacía de su inocencia. Tal vez no fuera consciente todavía de que esa noche perdería lo que sería su mayor obsequio, pero él sí que lo supo y, a cambio, le daría tanto o más. Le daría todo lo que él era.

Asumiendo el mando, la rodeó con sus brazos, la atrajo contra él y amoldó los labios a los de ella, regodeándose en su suavidad, su ternura, en la calidez de la brisa y en el olor de las flores que flotaba en el tranquilo crepúsculo. Ella le devolvió el beso con plenitud, apretando los senos contra su pecho, moviendo la boca al ritmo de la de él, abriéndola por si decidía invadirla. Y Jonathan lo hizo, y saboreó aquel dulzor, jadeando, cada vez más ansioso, con una mano extendida por la espalda de Natalie y la otra en su pelo.

Ella se pegó con más fuerza todavía, y su necesidad afloró a la superficie, rindiéndose a la pasión con un imperceptible gimoteo que se escapó de su boca cuando la lengua de Jonathan empezó a juguetear con su labio superior. Natalie le pasó los dedos por el pelo, martirizó los labios de él con los suyos apremiantemente y empezó a frotarse el muslo contra el de Jonathan sin darse cuenta.

Pero no fue hasta que se prendió de él y le cruzó la pierna por encima de la suya en un intento de pegarse más, que Jonathan supo que como preludio ya era suficiente. Seguían en la rosaleda, detrás de una posada llena de gente, y en unos instantes, estarían absortos el uno en el otro y se olvidarían de todo.

Se quedó quieto a regañadientes, ahuecó ambas manos en las mejillas de Natalie y le apartó la boca de la suya con dulzura. Retrocedió lo suficiente para contemplar la hermosa cara colorada de ella, en ese momento con los ojos cerrados y los labios separados, húmedos por el contacto con los suyos. Respiraba deprisa y entrecortadamente, y al cabo de unos segundos abrió los ojos para mirarlo.

Natalie lo sabía. Él lo vio en su mirada.

Jonathan apenas consiguió esbozar una sonrisa, le pasó el pulgar lentamente por el labio inferior y le susurró con voz áspera:

—Ven conmigo.

Natalie parpadeó, vaciló un instante y asintió con la cabeza.

Él retiró las manos de su rostro, la cogió de la mano y se levantó, ayudándola a incorporarse a su lado. Natalie cogió rápidamente sus zapatos y se los puso, y dándose la vuelta, Jonathan la condujo por el estrecho sendero de grava hacia la parte posterior de la posada.

Ninguno de los dos habló cuando ella lo siguió a través de las puertas correderas abiertas. A grandes zancadas, Jonathan pasó con decisión junto al salón, ya animado con los huéspedes que compartían unos entremeses mientras esperaban la cena, y empezó a subir la escalera central de roble. En el rellano torció a la izquierda y se dirigió a la habitación que ambos compartían, la última de aquella planta. Todavía aferrada a él con la mano izquierda, ella le entregó la llave que había tenido guardaba en uno de los bolsillos de la falda, y Jonathan abrió la puerta con rapidez y entró en la habitación a oscuras sin pérdida de tiempo. Natalie lo siguió con la misma rapidez, antes de que Jonathan volviera a cerrar la puerta con pestillo para pasar la noche. En silencio, casi en la más absoluta oscuridad, él le soltó la mano y dio tres pasos hasta la mesilla de noche, donde encendió el pequeño quinqué situado encima. Hecho eso, giró sobre sus talones para darse la vuelta hacia ella, observándola por fin con una seguridad penetrante.

Natalie estaba de pie, indecisa, aunque sin miedo, y todavía lo bastante excitada para querer retomarlo donde lo habían dejado; él podía verlo en el brillo de sus mejillas, en sus labios llenos y rosáceos y en sus ojos vidriosos. Se quitó rápidamente la levita y el chaleco y los arrojó sobre un sillón próximo, se llevó la mano al cuello y deshizo el nudo del fular, dejándolo caer sobre la mesa que tenía detrás.

—¿Vamos… a seguir besándonos más, Jonathan?

Natalie irradiaba cierto nerviosismo, pero dijo aquello con una voz susurrante rebosante de deseo, y Jonathan tuvo que echar mano de toda su fuerza de voluntad para no atraerla contra su pecho de un tirón, dejarla sin resuello con un beso demoledor, apretársela con violencia contra su dolorosa erección y obligarla a sentir —a saber— lo que le estaba haciendo. Pero la inexperiencia de Natalie le hizo reflexionar, mientras consideraba lo lenta que iba a discurrir la noche para ellos.

En voz baja, con los ojos clavados en los de Natalie, empezó por afirmar lo evidente a la ingenua mujer que estaba a punto de seducir.

—Voy a hacerte el amor, Natalie.

El ruido sordo de las risas estruendosas se filtraba por los tablones del suelo procedente del comedor, pero no hizo nada para disipar la pesadez del aire que flotaba entre ellos. Había llegado el final, él le había dejado claras sus intenciones y, al cabo de solo unos segundos de asimilar las palabras de Jonathan, Natalie se llevó la mano al cuello y dijo con voz entrecortada.

—Creo que preferiría que solo me besara.

Su tímida dulzura derritió a Jonathan. Natalie combatía la pasión debido a su elevada educación, pero él no tardó en advertir que no había discutido lo que estaba a punto de suceder, no había protestado por lo que se avecinaba. Sabía lo que iba a ocurrir, también lo había aceptado; y la conciencia de esto hizo que la sangre de Jonathan le corriera con fuerza por las venas.

—Besar forma parte de hacer el amor —dijo él con absoluta seriedad, llevándose los dedos a los botones de los puños—, y tengo intención de hacerlo mucho.

—¿El besar? —preguntó ella, esperanzada.

Él le sonrió mirándola a los ojos.

—Todo.

Natalie se abrazó y lanzó una mirada a la cama, mullida,

sedosa y cubierta con un edredón bordado con narcisos ama-rillo claro y rosas moradas... de lo más incitante.

—No creo que sea una buena idea, Jonathan.

Natalie estaba perdiendo el valor, o quizá solo estaba empezando a ser consciente de las complicaciones inmediatas que surgirían de sus actos, pero Jonathan no estaba dispuesto a permitir que nada interfiriera en el placer que ambos esta-ban a punto de procurarse. Estaban listos el uno para el otro, y ese era el momento.

Dio un paso hacia ella y extendió la mano para cogerle la que Natalie seguía manteniendo en la base del cuello. Ella volvió a levantar la mirada cuando él se la llevó a los labios y le besó delicadamente los nudillos.

—Te necesito —dijo él con voz tenue, la mirada fija en los cautivadores ojos verdes rebosantes de inquietud.

—Me estropeará para mi marido —insistió ella con una determinación que se desvanecía.

Los labios de Jonathan se retrajeron con cierto regocijo.

—Un argumento legítimo, aunque en tu caso lo dudo sin-ceramente.

Aquello la confundió tanto como la sobresaltó. Tragó sa-liva e intentó negarlo.

—Eso no es cierto.

—Es romántico y apartado —susurró él con decisión, dándole la vuelta a la mano de Natalie y acariciándole arriba y abajo la muñeca con los labios—. Es perfecto.

Ella tuvo un escalofrío, y lo observó durante un instante, hipnotizada. Entonces, negó con la cabeza de manera casi im-perceptible; fue su último intento de salvarse. Con voz tré-mula, insistió—: No seré su amante, Jonathan.

Aquello lo dejó estupefacto.

—¡Por Dios, Natalie!, ¿por qué te empeñas en seguir pensando eso, en seguir diciéndolo? —Le dejó caer la mano y le ahuecó las suyas en las mejillas con brusquedad, levantán-dole la cara hasta dejarla a pocos centímetros de la de él—. ¿Es que no te das cuenta de lo que sucede entre nosotros? No queda ninguna barrera, excepto la física. Ya eres mi amante. Ya lo eres.

Natalie parpadeó con rapidez, perpleja por la intensidad de la afirmación. Entonces, se le llenaron los ojos de lágrimas, y los cerró para ocultarlos a la fija mirada de Jonathan.

Él titubeó. Pero estaba seguro de que ella estaba dispuesta, de que rebosaba deseo de todo lo que él podía darle. Se inclinó hacia delante y apoyó la frente en la de Natalie.

—Quiero que formes parte de mí, Natalie. Quiero que lo que sentimos el uno por el otro sea real, algo que experimentemos y compartamos, y no solo algo vagamente sentido.

Ella volvió a negar con la cabeza, mientras las lágrimas le corrían por las mejillas y los pulgares de Jonathan.

—Se supone que no tiene que ser así —susurró ella.

Jonathan le tocó la frente con los labios, y el puente de la nariz y las pestañas salobres. Y consciente de lo que él ya había aceptado, le susurró contra la sien:

—Siempre se ha supuesto que tenía que ser así.

Sus palabras, tan suavemente demoledoras y llenas de significado, la tranquilizaron. Y al final, mientras Jonathan le recorría la cara con la boca para acariciarla una vez más, Natalie transigió con un delicado suspiro de angustia.

—Ya no puedo resistirme más a ti...

El mundo se abrió para Jonathan, y con una oleada de satisfacción sublime, le limpió las lágrimas de las mejillas con besos llenos de ternura, le pasó los dedos por el pelo para agarrarle la cabeza mejor y unió su boca con la de Natalie para empezar el acto que cambiaría el curso de sus vidas.

Sinceramente conquistada al fin, se rindió a él. Incapaz ya de combatir aquella fuerza, se entregó de buena gana a la consumación de algo que había empezado hacía casi cinco años en un jardín de flores. Entonces solo sabía de anhelos inocentes y sueños románticos; en ese momento comprendió lo que era el ardiente y feroz deseo entre un hombre y una mujer que no podía ser saciado con el rechazo o las buenas intenciones, al igual que supo que ese mismo deseo la iba a conducir a un lugar nuevo y excitante, a un lugar exótico cuyo descubrimiento estaría lleno de satisfacción.

Jonathan empezó con lentitud, besándole los labios con delicadeza, parado a unos centímetros de distancia, tocándole solo el pelo con las manos. Natalie se permitió responder, disfrutar del momento en sí, intentando apartar de su cabeza las consecuencias de sus próximas acciones. Le colocó las palmas de las manos sobre la camisa; no para mantenerlo a distancia, sino porque sintió de repente el impulso incontrolable de tocarlo.

Jonathan suspiró pesadamente al sentir su tacto e intensificó el beso mientras empezaba a mover la boca rítmicamente con la de ella. Natalie apenas si era consciente de lo que la rodeaba, de la débil luz de la lámpara que resplandecía sobre ellos y de la embriagadora fragancia de las flores que se colaba por las ventanas abiertas; de la gente del piso de abajo y del mundo exterior. Su vida estaba allí, en esa habitación; había llegado la ocasión de ambos. Todo se desvaneció, excepto Jonathan.

Con una ansiedad que se iba diluyendo, rodeó el cuello de Jonathan con los brazos y lo atrajo hacia ella, saboreándolo y devolviéndole el beso con una deliciosa tensión que no hacía más que aumentar. Sin ninguna intención por su parte, sus sentimientos despertaron, reaccionando como lo habían hecho el día que se habían besado a la orilla del Mediterráneo; aparentemente, hacía años, aunque lo recordaba como si hubiera sido el día anterior.

Jonathan respondió abrazándola completamente, bajando sus brazos fuertes para rodearle la cintura y pegársela contra el pecho mientras los besos se iban haciendo más y más exigentes. La incitó a que abriera los labios, pasándole la lengua por ellos hasta que se separaron lo suficiente para poder explorarle la boca a fondo. Ella le permitió el paso, disfrutando la sensación con un abandono incesante, jugueteando con la lengua de Jonathan con la suya, tal y como él le estaba enseñando a hacer.

Jonathan gimió con aspereza, casi de manera inaudible, y eso la animó. Él era un experto en aquello, ella no, y en algún lugar de su fuero interno Natalie temía decepcionarlo. No estaba del todo segura de lo que tenía que hacer a continuación.

Entonces, como si le leyera los pensamientos, sin apartar la boca de la de ella, Jonathan comenzó a acariciarle la espalda, arriba y abajo, con la palma de una mano, mientras que con la otra empezó a hacer lo propio con la cara y a masajearle el cuello y un hombro con delicadeza.

Ella relajó el cuerpo contra el de él, disfrutando de la sensación de su figura grande y musculosa contra su cuerpo más pequeño. Le encantaba su dureza, el olor de su piel y de su pelo, la fuerza que poseía, tanto interior como exterior.

Jonathan prosiguió a medida que su boca se volvía exigente, y su respiración se hacía más superficial. Natalie supo con satisfacción que ella lo excitaba sin intentarlo siquiera. Como él a ella. Jamás había sido tan atrevida con un hombre, nunca había estado tan cerca de entregarlo todo, pero, de pronto, la invadió una especie de desesperación por tenerlo todo: por tocar, por coger, por obtener placer. Le pasó los dedos por el pelo, atrayéndolo aún con más fuerza contra ella, tomando la iniciativa por fin al deslizarle la lengua en su boca, con timidez al principio, luego con asombro, cuando él gruñó y revivió con fuego.

Jonathan interrumpió el beso con rapidez, retrocediendo para mirarla a la cara.

Allí quietos, uno junto al otro, el tiempo se detuvo, los dos jadeantes, las miradas fundidas con una recién adquirida conciencia de los deseos, las necesidades y los sentimientos. La expresión de Jonathan resplandecía intensamente de deseo y de promesas, y Natalie supo que él estaba viendo lo mismo en ella. Entonces, Jonathan dejó caer las manos hasta ponérselas en los senos y empezó a masajeárselos dulcemente sobre la blusa.

Natalie inspiró con fuerza en cuanto la tocó, aunque fue incapaz de moverse al sucumbir de nuevo al fuego que la consumía por dentro. Él la observó con atención en busca de su reacción, mientras le rozaba el pezón atrás y adelante con el pulgar hasta endurecérselo y convertirlo en un delicado punto de exquisita sensación, embelesándola, haciéndola flaquear. Luego, adelantó la otra mano para hacer más de lo mismo, mirándola fijamente a los ojos, acariciándole ambos pechos y sus pezones, haciéndola jadear, obligándola a que se aferrara a su camisa.

—Jonathan…

Fue una súplica ardua y ronca, y Jonathan lo entendió. Bajó la cabeza hasta el cuello de Natalie y le recorrió la carne con la boca, intentando distraerla con la lengua mientras alargaba las manos hasta su espalda para desabrocharle los botones de la blusa.

Y la distrajo a la perfección. Natalie le volvió a rodear el cuello con los brazos y le puso los dedos en el pelo, pegándose más a él, besándolo en la cara, sintiendo sus labios contra la oreja y su pecho contra los senos con un maravilloso cosquilleo. Solo fue ligeramente consciente de que le había abierto la blusa y en ese momento se dedicaba a los botones de la falda. Seguía absorta en él, en sus besos, en la absoluta conciencia de sí misma.

Entonces, por fin, él retrocedió lo suficiente para sacarle la blusa por la cabeza. Pero antes de que la comprensión de los actos de Jonathan tuviera oportunidad de penetrar en su cabeza, él volvió a buscarle los labios una vez más, atrapándoselos con los suyos, quemándolos con un calor intenso que él apenas podía contener. En pocos segundos, la falda resbaló también hasta el suelo, y Natalie se quedó delante de él vestida solo con la fina camiseta de lino.

Jonathan la invadió con la lengua, buscando la suya ya sin ninguna delicadeza, sino con una fuerza expectante que aniquiló los últimos pensamientos de indecencia con una necesidad caliente y arrolladora. Jonathan le colocó una mano en el pelo, sujetándole la cabeza contra él, y con la otra le agarró un pecho. El contacto se hizo apremiante cuando le rozó el pezón adelante y atrás y en pequeños círculos hasta convertirlo en un pináculo contra su palma y sus dedos.

Apenas vestida, era la primera vez que Natalie permanecía tan poco tapada ante un hombre, y sin embargo ya no le preocupó, incapaz de pensar en su mundo más allá de aquellas cuatro paredes, de aquel hombre, de aquella sensación de despertar a la vida con tanta vehemencia. Cualquier resto de incertidumbre se evaporó con una impaciencia indescriptible por experimentar los placeres desconocidos que él prometía con su boca y sus manos. Se aferró a los hombros de Jonathan con los dedos, sintiendo el abrasador calor del cuerpo bajo la camisa, solo ligeramente consciente de que él la estaba empujando hacia atrás hasta el borde la cama.

Jonathan apartó con rapidez la boca de la de Natalie, y ella abrió los ojos para mirarle a la cara. La estaba mirando fijamente, con los párpados entrecerrados sobre unos ojos vidriosos, el pelo alborotado y caído sobre la frente, con la respiración igual de rápida y entrecortada que la suya. Una fiebre cautivadora de pasión anhelante irradió de lo más profundo de Jonathan para envolverla casi con violencia; un deseo grandioso que ella supo solo se debía a ella, y que acabó por impregnarla.

Con una urgencia renovada y un instinto que ella no acabó de comprender, levantó, temblorosas, las manos hasta la camisa de Jonathan y empezó a desabrochar rápidamente todos los botones, de arriba abajo, mirando fijamente la intensa profundidad azul grisácea del ansia física en los ojos de Jonathan.

Él empezó a ayudarla desde abajo, hasta que sus manos se encontraron en el centro de su pecho. Luego le agarró los dedos, se los llevó momentáneamente a los labios antes de soltarlos y se sacó la camisa. Sin apartar la mirada de sus ojos ni un segundo, le colocó las palmas de las manos en los hombros y la empujó hasta hacerla caer suavemente sobre el edredón. Entonces, encima de ella, observándola, empezó a desabrocharse los botones del pantalón con prisa.

Natalie cerró los ojos por un renovado rastro de vergüenza cuando se dio cuenta de lo que Jonathan estaba haciendo, y los detalles de lo que iba a ocurrir pronto en esa habitación, en aquella cama, entre los brazos de Jonathan, se agolparon en su mente. Segundos más tarde, oyó ruido de ropas y sintió cómo él se tumbaba a su lado, sin tocarla del todo, aunque sintiendo el calor del cuerpo de Jonathan al penetrar en el suyo desde los tobillos a los hombros, y supo que él estaba completamente desnudo.

Jonathan le pasó la mano por el pelo, le recorrió la sien con la boca moviéndola de manera casi imperceptible, y a Natalie se le desbocó el corazón en el pecho por la conciencia de que estaba a punto de entregarse inmoralmente a un hombre que no era su marido, por el nerviosismo, pero, por encima de todo, por el ansia y la desesperación de sentir y ser tocada.

—Mírame, Natalie —le instó con una voz llena de ternura.

La intimidad entre ellos le provocó un escalofrío, y levantó las pestañas de nuevo, negándose a mirar hacia abajo, aunque sintiendo los rizos del pecho desnudo de Jonathan cuando él se inclinó sobre su hombro.

La miró fijamente a los ojos, moviendo arriba y abajo las yemas de los dedos sobre la piel de su brazo en una delicada caricia.

—¿Entiendes lo que está a punto de ocurrir?

Ella asintió con la cabeza, queriendo encogerse a causa de la repentina vergüenza. Pero él debía de haber previsto tal reacción, porque, arrastrando las yemas de los dedos hasta el hombro de Natalie, las deslizó sobre la camiseta de nuevo y las bajó hasta el pecho y el pezón, volviendo a avivar con pericia el fuego que la consumía en las entrañas.

—¿Alguien te lo ha contado? —preguntó él más directamente, concentrado.

Ella se aferró al edredón con las palmas de ambas manos.

—S… sí —consiguió decir con voz entrecortada.

Aquello pareció tranquilizarlo. Su expresión se relajó, y bajó los labios hasta el cuello de Natalie, que besó fugazmente antes de acariciarle la oreja, cogiéndole el lóbulo con la boca y chupándoselo. Ella cerró los ojos al sentir la magia de sus labios y su lengua y sus manos. Jonathan le acarició los pechos con la palma con una exigencia creciente, y Natalie se sintió preparada para más de inmediato, mientras la necesidad aumentaba con cada una de aquellas atrevidas caricias.

Ella volvió a alargar las manos hacia él, le puso los dedos en el pelo y lo atrajo hacia ella, ansiosa ya por la unión de los cuerpos, los sentimientos y las almas. Jonathan movió la cabeza para posarle unos besos diminutos en el cuello y en el pecho, recorriéndole los hombros con la punta de la lengua y acariciándole la parte superior del brazo con la boca. Y por fin, como en respuesta a una promesa silenciosa, le metió las manos muy lentamente entre las piernas, sobre la única barrera que quedaba hacia el lugar de su deseo.

Un placer penetrante la sacudió de pies a cabeza. Natalie jadeó a causa de la pasión descubierta, por la subterránea tensión erótica y vigorizante cuando afloró a la superficie con un estallido. Él la masajeó allí, sobre el fino lino, dos veces, tres, con la misma intimidad que empleó aquel día maravilloso en la playa. Ella se rindió, suplicando más con su cuerpo mientras empujaba las caderas contra las manos de Jonathan. Y, finalmente, aceptando la incitación, apartó la mano, se incorporó un poco y le quitó la camiseta de la carne desnuda con un movimiento rápido y experto.

Jonathan respiró entrecortadamente. Natalie cerró los ojos con fuerza al ver su mirada febril, temerosa de mirarlo —de tocarlo—, sabiendo que la estaba mirando fijamente desde arriba. Durante un instante interminable, él le escudriñó la figura desnuda, le recorrió muy lentamente la pierna con los dedos, desde el tobillo hasta la cadera. Al final, volvió a ponerse a la altura de Natalie y empezó una vez más a acariciarle los brazos, el cuello y los pechos desnudos, rozándole apenas con las palmas de las manos, haciendo que se le erizara el vello allí donde jugaba con los montes y los valles que caían dentro del alcance de su mano. Le rozó el pezón con los dedos, y el cuello, la mejilla y el mentón con los labios, besándola con ternura y apoyando por fin la boca en su sien.

—Eres perfecta para mí —le susurró al oído.

Ella se perdió en el momento. Jonathan lo estaba haciendo perfecto para ella, enseñándola, amándola con su cuerpo. Entonces, él bajó la cabeza y acercó la boca a sus pechos.

Natalie arqueó la espalda y a punto estuvo de gritar cuando él empezó a lamerle, a chuparle y a besarle un pezón, excitándoselo con los labios y la lengua, rozándolo con los dientes. Le colocó la mano sobre el otro y acarició la carne desnuda, haciendo girar las yemas de los dedos por la suave piel, apretándole levemente el pezón hasta endurecerlo, y Natalie creyó que se iba a morir. Ella le puso las manos en la cabeza, le enredó los dedos en el pelo y levantó el cuerpo contra aquella, jadeando y gimoteando mientras él lamía y chupaba y la excitaba con tanta pericia.

Jonathan soltó un gruñido, reviviendo por el entusiasmo mostrado por Natalie, y levantó la cabeza lo suficiente para dejarle una senda de besos maravillosos desde el pecho hasta el cuello, haciendo deslizar la lengua por el cuello hasta la barbilla. Se inclinó más sobre ella, y los rizos enmarañados de su pecho musculoso juguetearon con el pezón de Natalie, y por primera vez, esta sintió aquella parte de Jonathan que él pretendía introducir en su cuerpo restregándose contra su cadera; dura y caliente, hizo que Natalie volviera a la realidad horrorizada.

Como si de pronto fuera consciente de dónde estaba poniendo Natalie sus pensamientos, Jonathan reaccionó apoderándose de su boca con un beso profundo y penetrante, y su lengua le atravesó los labios como una flecha buscando desesperadamente la suya, agarrándola y succionándola con apremio en cuanto la encontró. Natalie gimió, frotando las piernas atrás y adelante contra el edredón, las palmas sobre la piel colorada mientras las bajaba desde la nuca hasta los hombros de Jonathan, la mente vacía de todo excepto de Jonathan, que le acariciaba el cuerpo con dedos expertos, que la besaba hasta hacerla ascender a alturas imprudentes, que estaba preparado para hacerla parte de él. En ese momento lo era todo para ella. Era su pasado y su futuro, era la profundidad de su corazón.

Entonces, sintió que Jonathan desplazaba la mano desde su pecho hasta su cintura con un tenue roce que la hizo estremecerse de pies a cabeza. Le rozó la piel de la cadera, luego el vientre, que acarició con pequeños movimientos circulares, besándola en la boca con creciente ansia y la respiración entrecortada, hasta que finalmente le colocó audazmente la mano sobre los suaves rizos de la entrepierna.

Jadeó contra la boca de Jonathan, pero este no le soltó los labios. Prosiguió con el beso, colocándole la mano que tenía libre sobre la frente, con el pulgar sobre la ceja, sujetándola con firmeza. Entonces, sin solución de continuidad, le metió los dedos entre los muslos.

Natalie se aferró a sus hombros con las manos rígidas. Le dolía la garganta, y su cuerpo imploró un descanso del tormento. Jonathan esperó solo unos segundos antes de empezar a acariciarla con sensualidad, moviendo los dedos con cuidado al principio, más y más íntimamente a continuación, hasta que Natalie sintió un calor creciente y una maravillosa tensión que se fortalecía en el centro de su vientre.

El tacto de Jonathan la inflamó. Su fiebre interior aumentó cuando Jonathan apartó los labios de su boca y empezó a trazar una senda de besos hasta volver de nuevo hasta sus senos, encontrando un ápice anhelante con el que jugueteó con la lengua, succionó y frotó con la barba de su mejilla, atravesando a Natalie con un fuego punzante. Continuó la tortura con los dedos, y ella empezó a levantar de manera instintiva las caderas contra las manos de Jonathan al compás del ritmo siempre creciente que él imponía, con las palmas en sus hombros y los pulgares apretándole la clavícula, mientras él aumentaba la intensidad y el ritmo de la caricia, haciendo que el fuego interior llegara al punto de explosión.

Natalie volvió la cabeza a un lado, pronunciando entre gemidos el nombre de Jonathan, mientras este martirizaba su seno con la boca, y sus manos se ocupaban de hacer su magia, haciéndola suya allí hasta hacerla alcanzar casi el punto del éxtasis máximo. Y justo cuando ella pensó que lo alcanzaría, Jonathan ralentizó sus acciones, y cesó todo movimiento, obligándola a jadear como protesta, mientras le clavaba las uñas en los hombros.

—Por favor… —suplicó ella con lo que en su mente fue un grito, pero solo un susurro entre sus labios.

—Enseguida, mi dulce amor —le prometió él, respirando agitadamente. Bajó por su estómago besándola en línea recta, parándose para trazarle un dibujo en el ombligo con la punta de la lengua. Entonces, por fin, levantó su gran cuerpo, cruzó las piernas sobre las de Natalie y se centró entre sus piernas.

En algún profundo lugar de su mente, Natalie supo que casi habían llegado, comprendió lo que estaba haciendo Jonathan y ansió tenerlo dentro de ella en ese instante con un deseo vehemente jamás sentido. De forma inconsciente, arqueó las caderas para tocarlo, y Jonathan reaccionó con una pequeña sacudida de su cuerpo y un silbido que salió entre sus dientes apretados. Esperó por encima de ella, con los brazos a ambos lados de los hombros de Natalie para apoyarse y, al final, ella abrió los ojos para volver a mirarlo.

Jamás esperó presenciar tal hondura de sentimientos en él, y, sin embargo, sus brillantes ojos la mostraron con claridad. Jonathan apretó la mandíbula luchando por controlarse, con el sudor perlándole la frente, y los músculos del cuello, del pecho y los brazos destacándose como sogas fuertes y hermosas mientras descollaba por encima de ella. Alargó la mano hacia la muñeca de Natalie, le cogió la mano que le apoyaba en el hombro y se la llevó a los labios para besarle la palma con dulzura.

Y reveló sus pasiones al inocente corazón de Natalie en un sordo susurro.

—He esperado este momento contigo durante años, Natalie.

Ella empezó a temblar por la dulzura de sus palabras, el grave significado que encerraban y la ferocidad de su mirada.

Segundos más tarde, Jonathan se puso la palma de la mano de Natalie en el pecho, colocándola en el centro y sujetándola allí donde ella pudiera sentir el rápido latir de su corazón. Luego, recuperó el equilibrio, ahuecó las manos en la cara de Natalie y lentamente empezó a presionar su erección contra su hendidura.

Ella se tensó de inmediato, y sintió aquello, y él dejó de moverse para darle tiempo. Jonathan la besó en las mejillas, en las pestañas, en las comisuras de la boca.

—Me va a doler —consiguió susurrar ella.

Jonathan respiró hondo.

—No durante mucho tiempo.

Ella asintió débilmente, volviendo la cabeza lo suficiente para besarle en el canto de la mano, frotándose allí la mejilla, percibiendo el débil olor almizclado de su entrepierna —de su excitación— en los dedos de Jonathan, mientras le acariciaban la cara.

—Natalie…

Su voz pareció afligida, intensa, mientras le recorría los labios con el pulgar. Ella se concentró en los ojos de Jonathan, tan próximos a los suyos, y por fin se rindió a la fuerza que había entre ellos, mostrándole sus sentimientos con su expresión indulgente, demostrándole exactamente lo que ella sabía que él quería ver desde hacía tanto tiempo, lo que siempre había esperado que estuviera allí.

—Lo sé, Jonathan —dijo ella apasionadamente.

Aquello lo sobresaltó; Natalie lo notó en el ensanchamiento de sus ojos y lo oyó en la rápida ráfaga de aire que salió de sus labios. Henchido por la comprensión, susurró con voz entrecortada:

—Rodéame con las piernas.

Natalie las levantó y las bajó por los laterales de los muslos de Jonathan y luego lo rodeó con fuerza, colocándole la mano libre en la nuca y acariciándole los rizos del pecho con la otra.

Jonathan se colocó por segunda vez en el caliente y resbaladizo centro de Natalie, y la miró fijamente a los ojos para alcanzar la calidez de su alma.

—Te juro, mi querida Natalie, que jamás lastimaré tu corazón por darme todo lo que eres.

Las lágrimas la dominaron, y diciendo aquello, él le cubrió la boca con la suya, tensó el cuerpo y se hundió profundamente en ella.

Natalie sintió medio segundo de presión. Luego, un dolor punzante se apoderó de ella empezando en sus entrañas, provocando que se arqueara contra él mientras le clavaba las uñas en la piel. Jonathan la aferró con fuerza, con las manos sujetándole con firmeza la cara, la boca sobre la de ella, impidiendo que saliera el grito de sus labios. No movió el cuerpo en absoluto, sino que permaneció completamente inmóvil, revestido de ella.

Natalie intentó respirar hondo, concentrarse en la dulzura de la boca de Jonathan y en el calor de la figura dura y masculina que cubría la suya. Al cabo de unos segundos el dolor empezó a remitir, y, una vez más, Natalie adquirió conciencia de su entorno, del suave edredón que tenía debajo, del aroma de las rosas en el aire, del cuerpo caliente de Jonathan unido íntimamente al suyo, del tacto y el olor familiares de su piel.

Una lágrima le resbaló por la sien, y él se la limpió con el pulgar. Luego, cuando Jonathan sintió que ella se iba relajando gradualmente, empezó a intensificar el beso de nuevo, masajeándole el cuero cabelludo con los dedos, apartándole los labios con la boca y un renacido entusiasmo por invadir.

Natalie le acarició el cuello y el pecho con los dedos, devolviéndole finalmente el beso moviendo la boca al ritmo de la suya. Tras unos instantes, la respiración de Jonathan volvió a hacerse superficial, y con mucha lentitud intentó salir de ella.

Natalie hizo un gesto de dolor, poniéndose rígida bajo él. Jonathan se quedó inmóvil ante la reacción de Natalie.

—Dime si te duele —le susurró en la boca.

Ella asintió con la cabeza, y Jonathan esperó, tenso por las ganas de moverse y con los rasgos contraídos. Alargó la mano hasta el pecho de Natalie, bajándosela por un hombro hasta que le cubrió el anhelante montículo con la palma, haciendo girar la mano encima y martirizándole el pezón con los dedos.

Natalie sucumbió al tacto, y su cuerpo volvió a revivir cuando el deseo despertó de nuevo. Le pasó la lengua por los labios, saboreando la sensación de sentirlo dentro de ella; mientras, utilizando las manos y la boca, Jonathan consiguió llevar su cuerpo hasta un delicioso pináculo de maravillosa satisfacción. Dándose cuenta de la necesidad de Natalie, sintiendo su reacción, intentó salir de ella suavemente una vez más. Y como la vez anterior, otro agudo pinchazo de dolor la hizo encogerse.

—Jonathan...

Volvió a detenerse, y ella se dio cuenta, quizá solo débilmente, de lo increíblemente difícil que era para él hacer aquello. Jonathan respiraba con dificultad, tenía los músculos tensos, el cuerpo caliente. Él le apretó el pecho con una mano, le acarició la mejilla con los dedos de la otra, la besó en la boca con una determinación ansiosa. Era tan dulce, generoso y paciente que Natalie deseó de manera desesperada complacerlo.

Y empezó a acariciarle el cuello y los hombros, pasándole los dedos por los rizos del pecho, acariciándole las piernas con las plantas y los dedos de los pies. Le devolvió el beso con plenitud, jugueteando con la lengua sobre su labio superior y abriéndole la boca. Al final, la fuerza de la pasión de ambos hizo que ella sintiera su propia e instintiva necesidad de moverse.

Giró las caderas debajo de Jonathan, quien soltó un sordo gemido gutural, reaccionando con tanto entusiasmo como ella. Lentamente, salió de Natalie y volvió a entrar una vez, y esta volvió a ponerse rígida por la tensión.

Natalie sintió la primera sombra real de impotencia. Jonathan también lo notó, porque apartó la boca y bajó la frente para apoyarla en la de ella.

—Muévete —dijo con voz ronca.

Natalie se humedeció los labios, dudando si lo había oído correctamente e intentado asimilar con coherencia lo que le estaba diciendo. Jonathan le masajeó entonces un pezón entre el índice y el pulgar, avivando el fuego, y de manera instintiva ella volvió a levantar las caderas contra él.

—Sí —susurró él—. Muévete de la manera que te haga sentir bien.

—¿Funcionará así? —preguntó ella con cierto titubeo.

Él la besó levemente en las cejas, en las mejillas y en la sien.

—Perfectamente.

La inseguridad hizo que ella se detuviera, y entonces Jonathan inició una senda de delicados besos bajando desde el cuello hasta el pecho; suaves toques de sus cálidos labios en la piel caliente. Se incorporó ligeramente, le frotó un pezón de un lado a otro con los labios y con la lengua trazó pequeños círculos alrededor, y la sensación de la impotencia de ella desapareció.

Natalie soltó un pequeño suspiro de deseo salvaje, los ojos cerrados, la cabeza inclinada hacia atrás, y apoyó las palmas de las manos en los hombros de Jonathan. Y sin ninguna pretensión de perfección, empujó las caderas contra el cuerpo de él; primero una vez, luego otra, con la suficiente suavidad para no provocar ningún movimiento por parte de Jonathan. Este no emitió ningún sonido, pero sus músculos se flexionaron bajo los dedos de Natalie, y ella supo que lo estaba alterando incluso nada más que con aquella pequeña acción.

Jonathan volvió a pegar sus labios a un pezón de Natalie para, una vez más, saborearlo, succionarlo y juguetear con él, y al mismo tiempo le acarició el otro con la mano libre, hasta que por fin el instinto de Natalie se impuso. Abrió las rodillas, se impulsó hacia Jonathan y, poco a poco, empezó a mover las caderas contra las de él.

Al principio Natalie sintió cierta presión, pero él no se movió, y ella fue cogiendo el ritmo a medida que el dolor que sentía entre las piernas iba disminuyendo.

En el ínterin, Jonathan prosiguió martirizándole los pechos con la mano y la boca, rozando, acariciando, conteniendo su impulso para continuar hasta el punto álgido de satisfacción con una fuerza torrencial.

Natalie le puso los dedos en la mejilla, y la barba de un día de Jonathan le produjo un maravilloso cosquilleo en la piel, y empezó a mover las caderas más deprisa, impulsándose con más fuerza contra él, sin abrir los ojos e imaginándole dentro de ella, haciéndola suya para llevarla a un culmen maravilloso de plenitud.

Fue entonces cuando a Jonathan se le escapó un leve gruñido que complació a Natalie, porque ella supo que lo estaba haciendo bien. Le retiró la boca del seno, besándola en el cuello y el pecho mientras se incorporaba para mirarla a la cara una vez más, rozándole el brazo con las yemas de los dedos antes de pasárselos por el pelo para ahuecárselos en la cabeza.

El corazón de Natalie latió con fuerza; su pulso se aceleró al moverse más deprisa y con mayor ímpetu, balanceando ya el cuerpo contra el de Jonathan con un fervor creciente.

—Natalie…

Ella abrió los ojos extasiada por el deseo. Jonathan la observó, absorto en sus acciones, jadeante y, sin embargo, dejando que fuera ella la única que se moviera. El momento era delicioso, sensual y enriquecedor e iba ganando en esplendor por momentos. Y él lo sabía.

—He soñado con esto durante años.

Natalie se balanceó contra él, gimiendo. Jonathan le cogió la mano, se la llevó a los labios y le rozó todos los dedos con ellos.

—He soñado con esta noche —reveló con una voz apremiante de necesidad—. He soñado con hacerte el amor, con llevarte a un lugar en el que nunca has estado, con contemplarte mientras lo descubres conmigo.

Ella susurró su nombre con un aturdimiento producto del asombro. Jonathan le pasó la lengua por el dedo corazón, se lo metió en la boca y lo chupó.

Y aquello la llevó al límite. Natalie le llamó a gritos mientras ardía en un fuego de éxtasis, en un clímax glorioso que Jonathan hizo perfecto, que hizo perfecto con él, como en la primera vez juntos, solo que infinitamente más hermoso, porque en esta ocasión la llevaba con él.

Jonathan se inclinó para besarla en la boca, tensando el cuerpo mientras los espasmos internos de Natalie tiraban de él, balanceándose contra él y sujetándolo con más fuerza entre los muslos.

—¡Dios mío, Natalie, cómo he soñado con esto! —dijo con un susurro ronco, los labios pegados a los de ella, sujetándole la cabeza con sus fuertes manos—. He soñado y soñado...

Él se rindió en ese instante y se dejó ir. Con un gruñido desde lo más profundo de su pecho, levantó la cabeza de golpe e impulsó las caderas contra las de Natalie, aplastándoselas, haciendo girar las suyas contra ella mientras se adaptaba su ritmo, con los ojos fuertemente cerrados y los dedos cogiéndole del pelo con fuerza.

Natalie lo observó mientras obtenía placer dentro de ella, fascinada, sintiendo la fuerza de Jonathan irradiándose por todo su cuerpo, y lo sujetó con firmeza contra ella, mientras él se estremecía violentamente por la fuerza de la eyaculación.

Jonathan disminuyó por fin su esfuerzo y volvió a descender sobre ella, el corazón palpitando con ímpetu junto al de Natalie y la respiración agitada y errática. Enterró la cabeza en su cuello, aspirando con fuerza, acariciándole la piel con besos tiernos, mientras ella iba disminuyendo poco a poco el movimiento de sus caderas, hasta que se quedó completamente inmóvil.

Permanecieron tumbados juntos durante unos minutos,

mientras el pulso de Natalie recuperaba la normalidad y ella volvía lentamente a la realidad, a la toma de conciencia del lugar en el que estaban y lo que habían hecho. Natalie se movió un poco, y él lo sintió, desplazando el cuerpo para quitarle el peso de encima.

Ella siguió absolutamente inmóvil, con las palmas de las manos en la espalda de Jonathan. Este no parecía querer salir de ella de inmediato, así que Natalie le permitió que la acariciara, reconfortada por la proximidad. Al final, lo sintió moverse hacia la izquierda y salir de ella poco a poco. Jonathan se puso de costado y se incorporó apenas para alargar la mano por detrás de ellos y bajar el edredón.

—Jonathan…

—Chist… —Le tocó los labios con las yemas de los dedos—. Duerme conmigo, Natalie. Deja que te abrace.

Obedeció sin discutir, en parte porque era incapaz de pensar en nada agradable que decirle, pero sobre todo porque se dio cuenta de que le estaba dando tiempo para asimilar todo lo que había sucedido. Jonathan alargó la mano para disminuir la luz del quinqué, tras lo cual levantó el cuerpo y tiró del edredón para que quedaran tumbados directamente sobre la sábana. Luego, la rodeó por la cintura, la atrajo hacia él y los cubrió a los dos, rodeándole el cuerpo con los brazos, aferrándose a ella, con la cara en el pelo de Natalie y la respiración en su mejilla.

—Todo ha cambiado, Jonathan —susurró ella.

Él suspiró y se acurrucó junto a ella.

—Sí, sí que lo ha hecho.

Natalie guardó silencio después de eso, escuchando el leve rumor de voces procedente del piso de abajo hasta que se desvanecieron cuando los huéspedes se retiraron a sus habitaciones. Jonathan no se movió en ningún momento, y al cabo de un rato su respiración se ralentizó y se hizo regular, y Natalie supo que se había quedado dormido.

Ella se dio la vuelta suavemente, procurando no despertarlo. El sueño la rehuyó cuando se quedó mirando con aire ausente las ventanas abiertas, oyendo el susurro de las hojas en el exterior, sintiendo la fría brisa nocturna en los brazos desnudos y en las mejillas.

Se había convertido exactamente en lo que ella despreciaba de su madre. Había sucumbido a sus deseos y le había entregado todo a Jonathan. Sin embargo, nada era culpa de él. Había sido ella la que le había suplicado que la llevara a Francia; ella, la que había dormido en la misma cama con él, cuando debería haberse opuesto tenazmente; ella, la que se había peinado de manera tan indecente. Pero, por encima de todo eso, había sido ella la que había empezado en aquel jardín con los besos que habían conducido al final de su inocencia. Aquello era culpa suya, porque era incapaz de controlar sus deseos y él era su debilidad.

Conteniendo las lágrimas, se sentó con cuidado, se levantó y atravesó el frío suelo hasta los baúles. Sintió que un hilillo de líquido le corría por entre los muslos, y se sintió invadida por un repentino y feroz arrebato de vergüenza. Jonathan era un hombre, y sus pasiones lo guiaban. Pero ella era una dama de esmerada educación. Se suponía que la educación recibida tenía que protegerla del desenfreno sexual y, sin embargo, solo la hacía sentir culpable cuando seguía sus instintos carnales. Había deseado a Jonathan con desesperación, y seguía deseándolo, y sin embargo, jamás sería su amante.

Sin hacer ruido, levantó la tapa de uno de sus baúles, metió la mano para buscar su camisón y se lo puso. Puesto que no tenía ningún otro sitio al que ir por el momento, volvió junto a Jonathan y se quedó observando su cara apenas iluminada por un haz del claro de luna.

Lo encontraba hermoso, como siempre lo había sido para ella. Era el centro de todos sus sueños y, sin embargo, nunca podría ser suyo, porque jamás podría confiar en él de corazón. Con independencia de lo que hubiera dicho movido por el ardor de la pasión, sabía que acabaría aburriéndose de ella con el tiempo. Iría tras otra, y la abandonaría, dejándola con el dolor… los celos y las heridas que nunca cicatrizarían.

Se volvió a meter entre las sábanas cuidadosamente para evitar tocarlo, mientras se apartaba de él para quedarse mirando fijamente la pared en penumbra. En las pocas semanas que había pasado con Jonathan en Francia, había llorado más que en los últimos cinco años. En ese momento, cerró los ojos y permitió que las lágrimas se deslizaran silenciosamente por su cara una vez más y mojaran la almohada.

15

Natalie abrió los ojos a un rayo de sol que incidía directamente sobre su cara. Parpadeó y entrecerró los ojos ante la invasión, sin saber a ciencia cierta dónde estaba. Entonces, los recuerdos se agolparon en su cabeza mientras reconocía el dolor que sentía entre los muslos. Volvió la cabeza hacia la izquierda y descubrió que Jonathan la miraba fijamente apoyado sobre un brazo, con la mejilla en la palma de la mano.

—Me encanta tu pelo —dijo él con aire pensativo, entrelazando los dedos en su cabello, que caía en cascada por toda la almohada.

Natalie soltó un leve gruñido, apartando los ojos de la descarada mirada de Jonathan para interesarse de inmediato en los diminutos capullos de rosa color morado pintados en el techo.

—Debería habérmelo recogido.

Jonathan le deslizó lentamente el pulgar por el nacimiento del pelo en la frente hasta la sien.

—Lo prefiero suelto.

—Si me lo hubiera recogido, anoche no habría ocurrido nada indecente —aclaró ella con una leve sacudida de cabeza.

Jonathan curvó los labios con cierto regocijo.

—Lo que hicimos anoche habría sucedido igualmente aunque fueras calva, Natalie.

Ella se sintió un poco avergonzada, y lo escudriñó a través de las pestañas mientras se ponía las manos en el pecho y cruzaba los dedos. La mirada de Jonathan se paseó por su camisón como si acabara de preguntarse por la razón de que ella se lo hubiera puesto; entonces, se inclinó sobre ella y le acarició las mejillas moviendo los labios atrás y adelante.

—¿Estás bien? —le preguntó él.

Natalie asintió levemente con la cabeza.

Al no añadir nada más, él insistió en busca de detalles.

—¿En qué piensas?

Su voz sugería preocupación por los sentimientos de Natalie, pero ella no podía permitirse pensar en los de él. Antes bien, volvió a fijar la mirada en el techo y dijo con sequedad:

—Que nos perdimos la cena, que todo el mundo nos oyó porque nos dejamos las ventanas abiertas y que requirió mucho más esfuerzo que el que se me dijo que debía esperar.

Él la cogió por la barbilla y le volvió la cabeza para que no tuviera más remedio que mirarlo a sus risueños ojos.

—Tú fuiste la cena más sabrosa de toda mi existencia. Y si alguien oyó algo, sencillamente supondrá que estábamos haciendo lo que hacen las parejas de casados, y la próxima vez haré yo la mayor parte del trabajo.

Natalie sintió que le ardían las mejillas mientras se ruborizaba hasta la raíz del cabello, e intentó sentarse.

Jonathan le rodeó la cintura para sujetarla contra la cama.

—¿Y quién te dijo lo que tenías que esperar?

—Jonathan…

—¿Quién?

Con un nudo en la garganta, ella respondió:

—Amy.

Jonathan frunció el ceño al tiempo que hacía una mueca.

—¿Amy? ¿Tu impagable, taimada y mentirosa doncella te informó de los sucesos íntimos que tienen lugar entre un hombre y una mujer?

—Sí.

—Tendré que darle las gracias por todo lo que ha hecho por nosotros.

Aquello la calmó, aunque a Jonathan no le quedó muy clara la razón de que así fuera.

—No tienes que darle las gracias por nada —replicó ella sin apasionamiento—. Lo único que me dijo fue que no tendría que hacer nada, salvo esperar a que mi marido terminara, y que eso nunca duraría más de diez minutos.

Aquello sí que divirtió a Jonathan de lo lindo.

—Te prometo, que por lo que a nosotros respecta, siempre durará más de diez minutos.

Natalie le sostuvo audazmente la mirada. Él insistía en la suposición de que volverían a hacer aquello de nuevo, y si ella le permitía que continuara así, empezaría a creérselo ella también.

Negó con la cabeza con decisión y apretó los labios ante la inminente discusión.

—No volveremos a hacer esto, Jonathan.

Él no discutió en absoluto; en su lugar, sugirió suavemente:

—Entiendo que, cuando te describió las actividades del lecho conyugal, Amy no te dijo que ocurre más de una vez, Natalie.

Ella se puso rígida, y Jonathan la abrazó con más fuerza.

—Esto no es un lecho conyugal.

Él la miró fijamente durante un instante, se inclinó y le rozó la mejilla con los labios, deslizándoselos por la piel con unas caricias delicadas y sensuales.

—Supongo que en el sentido estrictamente legal, no.

—No estamos casados —insistió ella.

—Legalmente, no.

A Natalie le entraron ganas de decir: «Qué objetivo eres», pero el pecho ancho y caliente de Jonathan se apretaba contra su brazo, el intenso olor masculino le embriagaba los sentidos, la boca sobre su piel le hacía cosquillas, y todo aquello solo podía desembocar en problemas.

—Jonathan, compórtate, o no volverás a ver las esmeraldas.

Intentó ser severa con su amenaza, pero no fue así exactamente como le salió… sino más bien como una broma, aunque produjo el efecto deseado.

Jonathan levantó la cabeza a regañadientes.

—¡Ah…! Las esmeraldas. —Con gran exageración, él se dejó caer de espaldas sobre la cama—. Me había olvidado de las esmeraldas.

Natalie se enfurruñó con fingido disgusto.

—Eso parece bastante idiota para un ladrón de tu categoría.

—Me has cautivado, Natalie —admitió con un suspiro, devolviéndole la broma mientras miraba fijamente el techo—. He perdido la noción del tiempo y del decoro por completo.

Natalie no supo si echarse a reír o golpearlo. En su lugar, empezó a juguetear con el edredón, bajándoselo hasta la cintura porque estaba empezando a tener calor.

—Según parece, también has perdido el instinto de propiedad.

Volvió a mirarla de golpe a la cara con semblante muy serio.

—Sé perfectamente lo que estuve haciendo anoche.

Natalie bajó la voz, intentando volver de inmediato al tema.

—Entonces espero que los recuerdos de lo que ocurrió sean suficientes para aplacar tu deseo y puedas por fin arreglar el asunto de encontrar las cartas de mi madre para mí. Esa es, de hecho, la razón de que estemos aquí.

Él la miró boquiabierto, aparentemente desconcertado. Entonces, negó con la cabeza lentamente.

—Natalie, te deseo tan desesperadamente que en este preciso instante estoy dolorido. Y la única razón de que no te haga jirones ese estúpido camisón para poseerte de nuevo, es el dolor que te ocasionaría. E imagino que ya estás bastante dolorida.

Natalie oía cantar a los pájaros en la distancia, hasta ella llegaba el olor de las flores y la persistente fragancia de la lluvia de la última noche, y, sin embargo, todo desapareció de repente de su mente, excepto la sofocante humillación del descarado comportamiento que había mostrado ante él la noche anterior. Se dio la vuelta bruscamente para sentarse, y en ese momento él la soltó sin preguntar.

Natalie sacó rígidamente las piernas por encima del borde de la cama y se quedó mirando fijamente la pared que tenía enfrente.

—Queda poco tiempo, Jonathan. Necesito que encuentres las cartas de mi madre para que podamos volver a Gran Bretaña.

La tensión empapó la atmósfera, y durante unos segundos Jonathan guardó silencio. Entonces, Natalie oyó el crujido de las sábanas detrás de ella cuando él movió el cuerpo para mirarla a la espalda.

—Lo he intentado desde el principio.

La sinceridad de su voz la tranquilizó un poco, y Natalie bajó la mirada hacia sus manos, que mantenía cruzadas sobre el regazo.

—Sé que lo has hecho. —Respiró hondo para reunir valor, porque estaba a punto de demostrarle su confianza—. Las esmeraldas están en uno de mis baúles.

—¿En serio? —dijo él con notable exageración.

Natalie cerró los ojos, sonriendo para sí. Pues claro que debía saberlo. ¿Dónde, si no, iban a estar? Podría ser, incluso, que las hubiera encontrado tras registrar sus cosas, probablemente mientras ella dormía, pues así, según parecía, era como funcionaba su mente retorcida. Después de todo era un ladrón, experimentado en el engaño y en el hallazgo, y su estupidez por olvidarlo la enfadó. Pero lo que la reconfortó fue caer en la cuenta de repente de que la había llevado a París sin tener realmente que hacerlo. Lo había hecho por ella, y Natalie le debía el resto de lo que le había prometido.

—El conde de Arlés y otros van a ofrecer un banquete mañana por la noche para recaudar fondos rápidamente para su causa —le reveló pausadamente sin mirarlo—. Luis Felipe vuelve de vacaciones el domingo, y planean derrocarlo mientras es escoltado por la ciudad.

La cama crujió cuando Jonathan se sentó detrás de ella.

—¿Qué has dicho?

El tono de su voz descendió de manera tan dramática que Natalie se volvió hacia él intentando mirar su cuerpo medio desnudo cuando la sabana cayó hasta la cintura de Jonathan.

—Que el conde de Arlés va a ofrecer…

—Ya he oído la parte del banquete.

No fue la violenta exclamación de Jonathan, sino su penetrante mirada lo que la puso nerviosa.

—Varios de ellos están planeando derrocar al rey Luis Felipe —repitió ella—. El domingo. Pensé, dadas sus relaciones con los que ocupan el gobierno, que la información te resultaría interesante.

—¿Interesante? —la interrumpió—. Lo que encuentro interesante es que me lo ocultaras, Natalie.

La ira que Jonathan expresó en su semblante y en sus modales la cogió por sorpresa. La escudriñó de manera dura y calculadora, y la rápida irritación que se apoderó de ella la hizo arrugar el entrecejo.

—No te he ocultado nada. Es un simple cotilleo que oí casualmente en el baile de Marsella.

—¿Unos nobles franceses se reúnen en secreto para hablar del asesinato de su rey, y consideras que es un simple cotilleo?

Natalie se levantó y se volvió hacia él, sobresaltada por la antipatía que expresaba la voz de Jonathan.

—¿Por qué demonios piensas que se trataría de un intento de asesinato?

Jonathan se quitó de inmediato la colcha de encima del cuerpo, y Natalie giró sobre sus talones con la misma rapidez para evitar mirarlo.

—¿Qué crees que significa «derrocar», Natalie, que lo van a tirar del carruaje?

Habría soltado una carcajada ante la ocurrencia de no haber sido por la frialdad con que fue hecha la pregunta. Se abrazó a sí misma, restregando las palmas de las manos contra las mangas de algodón, y se quedó mirando fijamente el papel floreado de la pared mientras oía el sonido de la ropa de Jonathan cuando este empezó a vestirse a toda prisa.

—Estábamos en una fiesta, Jonathan —razonó ella, exasperada—. El vino corría a mansalva, y la gente decía todo tipo de cosas en aquellas condiciones. Supuse que era una bravata entre caballeros que habían bebido más de la cuenta.

—Y sin embargo, no lo oíste en el salón de baile mientras todo el mundo reía, bebía y bailaba, ¿no es así? —replicó él de modo brusco y desagradable—. Esos hombres estaban encerrados en una reunión privada cuando lo hablaron.

Ella frunció el ceño.

—¿Cómo sabes eso?

—Porque te vi, Natalie. Te vi cuando te alejabas del estudio privado del conde.

—¿Me estabas espiando?

Jonathan pasó por alto la pregunta para añadir con franqueza:

—Me pregunto dónde están puestas exactamente tus lealtades.

Natalie soltó un grito ahogado al oír semejante audacia, por la iniquidad de Jonathan al suponer cualquier implicación por parte de ella, así que Natalie giró en redondo para plantarle cara. La ropa casi cubría por completo a Jonathan, mientras movía rápidamente los dedos por los botones de la camisa.

—Decir eso es una crueldad, Jonathan, y absolutamente ridículo.

Él desoyó el comentario, alargando la mano para coger el fular.

—No lo sabía —insistió ella—. La verdad es que ni siquiera pensé en ello. Mi antepasado no tiene nada que ver con esto. Los franceses siempre están pensando en la manera de destronar al monarca reinante en cada momento, y la mayor parte de las veces no pasa de ser una tontería.

Él le lanzó una mirada, interrumpiéndose lo justo para que Natalie supiera que sabía que ella acababa de decir algo de lo más lógico. Luego, se volvió hacia el ropero, sacó los zapatos que combinaban con su atuendo y se sentó en el borde de la cama para ponérselos. Sin embargo, no respondió, lo cual, a su vez, no hizo sino avivar la cólera de Natalie.

—Estaba completamente dispuesta a contártelo, Jonathan, cuando me dieras las cartas de mi madre. Eso debería haber sido ayer.

Sabía que su comentario mordaz provocaría una respuesta. Jonathan volvió la cabeza con tanta rapidez que sacudió todo su cuerpo con el movimiento. La miró boquiabierto durante una milésima de segundo, haciéndole sentir que quizá el golpe había sido demasiado brutal. Entonces, Jonathan meneó la cabeza con incredulidad.

—¿Esta información era el regalo que me prometiste a cambio de las cartas?

Ella se irguió, indecisa, dejando caer los brazos a los costados.

—Pues claro. —Natalie titubeó, y su frente se arrugó con la duda—. ¿Qué otra cosa podría haberte dado aquí? ¿Mi abanico de mango de marfil? Sé que no querías mis camafeos.

Él la miró con tanta intensidad, allí sentado con una increíble inmovilidad, que Natalie pensó durante un momento que había dejado de respirar. Luego, ya fuera por el continuado silencio de Jonathan, ya por la sagacidad que destilaba su mirada —Natalie no estuvo segura—, lo cierto es que la claridad la inundó con un sentimiento de puro rechazo y una conmoción que ni siquiera fue capaz de empezar a describir.

—¿Tú… pensaste que me entregaría a ti? —farfulló, y su voz se le antojó insignificante y extraña.

Jonathan no hizo nada durante unos segundos, limitándose a observarla con una incertidumbre que acentuaba sus rasgos. Y entonces Natalie lo supo.

La furia se apoderó de ella. Cerró los puños a los costados, su cuerpo se puso rígido, y las lágrimas que se negó a derramar le ardieron en los ojos.

—¿Pensaste que te entregaría mi virginidad a cambio de las cartas?

El repentino descubrimiento hizo que Jonathan se sintiera manifiestamente incómodo. Se limpió la frente torpemente con la palma de la mano y se levantó para ponerse frente a ella.

—Natalie…

—¿Cómo pudiste pensar eso de mí, Jonathan? ¿Cómo pudiste creer que haría semejante cosa?

Jonathan se puso las manos en las caderas, paralizado.

—No sé —respondió él con aspereza—. Solo… me pareció lógico.

—¿Lógico? —El rostro de Natalie se contrajo con un profundo dolor—. ¿Pensaste que me entregaría a ti en pago?

—¡Diantre!, no fue así como lo consideré —afirmó él, dando un paso hacia ella.

Natalie susurró glacialmente:

—Pues claro, debiste de pensar que tenía las mismas virtudes que mi madre.

Aquello detuvo en seco sus movimientos. Jonathan se puso tenso, y sus ojos relampaguearon con un brillo oscuro al mirarla a los ojos.

—Sabía que eras virgen, Natalie —dijo en voz muy baja—. Pero también sabía, al igual que tú, que acabaríamos haciendo el amor. Tu deseo hacia mí no era ningún secreto. Era ostensible.

—Qué hombre más arrogante eres —le espetó—. Quería que me ayudaras. Pensé que eras mi amigo.

Jonathan entrecerró los ojos.

—Amistad aparte, la atracción sexual que hay entre nosotros no podría ser negada nunca. Empezó en el instante en que entraste en mi casa de la ciudad.

Natalie reprimió el impulso de abofetearlo por eso; por su desfachatez, por conocer hasta los últimos recovecos de su mente y por utilizar su experiencia contra su inocencia con una finalidad puramente egoísta.

—Entonces es culpa mía —admitió ella con sarcasmo, clavándose las uñas en las palmas de las manos—. Debería haberme prevenido contra tus avances. Por desgracia, no conozco a nadie que sepa más sobre la atracción sexual que tú, Jonathan.

Los ojos de Jonathan se abrieron lo suficiente para que ella supiera que lo había herido con eso. Pero la furia iba calándola ya en oleadas, y se negó a detenerse allí. Por fin empezaba a tener claras las motivaciones de Jonathan.

Natalie tragó saliva cuando las lágrimas que ya no podía controlar le arrasaron los ojos.

—Supongo que lo siguiente que me confesarás es que todo lo que me dijiste anoche estaba ensayado. ¿O quizá recurriste sencillamente a frases que ya habías utilizado antes? Estoy segura de que sabes qué decir exactamente a una mujer en el momento oportuno.

Se dio cuenta al instante de que había ido demasiado lejos. Al principio él solo había parecido asombrado por su vehemencia. En ese momento un intenso dolor atravesó la mirada de Jonathan, y ella supo que lo había herido en lo más hondo. También la impresionó a ella, que flaqueó, pero se negó rotundamente a retroceder.

Tras unos instantes de silencio insoportable, en el que se miraron fijamente el uno al otro desde ambas esquinas de la cama, la expresión de Jonathan se suavizó hasta convertirse en una pena inefable que no fue capaz de ocultar, y, lentamente, bajó la mirada.

Se apartó de ella, dio tres pasos hasta el sillón, donde cogió su levita, y se dirigió a la puerta. Cuando agarró el picaporte, se dio la vuelta para mirarla a los ojos.

—Vas a tener que pensar esto tú sola, Natalie —le advirtió con voz clara y sombría—. No puedo obligarte a que confíes en mí y no puedo cambiar mi pasado. Si no consigues aceptarlo tal cual es, tú sola echarás a perder todo lo que hay entre nosotros, y no tendremos ninguna oportunidad.

Abrió la puerta y echó una mirada hacia la alfombra morada que tenía bajo los pies.

—Voy a la ciudad a descubrir lo que pueda sobre el banquete de mañana por la noche.

Sin esperar ninguna respuesta, Jonathan salió al pasillo y cerró la puerta tras él.

16

Natalie se sentó remilgadamente en un sillón de respaldo alto tapizado en terciopelo rosa en la suite privada de la tercera planta del hotel de Monceau. Había llegado solo unos minutos antes, después de un día frustrante de investigar por su cuenta, de ir sola de aquí para allí por París, con todo el equipaje a cuestas, en su intento de encontrar a Madeleine DuMais.

Se había enterado del paradero de Madeleine de una manera nada insólita, aunque eso le supuso ir de un hotel elegante a otro hasta que lo consiguió. La francesa estaba en París porque había acompañado al señor Fecteau con cierto secretismo a la capital, a fin de poner término a su asunto con el gobierno británico en relación con las esmeraldas. Esto era cuanto había sabido Natalie antes de ir al norte ella misma. Pero no fue hasta aquella mañana, después del fiasco con Jonathan, que había considerado la idea de buscarla.

Su primer deseo después de la terrible discusión entre ambos había sido abandonar Francia de inmediato. Tras hacer sus baúles a toda prisa en cuanto Jonathan se marchó, había huido de la angustia que sentía entre las cuatro paredes de su preciosa habitación del albergue de la Cascada. Se había dirigido a la ciudad con la firme intención de coger el primer tren que la llevara a Calais, y una vez allí reservar un pasaje para Dover. Podría haber estado en casa al cabo de tres días, si todo iba bien. Y sin embargo, algo la contuvo. Al principio pensó que se trataba del mero arrepentimiento por las palabras que le había dirigido a Jonathan esa mañana. Pero después de intentar encontrar un medio de transporte hasta la ciudad, y de pasar la mitad del día y de invertir una enorme suma en conseguir transportar su equipaje a la ciudad, se dio cuenta de que permanecía en Francia debido a sus confusos sentimientos hacia él; hacia el hombre que la había mentido, humillado, engañado y ayudado en provecho propio; el que le había hecho el amor con tanta perfección y había acarreado el descomunal equipaje de Natalie por toda Francia porque ella se lo había pedido.

Sí, tenía que admitir que si había reconsiderado lo de volver corriendo a casa, era exclusivamente por las incomodidades que le había causado a Jonathan durante semanas, sin que este se hubiera quejado ni una sola vez en serio. Había sido una molestia para él al apartarlo de su trabajo, al distraerlo con su presencia y exigencias y al robarle las esmeraldas, las cuales seguían todavía en poder de ella. Y así exactamente era como había sido su relación con Jonathan siempre: confusa, divertida y ridícula. Antes de tirarlo todo por la borda, si es que no lo había perdido todo ya, necesitaba el consejo de una mujer experimentada, y así era como había acabado finalmente en la suite del hotel de Madeleine siete agotadoras horas después de decidir encontrarla.

Había sido recibida en la puerta por una doncella alta de cara insulsa y pelo y ojos oscuros, ataviada con un vestido gris almidonado, delantal blanco y cofia. Le preguntó su nombre, y al cabo solo de un instante la hizo pasar al salón para que esperara a su señora.

Natalie estaba sentada en una pieza que, en realidad, era más que un salón, decorada con gusto en tonos rosas; en contra de lo que podría esperarse, nada chabacano. Los objetos decorativos eran escasos, porque la pieza era un tanto pequeña, y contenía solo dos sillones tapizados en terciopelo situados enfrente de un sofá de la misma tela y de una mesa de té de caoba ubicada entre ellos. A la izquierda, detrás de ella, había una pared con ventanas, abiertas a la sazón para permitir la entrada de cualquier brisa que tuviera a bien colarse y que ofrecían una espléndida vista del exuberante parque del otro lado de la calle. El papel de la pared, de brocado rosa con unas diminutas flores de terciopelo de una variedad desconocida, cubría las otras tres paredes, desde la alfombra de felpa hasta el techo. Tres óleos de paisajes parisinos adornaban las altas paredes, y colocadas en extremos opuestos había una gran chimenea con una repisa de caoba tallada y la puerta que conducía al dormitorio.

El ambiente podría haber sido sin duda recargado, reflexionó Natalie, sentada con la espalda recta y abanicándose para combatir el persistente calor. Pero, por supuesto, no lo era. La suite era sofisticada y femenina, absolutamente parisina, y sin duda, encajaba con Madeleine.

—¡Válgame Dios, Natalie, qué sorpresa verla!

Natalie se volvió hacia la voz dulce y etérea de la francesa, que procedía de la puerta que conducía al dormitorio, donde debía de haber estado haciendo la siesta. Como siempre, el aspecto de Madeleine DuMais era despampanante. Elegante y alta, cuando atravesó con garbo la alfombra rosa hacia ella su cara risueña y hermosa rebosaba de preguntas, y la larga falda fruncida en la cintura de su vestido diurno de seda fluía con delicadeza alrededor de sus piernas como si fuera una parte natural de su cuerpo.

Natalie se sintió repentinamente pequeña e incómoda, metida en su modesto traje de viaje de muselina verde menta. La humedad del pelo favorecía que unos rizos díscolos se le pegaran a las mejillas, y el corsé le aplastaba las costillas mientras intentaba sentarse con propiedad. Como era natural, nunca abandonaría ni siquiera su dormitorio sin ponerse un corsé, aunque, al pensarlo en ese momento, su mente le recordó con obstinación que no se lo había puesto en presencia de Jonathan. En ese preciso instante lo que menos necesitaba era distraerse.

—Espero que me perdone esta intromisión, Madeleine

—dijo con cortesía, abanicándose ligeramente la cara—. Pero estaba en París, y pensé que podía visitarla. ¿Qué tal está usted?

Madeleine arqueó ligeramente las cejas al oír la pregunta. Trasladó su ágil figura al sofá de enfrente de Natalie y se sentó con un movimiento rápido y fluido.

—Perfectamente, gracias, excepto, claro está, por el calor. —Se alisó la falda, estirando el borde para que se arremolinara alrededor de sus piernas, y volvió el cuerpo para colocarse de costado con la mirada al frente, cruzando las manos en el regazo.

—Espero que usted también se encuentre bien.

—Oh, sí, muy bien, gracias —contestó Natalie con educación—. Ha estado haciendo mucho calor, pero los chaparrones que hemos tenido los últimos días han sido una diversión encantadora. Prefiero, sin duda, el fresco de Inglaterra al calor del sur de Francia, aunque el clima de París ha sido bastante benigno. Nunca llueve a gusto de todos.

—No, por supuesto que no —convino amablemente Madeleine—. Sin embargo, durante los meses del invierno, prefiero el calor de Marsella.

Natalie sonrió.

—Pero creo que es natural que una prefiera la comodidad de su hogar, con independencia del clima…

—Natalie, ¿dónde está Jonathan?

Natalie parpadeó ante la franqueza de la pregunta, apretando el mango del abanico cuando lo detuvo en el aire. Madeleine sabía muy bien que no estaba allí para intercambiar cumplidos, y en ese momento insistía en conocer el objeto de su visita.

Natalie titubeó, humedeciéndose los labios.

—No estoy segura de dónde está. ¿No lo ha visto? —Se moría de miedo de que Jonathan estuviera allí, descansando con Madeleine, pero desterró rápidamente aquel pensamiento de su mente. La verdad es que no le parecía probable.

Madeleine respiró hondo y se recostó tranquilamente sobre el mullido cojín.

—No lo he visto desde que nos marchamos de Marsella, y él no me dijo que vendrían a París. —Bajó la voz—. ¿Lo está buscando o huyendo de él?

Natalie estuvo a punto de soltar una carcajada. No había considerado que los acontecimientos de los dos últimos días la pusieran tan nerviosa.

—En realidad… estaba pensando en abandonar Francia sin que él lo supiera. Mis baúles están abajo, en la conserjería, pero primero quería visitarla.

—Entiendo. ¿Va todo bien?

Natalie sintió que se ruborizaba y lo compensó abanicándose de nuevo.

—Tuvimos… una pequeña discusión.

Madeleine inclinó la cabeza ligeramente.

—¿En serio?

Natalie no fue capaz de pensar en nada que añadir y empezó a inquietarse. Volvió su atención a la ventana, mirando sin ver la frondosa y verde enredadera que colgaba de un enrejado blanco.

—¿Ha comido algo hoy, Natalie?

Su mirada volvió como un rayo hacia la francesa.

—¿Comido?

Madeleine la escudriñó durante un instante, luego se inclinó hacia delante e hizo sonar una campana de plata apoyada sobre la mesa de té. La doncella apareció de inmediato, y Madeleine le encargó en francés:

—Marie-Camille, haga que el chef del hotel prepare un almuerzo frío, algo fresco de beber y… —Lanzó una mirada a Natalie—. Pide también algo de chocolate.

—Madame… —Marie-Camille hizo una reverencia, se dio la vuelta y salió del salón.

Natalie bajó el abanico hasta su regazo sin dejar de moverse, mientras intentaba erguir el cuerpo para que el corsé no se le clavara tanto en los pechos. Madeleine se arregló la falda, abrió completamente las manos y apoyó las palmas en el cojín del sofá.

—Tal vez le gustaría contarme lo ocurrido.

Natalie no estaba preparada precisamente para ser minuciosa con los detalles, pero la pregunta de Madeleine estaba hecha con sinceridad, y después de todo, había ido allí en busca de consejo.

Sin solución de continuidad, Natalie empezó por el principio.

—Pedí a Jonathan que me trajera a París. Necesitaba que él, en su calidad de Caballero Negro, me ayudara a encontrar unas cartas de naturaleza privada, escritas por mi madre.

—¿Así que finalmente le dijo quién era él?

—Descubrí su identidad por mí misma, la noche del baile —le respondió de inmediato, confiando en poder disimular su irritación. El mundo del engaño no estaba abierto exclusivamente a los ladrones profesionales y a los espías. Sintiéndose orgullosa de sus deducciones, añadió—: También me confirmó mis conclusiones respecto a las relaciones de usted… con Gran Bretaña.

—Eso hizo —afirmó la francesa sin aparente sorpresa ni preocupación—. Bueno, entonces no tenemos secretos entre nosotras.

Aquello pareció complacerla, y Natalie se relajó un poco, decidiendo que lo mejor era revelarlo todo.

—También tengo las esmeraldas.

Desconcertada, Madeleine la miró fijamente durante un instante.

—¿Se refiere a las esmeraldas robadas al conde de Arlés? ¿Qué otras esmeraldas estaban en juego?

—Sí, por supuesto —respondió Natalie con amabilidad. Y con una pequeña sonrisa de triunfo, presumió—: Se las robé a Jonathan.

—Eso es impresionante. Es evidente que su talento y su inteligencia están al mismo nivel que los de él.

Natalie casi sonrió abiertamente de satisfacción. Para venir de una espía británica, era todo un cumplido.

—¿Fue esa la causa de su disputa?

Natalie intentó organizar sus ideas antes de hablar.

—En realidad, no. La pelea fue... tuvo un carácter más personal.

Madeleine hizo una pausa antes de preguntar:

—¿De naturaleza romántica?

—Sí.

—Entiendo...

Madeleine la observó con tanta intensidad que Natalie empezó a pensarse dos veces lo de las confidencias. Sus emociones eran demasiado inestables en ese momento, y tenía los nervios de punta. Estrujó el abanico en su regazo para evitar gritar, porque una dama no gritaba. Su mente lógica le dijo que o lo soltaba todo de una vez o tal vez debería salir corriendo. Su corazón la instó a que volviera a echarse a llorar, lo que a su vez la enfureció. Nunca se había sentido tan confundida.

—Natalie, ¿usted y Jonathan han tenido relaciones íntimas?

Natalie abrió los ojos como platos. Su rostro enrojeció, y sintió que el vestido le picaba por todas partes. Aquello no era algo que una dama soltera hablara con cualquiera. Sin embargo, no se le ocurría otra forma de obtener consejo que la de confesar semejantes intimidades, y, de todos modos, ¿no había sido esa la razón de que hubiera querido hablar de ello con una mujer experimentada?

—Sí, las hemos tenido —admitió en un susurro de tristeza y arrepentimiento, doblándose por fin sobre las inflexibles ballenas de su corsé.

Madeleine hizo una larga y firme inspiración, pero sus ojos no se apartaron ni un momento de los de Natalie, y su expresión no mostró ningún juicio.

—¿Está disgustada por eso?

—Creo que estoy más furiosa conmigo, por permitir que sucediera —contestó Natalie, volviéndose para mirar el reloj de la repisa de la chimenea y observando el discurrir del segundero. Con abatimiento, añadió—: En Marsella le dije que a cambio de la recuperación de las cartas de mi madre, le devolvería las esmeraldas y le daría otra cosa, algo muy valioso de acuerdo con sus convicciones. Yo solo me estaba refiriendo a cierta información que había oído de pasada en el baile, pero él supuso que me refería a mi inocencia.

Madeleine rió entre dientes, y Natalie volvió la mirada hacia ella, perceptiblemente molesta.

—No sabía que una idea tan indecente por parte de Jonathan pudiera divertirla.

—No me reía de usted ni de la seriedad del apuro —la tranquilizó, sonriendo y negando con la cabeza lo suficiente para que sus rizos castaños rozaran sus mejillas—. Pero esa reacción es muy típica. Los hombres piensan siempre en términos sexuales, Natalie, y supongo que no pueden evitarlo. Está en su naturaleza. Y debido a esa naturaleza instintiva, me imagino que Jonathan no pensó dos veces en lo que usted le proponía. Lo más probable es que hubiera estado soñando o fantaseando con un momento a solas con usted, y cuando le ofreció algo tan valioso, dio por supuesto que se refería exactamente a lo que quería oír.

Natalie sintió un doloroso retortijón en el estómago, causado no por la falta de alimento, sino por la molesta idea de que Madeleine pudiera tener razón.

—Me dijo que creía que era una suposición lógica —le confió Natalie.

Los labios de Madeleine volvieron a expandirse en una sonrisa franca.

—Y por supuesto que lo creía. Estoy segura de que nunca se le ocurrió que podría tratarse de otra cosa.

La francesa hizo que pareciera de lo más sencillo y natural, y en absoluto despreciable, como pensaría su madre si se enterase. A Dios gracias, no se enteraría nunca.

—¿La sedujo?

Aquello interrumpió los pensamientos de Natalie, cogiéndola por sorpresa, y lo primero que pensó fue en mentir. Pero Madeleine no parecía estar juzgándola. Necesitaba el consejo de aquella mujer y quería ser su amiga, lo que la sorprendió aún más que la pregunta de la seducción.

—No, no es exacto decir que me sedujo. Nunca le desanimé —admitió ella, apretando ya el abanico con tanta fuerza que estaba a punto de romperlo—. Yo le besé primero, con mucha inocencia, eso sí, y luego cogió mi corazón en sus manos con pericia y lo hizo añicos.

Aquello era descaradamente exagerado, se percató Natalie, pero no se le ocurrió nada más para explicar su estado de agitación.

—¿En serio? —Madeleine la observó abiertamente desde la cabeza hasta donde las rodillas empezaban a ocultarse debajo de la mesa de té. Acarició cuidadosamente con los dedos el asiento del sofá de terciopelo con una expresión solo de ligera curiosidad—. Entonces debe de habérselo entregado en bandeja de plata.

—¿Cómo dice?

Madeleine arrugó la frente con delicadeza.

—Su corazón. ¿Se lo entregó en bandeja de plata?

Natalie no tenía ni la más remota idea de qué significaba aquello. Los franceses podían hacer un uso muy extraño de las palabras inglesas.

—Lo siento, me temo que no la comprendo.

Los labios pintados de rosa de Madeleine volvieron a levantarse casi de manera imperceptible, al tiempo que sus pobladas pestañas caían maliciosamente sobre los hermosos ojos.

—¿Está enamorada de él?

La pregunta hizo que Natalie se sintiera mareada. Notó la espalda pegajosa a causa del sudor, sus enaguas se le pegaron a las piernas, y de repente deseó estar desnuda en una isla desierta tropical bajo un chaparrón… muy lejos de casa, muy lejos de Francia, muy lejos de todo.

Pero Madeleine esperó pacientemente, y Natalie supuso que tenía que ser sincera con ella también acerca de aquello.

—No, por supuesto que no lo amo —contestó con la boca

seca y un pulso repentinamente acelerado—. Lo que sentimos el uno por el otro es un caso grave de atracción física que se dirige ya hacia un final destructivo.

Natalie alcanzó a ver un atisbo de incredulidad en la cara de la francesa, lo cual la irritó.

—Bueno —concluyó Madeleine—, puesto que no lo ama, no puede haberle entregado el corazón en bandeja de plata; por consiguiente, no acabo de entender cómo puede él haberle hecho añicos el corazón.

Natalie abrió la boca de golpe para responder con descaro, o quizá para corregir el razonamiento de la mujer, pero acto seguido la volvió a cerrar bruscamente. No tenía ni idea de qué responder, así que, por supuesto, fue un alivio cuando en ese preciso instante Marie-Camille llamó con los nudillos a la puerta y entró tras un carrito de té.

La criada lo empujó hacia las damas, deteniéndose al lado de la mesita. Con manos ágiles colocó una bandeja con pan, rodajas de tomate y fiambre de pato sobre la pulida superficie de caoba, prosiguió con una tabla de quesos, una bandeja conteniendo unas porciones de tarta de chocolate, los cubiertos de plata, unos platos pequeños de porcelana y dos vasos de limonada. Hecho lo cual, miró con expectación a Madeleine, quien la despidió con un movimiento de cabeza, y se marchó discretamente.

—Por favor —le indicó Madeleine levantando ligeramente la palma de la mano.

Natalie estudió la bandeja con las rodajas de tomate, las porciones de tarta de chocolate y las lonchas de pato, que se le antojaron corazones rebanados, y casi soltó una carcajada por la opresiva tensión que acumulaba en su interior. A veces, la vida era absurda.

Colocando el abanico a un lado, se saltó los prolegómenos, alargó la mano para coger un plato y se sirvió un trozo de tarta. Su pensativa anfitriona sonrió abiertamente e hizo lo mismo.

—Entonces —empezó Madeleine después de darle un pequeño mordisco al dulce—, no lo ama, pero lo sedujo. ¿Qué hizo usted luego?

Natalie tragó el cremoso baño de chocolate como si fuera papel. Las preguntas de la francesa estaban empezando a ser absolutamente indiscretas, y sin embargo, Natalie entendió que intentaba ayudarla a comprender sus crispadas emociones.

Sacudió la cabeza de manera insignificante.

—No lo sé. Y no lo seduje exactamente —la corrigió—. Solo lo besé. Y él se aprovechó de eso.

Madeleine la observó a hurtadillas con los ojos entrecerrados.

—Los hombres no suelen tener problemas para eso. Y sin embargo, usted se lo permitió, así que también ha sido responsable.

Natalie engulló el tercer trozo de tarta y volvió a posar el plato sobre la mesa de té, sintiendo que su apetito disminuía de manera considerable.

—Por supuesto que no debería haber ocurrido —reconoció con una vocecita temblorosa—. Fue una inmoralidad, y he arruinado mi vida.

—Eso es una majadería —se burló Madeleine—. Ya no es virgen; eso es todo. Una experiencia íntima que no la ha arruinado nada.

Natalie sintió cada vez más rigidez en los huesos.

—Ha arruinado mi matrimonio.

—Solo si permite que su desliz sea conocido por su marido, que tendría que ser alguien distinto a Jonathan.

Natalie inclinó la cabeza con perplejidad.

—Jamás podría mentirle a mi marido, y la idea de casarme con Jonathan es absurda.

Madeleine también colocó el plato con lo que le quedaba de tarta en la mesa de té y se apoyó en uno de sus brazos largos y gráciles mientras colocaba el otro sobre las piernas, permitiendo que sus uñas afiladas y muy cuidadas quedaran colgando en el aire.

—Hay maneras de ocultar la pérdida de la virginidad a un futuro marido. Pero antes de que hablemos de eso, ¿le importaría decirme por qué es absurdo casarse con Jonathan?

La mujer era tan condenadamente directa que aquello tranquilizó a Natalie, y sin embargo, la sinceridad de Madeleine tenía mucho que ver con la razón de que hubiera decidido buscar su consejo antes de nada.

—Jonathan es un espíritu excesivamente caprichoso —proclamó con moderación—. Y tiene… mucha experiencia.

Los rasgos de Madeleine se abrieron con diversión.

—¿Y eso es malo?

Aquello dejó perpleja a Natalie.

—Por supuesto que es malo. No puedo confiar en él debido a su reputación de promiscuo. —Titubeó y dijo con tristeza—: Tiene un pasado.

Madeleine empezó a balancear cuidadosamente los pies por debajo del vestido, provocando que la seda resplandeciera bajo el brillante sol que entraba por las ventanas.

—Todo el mundo tiene un tipo u otro de pasado, Natalie, incluida usted.

—Yo no tengo ningún pasado.

—Si se casa, y no lo hace con Jonathan, tendrá un pasado.

La afirmación la abofeteó con la crudeza y la lógica de la verdad. La vergüenza volvió a ruborizarla de nuevo, y la combatió cogiendo de nuevo el abanico y agitándolo a un lado y a otro delante de su cara con la esperanza de que su reacción pasara inadvertida.

—La cuestión es irrelevante —dijo sin convicción—. Me niego a casarme con un hombre que probablemente vaya a tener amantes, y Jonathan jamás podría serme fiel.

En ese momento, Madeleine pareció completamente aturdida.

—¿Por qué cree que no?

Aquello exasperó a Natalie.

—Por su experiencia, Madeleine. ¿Por qué demonios iba a abandonar sus costumbres de crápula que tanto parecen divertirle, solo porque haga la promesa nupcial a mí o a cualquier otra?

—¿Qué le hace pensar que no cambiaría?

Natalie no supo cómo responder a eso y estaba empezando a cansarse de las preguntas. Madeleine se dio cuenta, sin duda, porque su expresión se tornó seria de nuevo, y se inclinó hacia delante para explicarse.

—Natalie, la mayoría de los caballeros de su clase se casan porque es lo que se espera de ellos. Necesitan herederos, o las propiedades que obtienen con las dotes, además del conveniente desahogo sexual que proporciona el matrimonio. El amor es pocas veces un factor que impulse a esos hombres a escoger una mujer, y se supone que han de mantener una o dos amantes mientras están casados. Las esposas también suelen estar al corriente de esto, y si además no sienten un gran amor por sus maridos, muchas veces se sienten aliviadas de que aquellos busquen el placer en otra parte, sobre todo si han parido varios hijos y sus cuerpos están cansados.

—Soy consciente de ello, Madeleine…

—Estoy segura de que lo es, pero deje que termine. —Su tono se tornó meditabundo cuando prosiguió—. Jonathan no necesita una esposa; al menos no para obtener una dote o un heredero que reciba una propiedad. Él ya es libre, y tiene su propia fortuna, y puede escoger sus compañías, o su ausencia, a su libre albedrío. Si llegara tan lejos como para casarse con usted, lo estaría haciendo porque habría escogido hacerlo. No se me ocurre ningún motivo para que se casara con usted o con cualquier otra, si quisiera proseguir con sus tendencias libertinas. Eso solo le complicaría la vida.

Natalie se dejó caer contra el respaldo, sintiendo la blandura del sillón contra su espalda mientras los nervios hacían que le picara la piel.

—Aparte de en un momento de broma, nunca ha sugerido el matrimonio de manera formal —dijo Natalie entre dientes, deprimida.

La francesa la miró en silencio de manera deliberada, frotando con aire ausente el cojín del asiento con los dedos.

—Natalie, esta es una cuestión bastante personal, por supuesto, pero piense con detenimiento lo que le voy a preguntar. —Apretó fugazmente los labios—. Usted ha tenido relaciones íntimas con Jonathan. ¿Durante ese momento de intimidad él... hizo algo que evitara que pudiera quedarse embarazada?

A Natalie le acometió un sentimiento de espanto. Ni una vez se le había cruzado por las mientes que pudiera estar encinta de un hijo de Jonathan. La idea era estrafalaria. Impensable. Y muy verosímil.

—No... no estoy segura de eso.

Madeleine hizo un insignificante movimiento de cabeza, como si estuviera sacando sus propias conclusiones, sin que su mirada titubeara ni un instante mientras seguía estudiando a Natalie de manera calculadora.

—Un hombre o una mujer pueden hacer durante esos momentos íntimos diversas cosas muy fiables para evitar el embarazo. Puesto que esa fue la primera vez que estaba con un hombre, es improbable que usted pensara en ello. Sin embargo, es probable que Jonathan sí lo hiciera. Si los momentos de intimidad se producen sin planearlos, lo mejor que puede hacer un hombre es salirse cuando alcanza... el punto crítico. Estoy segura de que entiende cuándo se produce este. —En voz muy baja, y sin ningún atisbo de vergüenza, dijo—: Si Jonathan no lo hizo, casi con absoluta seguridad es que sabía que podía correr el riesgo de dejarla embarazada. Y también estoy segura de que si no pretendiera casarse con usted, él jamás se habría expuesto a ello.

Natalie parpadeó rápidamente, asustada y completamente ruborizada por la franca explicación de la francesa, avergonzada por la idea, y si consideraba sus sentimientos con total honestidad, reconfortada en algún lugar muy profundo de su ser. Se pasó una palma temblorosa por la frente, cerrando los ojos.

—Pero él sabe que no me casaré con él. Se lo dije sin ambages, antes de ese... episodio.

—Tal vez piense que cambiará de idea.

Natalie dejó caer un brazo hasta el regazo y volvió a levantar las pestañas.

Con la boca apretada, dijo con voz rotunda cargada de impaciencia:

—Él sabe lo que pienso al respecto, Madeleine. No puedo confiar en que sea fiel, y me niego a entregar mi corazón a alguien en quien no confío. Así se lo dije.

—Los hombres pueden ser muy arrogantes a veces.

Por fin ella había entendido. Natalie puso los ojos en blanco y abrió las manos completamente.

—Justo lo que yo pienso.

—Pueden ser bastante insistentes, cuando quieren algo de manera desesperada.

—Ellos... —Natalie paró de hablar en seco y la miró de hito en hito—. Estoy segura de que no me quiere de manera desesperada.

Madeleine sonrió irónicamente, y alargó la mano de nuevo para coger el plato de la tarta.

—¿De verdad? ¿Por qué?

La mujer la estaba volviendo loca con sus preguntas incesantes.

—Podría tener a cualquiera.

—Y sin embargo la quiso a usted.

—Simplemente estaba allí y a su disposición.

Madeleine desvió la mirada hacia el plato.

—Natalie, la mitad de los habitantes del mundo son mujeres. Jonathan está rodeado de ellas y es un hombre muy atractivo. Y como bien ha dicho usted, podría tener las que quisiera y cuando quisiera. —Cortó meticulosamente un trozo de tarta de chocolate con el tenedor, y sus cejas elegantemente perfiladas se juntaron en señal de profunda concentración—. Yo diría que le ha sido fiel desde que salió de Inglaterra, y piense en esto: no tenía ningún motivo para serlo. Todavía no está casado con usted. No le debe nada y, sin embargo, se entrega a usted, y usted lo rechaza.

Levantando el tenedor hasta dejarlo a medio camino de los labios, Madeleine hizo una pausa, alzando la vista para añadir mordazmente:

—Yo no empezaría a suponer cuáles son sus sentimientos hacia usted ni qué es lo que piensa de la relación que hay entre ustedes. Sin embargo, sospecho que habría de ser una de estas tres cosas. No la ama y simplemente utiliza el tiempo que pasan juntos nada más que para disfrutar físicamente y tener un verano de placer. La ama, pero no se aclara con sus sentimientos y todavía no se ha dado cuenta de ello. O la ama y lo sabe, pero no se lo dirá porque teme que usted no le corresponda y no está dispuesto a ser testigo de cómo lo rechaza.

Se puso el trozo de tarta en la lengua, deslizó los labios por el tenedor y masticó lentamente, dejando que las atrevidas palabras fueran asimiladas.

Natalie la observó en silencio, sin expresión, escuchando con una fascinación morbosa.

—Según mi experiencia —prosiguió Madeleine después de tragar—, los hombres tienen un miedo cerval a que las personas que aman los rechacen, mucho más que lo que temen las mujeres, y creo que esto se debe a que su orgullo y su ego tienen una gran importancia para ellos. También se debe a que a los hombres les resulta más difícil ser sinceros y expresar sus sentimientos. —Volvió a colocar el tenedor en el plato y bajó la voz hasta convertirla en un tranquilo susurro—: Hasta que no confíe en Jonathan lo suficiente para entregarle su corazón, es probable que nunca llegue a saber lo que él siente por usted más allá de una amistad superficial. Pero deje que le haga una pregunta. —Se mordió la comisura del labio, inclinando la cabeza—: Con independencia de con quién se case, ¿espera serle fiel a su marido?

Natalie casi se quedó sin respiración.

—Sí —consiguió decir con un nudo en la garganta.

Madeleine volvió a reír con satisfacción.

—Así que, puesto que esto es algo que no puede probar, la intención es lo único que se le puede pedir. Incluido Jonathan. Estoy segura de que usted no le pediría ni más ni menos a él. —Sus ojos azul claro centellearon cuando concluyó—: La vida y el amor están erizados de peligros, y creo que nuestro mundo sería muy aburrido si nadie los corriera. Tales peligros son realmente los que hacen que las experiencias cotidianas sean tan placenteras.

Natalie estaba sentada completamente inmóvil, pegada al sillón, incapaz de aspirar un soplo de aire, y no estaba segura de si eso se debía al calor, a su opresivo corsé o al difícil giro de los acontecimientos que cambiaban su relación con un hombre al que no quería con la cabeza, pero al que la pasión le impedía rechazar. Apartando los ojos de los de Madeleine, alargó una mano temblorosa hacia uno de los vasos de limonada, se lo llevó a los labios y le dio tres grandes tragos para humedecerse la boca seca.

La circunstancias eran todas un error, e indecentes, pero las conclusiones de Madeleine eran justas, tal vez incluso acertadas. Todo lo que había dicho la mujer era lógico. Y eso la asustó.

Dejó la limonada y el abanico sobre la mesa de té, se levantó con torpeza y se dirigió a las ventanas con paso inseguro. Se quedó mirando fijamente la hierba verde y las flores del parque, el balanceo de los robles; observó a los apresurados peatones en la calle de abajo, olió el polvo y el tráfico de la ciudad, que flotaba a la deriva en la brisa y sintió el sol del final de la tarde en la cara.

—¿Cómo puedo depositar mi confianza en alguien que podría llegar a aburrirse de mí y un buen día lamentar el pasado al que renunció? —preguntó en un susurro—. ¿Y si ahora soy solo… una diversión para él?

—No puede leerle la mente, Natalie, ni vislumbrar el futuro —le contestó Madeleine con el mismo tono de voz—. Nadie sabe lo que ocurrirá dentro de veinte años. Puede que para entonces estén tan aburridos el uno del otro que los dos tengan casas separadas y multitud de amantes.

Natalie se volvió hacia la mujer una vez más, incapaz de disimular su expresión de indecisión y preocupación.

Madeleine bajó la voz.

—Pero lo más probable es que estén satisfechos y se encuentren más profundamente enamorados que lo que pueda llegar a imaginar. Con franqueza, en mi opinión están hechos el uno para el otro. En cuanto a lo de ser una diversión para Jonathan, lo dudo sinceramente. No alcanzo a comprender por qué, con todo un mundo lleno de mujeres que descubrir y seducir, iría a escoger a una preciosa virgen para pasar un verano de diversión. Eso exige demasiado esfuerzo y no merecería la pena que perdiera el tiempo en ello. Sin embargo, sí que merece totalmente la pena si él puede fantasear con convertirla en su esposa complaciente, en su amiga y en su amor. Ese es el riesgo de Jonathan.

Natalie gruñó, y apoyó la cara en la palma de la mano. Se suponía que su vida no tenía que ser jamás tan complicada. Se la habían planeado desde el momento de su nacimiento: la educación adecuada, un buen matrimonio con un caballero respetable, la vida de tediosas salidas sociales y una noche tras otra de sumisión a un marido aburrido e indiferente para que pudiera darle hijos. No se esperaba nada más de ella. Pero, antes al contrario, ella sola había decidido presuntuosamente que tendría algo diferente, algo más, algo extraordinario con un hombre insólito y maravilloso de su elección. Y en ese momento, cayó en la cuenta con una claridad deslumbrante de que casarse con un hombre que la quisiera, que corriera peligros por ella, que jugara con ella y le tomara el pelo como un amigo probablemente sería la fuerza que conservaría su felicidad y su unión a través de los años. Casarse con un estirado caballero de buena cuna, como se le había enseñado a esperar y soportar, al que no le importara nada de ella aparte de su utilidad como encargada de su hogar y madre de su heredero sería el primer paso hacia la infidelidad… quizá la de ambos.

Por primera vez en su vida, Natalie sintió una punzada de tristeza y compasión por su madre. Ella se había casado con un hombre que no amaba porque se la había educado para que no esperase otra cosa. La única emoción de su vida había provenido de su breve y apasionado romance con un francés que ella nunca pudo reivindicar como propio. Que su padre se hubiera enamorado de su madre con el tiempo era algo insólito, tuvo que reconocer Natalie en ese momento, aunque el camino del amor rara vez parecía ser normal o lógico. En su mundo, casarse por amor era un sueño, no una realidad. Lo había sabido desde el principio, y aquella fue la esperanza que había alimentado por el Caballero Negro durante años.

Pero el Caballero Negro no era su sueño; era su fantasía, una esperanza infantil e irreal de una gozosa felicidad que no había existido nunca y que no podría existir jamás. Si tomaba las palabras de Madeleine como la verdad, supo que su sueño era un corazón tangible y palpitante lleno de esperanza que en ese momento reposaba en la palma de su mano, y que aguardaba a ser cogido y mimado. Aunque la única forma que tendría de vivir ese sueño sería exponer sus pensamientos y sentimientos más profundos a Jonathan, y sintiendo una pena angustiosa, no supo si alguna vez podría aceptar aquellos y hacer tal cosa.

Natalie levantó la cabeza y cerró los brazos alrededor de ella en un abrazo protector.

—No sé qué hacer. Esta mañana le dije algunas cosas muy crueles. Puede que no me perdone nunca.

—Tonterías. —Madeleine dejó su plato ya vacío encima de la mesa de té, se levantó y atravesó elegantemente la alfombra para detenerse al lado de Natalie junto a la ventana—. Se recuperará de eso con bastante facilidad. A los hombres hay que tratarlos con la persuasión adecuada, la cual casi siempre es de naturaleza sexual. Le sugiero que se plante desnuda delante de él, le vuelva a hacer el amor, lo trate como si fuera el único hombre vivo, y le aseguro que jamás se acordará de nada de lo que le haya dicho excepto lo magnífico amante que es.

Natalie reprimió una risita tonta ante la idea, escandaliza y complacida por igual. Su madre se habría desvanecido al oír una conversación tan audaz entre damas en un salón rosa y durante el té.

Madeleine permaneció a su lado durante un momento, antes de rodearla con un brazo con delicadeza.

—Hablaremos sobre qué hacer a continuación —dijo para tranquilizarla—, y la decisión, por supuesto, será cosa suya. Si sus baúles están en el hotel, haré que los suban; puede quedarse aquí esta noche. Eso le dará tiempo para pensar.

Natalie meneó la cabeza y cerró los ojos durante un momento.

—No le dejé ninguna nota, Madeleine. Pensará que le he abandonado para irme a Inglaterra... con las esmeraldas.

La francesa se rió en voz baja.

—Tengo la grave sospecha de que estará más preocupado por usted, sus pensamientos y su paradero que por un estúpido collar. Y le sentará bien. Deje que se preocupe.

Natalie quiso rebatir tales suposiciones, pero Madeleine la obligó a volver a la mesa de té para hablar de nuevo antes de que pudiera abrir la boca.

—Ahora, por favor, coma algo antes de que se vuelva transparente. Luego, nos pondremos nuestras mejores galas y pasaremos una agradable velada en la ciudad... sin la fastidiosa presencia de ningún miembro del sexo masculino. —Negó con la cabeza con fingido desprecio—. Qué criaturas tan desconcertantes son.

Natalie esbozó una sonrisa y volvió a su sillón sin hacer ningún comentario, extrañamente reconfortada por la repentina cercanía que sentía hacia la pintoresca y sofisticada francesa que se había convertido en su amiga.

17

Jonathan se encontraba solo frente a un extremo de la mesa del bufé, completamente abatido. El banquete no había hecho más que comenzar, y hasta el momento pocas eran las personas que honraban el vestíbulo de la casa parisina del conde de Arlés. De hecho, era la misma casa que el hombre intentaba vender y por la que Jonathan había fingido estar interesado. Su identidad falsa seguía siendo dada por buena, lo cual era, probablemente, la única razón de que hubiera sido capaz de conseguir ser invitado para asistir a las celebraciones de esa noche. Había llegado temprano, en parte porque no tenía nada más que hacer, aunque, sobre todo, porque quería poner fin a aquella deprimente velada y poder volver de una vez a su país, a su casa, a su perro y a Natalie... La tozuda, boba y calculadora hechicera que lo tenía cautivado e idiotizado.

Solo había transcurrido un día y medio desde que la viera por última vez, y sin embargo, se le antojaban diez años. Estaba furioso con ella, loco por ella y preocupado hasta la desesperación. Lógicamente, era consciente de que ella podía volver a casa sin él, que hablaba el idioma y llevaba suficiente dinero para el viaje. Pero en Francia la gente estaba inquieta; no era muy seguro que viajara sola, y Jonathan tenía meridianamente claro que tampoco quería que ella se encerrara en su dormitorio de Inglaterra lejos de él. La quería en el suyo, donde fuera que estuviera este, incluso si la única manera de convencerla de que ese era su lugar fuera metérselo a golpes en su pequeña cabeza cuadriculada. Pero, por supuesto, eso no ocurriría a menos que ella lo viera y volviera a hablar con él.

¡Dios santo, si solo había sido una discusión! Se habían dicho algunas cosas hirientes el uno al otro, pero él nunca pensó que lo abandonaría. Si hubiera tenido la más leve sospecha de sus intenciones, no la habría dejado sola; la habría llevado con él por toda la ciudad. Nunca olvidaría el pánico que se había apoderado de él al entrar en la habitación de ambos en la posada solo seis horas más tarde, dispuesto a enfrentarse a la cólera de Natalie, y encontrarse en cambio con un ropero vacío y una cama sin hacer con las sábanas revueltas que le recordó lo ocurrido la noche anterior.

Natalie tenía problemas para aceptar su pasado. Él lo sabía, entendía las razones y estaba dispuesto a darle tiempo. Pero lo que lo aterrorizaba en ese momento era que ella hubiera decidido renunciar a su relación sin intentarlo, sin aceptar lo mucho que él le importaba, y que esa fuera la razón de que se marchara. Estaba renunciando a ellos, y eso lo estaba destrozando por dentro. Aunque lo que le pareció cómico, en lugar de incitarle a destrozar la habitación, fue el reconocer sencillamente que ni una sola vez, en sus casi treinta años de vida, había pensado que una mujer pudiera hacerle aquello.

Jonathan bajó la mirada hacia el vaso lleno de whisky que tenía en la mano. Llevaba sosteniéndolo diez minutos y todavía no le había dado ni un solo trago. Probablemente sería extraordinario, de paladar suave, y sin duda se le subiría directamente a la cabeza para aliviarle las penas al principio, pero luego le haría sentirse más abatido de lo que ya estaba. No necesitaba eso. Lo que necesitaba era mantenerse despejado para los inminentes acontecimientos que tendrían lugar esa misma noche.

Dejó el vaso sobre la mesa que tenía a su lado, apoyó la cabeza contra la pared cubierta de tapices a su espalda y observó a los demás invitados solo con ligero interés. Aquella casa era más pequeña que la que tenía el conde en Marsella, pero mostraba la misma decoración extravagante en madera de roble oscura y lujosa caoba, dorados y azules verdosos. Las mesas del bufé estaban cubiertas de apetitosos manjares, la bebida corría a raudales y el humo de tabaco caro llenaba el aire, y sin embargo, aquello no era una fiesta; al menos no como el baile de dos semanas antes. Esa noche había pocas mujeres en el salón, y aunque todo el mundo iba ataviado con sus mejores galas, quedaba silenciosamente sobreentendido que el motivo de la reunión era el de recaudar fondos para pagar al asesino de Luis Felipe. Solo un profesional se arriesgaría a cometer un atentado tan calculado para asesinar al rey de Francia.

Jonathan habría querido acudir a las autoridades, pero, no teniendo ninguna prueba, ¿que les iba a decir? ¿Que varios nobles querían cambiar el curso de la historia? Natalie había tenido razón acerca de que aquello había sido una charla entre fanfarrones, lo cual era el motivo de que no pudiera culparla por no habérselo dicho de inmediato. Derrocar al rey era una pretensión común entre los franceses, y sin duda ni sorprendería ni preocuparía a ninguna autoridad. Pero si el intento de asesinato estuviera planeado para el día siguiente, y el banquete de esa noche fuera la cabeza de puente de los legitimistas para fortalecer sus lazos políticos, elevar sus egos y reunir los fondos necesarios, tal vez podría enterarse de algo que fuera importante. Tenía que correr el riesgo. Al día siguiente abandonaría el país.

Jonathan escudriñó a la multitud. El conde todavía tenía que aparecer, pero la habitación se estaba llenando rápidamente de gente, caballeros en su mayoría, que empezaban conversaciones bastante bulliciosas en las mesas y en los rincones. Al final, la cosa subiría de tono, y las mujeres se marcharían. Al menos, en ese momento, tenía algo atractivo que mirar, aunque lo cierto es que estaba empezando a aburrirse de hacer incluso eso.

Cerró los ojos soltando un pequeño gruñido y cruzó los brazos por delante de su levita limpia y planchada sin importarle si se la arrugaba.

El mundo estaba lleno de mujeres hermosas, y las admiraría hasta el día de su muerte. Pero no podía tenerlas a todas. Por supuesto que había estado con muchas antes que con Natalie, circunstancia de la que todos sus contemporáneos vivos parecían estar al corriente. Aunque, curiosamente, en ese momento se encontró con que era incapaz de recordar los detalles concretos de un episodio siquiera con cualquiera de aquellas mujeres. Todos habían sido agradables revolcones que aplacaron su deseo y le proporcionaron un momento fugaz de compañía a su antojo. No era que aquellas mujeres no significaran nada para él, sino que solo representaban algo sexual, y por su parte, ellas eran perfectamente conscientes del hecho. Nadie, incluido él, había sufrido ninguna gran decepción ni había salido dañado, y por lo general, el placer físico había sido la primera y única razón para el apareamiento.

Sin embargo, su experiencia sexual con Natalie dos noches antes había sido diferente en muchos aspectos. Sin duda, no había sido la más relajada de su vida, y para ser justos tal vez tendría que decir que tampoco la más erótica. Pero si tuviera que elegir una palabra para describir aquella primera vez juntos, esa palabra sería «maravillosa». Aquella relación sexual se le había antojado maravillosa, lo que le hizo sonreír por dentro, porque no creyó que maravilloso fuera una palabra que el hombre medio y racional utilizaría jamás para describir un coito. Y por supuesto, sería algo que se guardaría para sí. Tal vez algún día se lo diría a Natalie.

Después había estado acostado con ella, saciado y abrumado, y tan agitado emocionalmente que no había podido pensar con eficacia ni hablar. Era algo que no había experimentado jamás con nadie. Natalie se había mostrado al mismo tiempo inocente y delicada y, sin embargo, magnífica en su deseo de complacerlo. Así es como supo que aquello también tenía un profundo significado para ella. Era su primera vez; Natalie no tenía nada con que compararlo. Pero Jonathan lo sabía porque había observado a muchas mujeres en la cama, y ninguna había expresado jamás unos sentimientos tan intensos por él como Natalie durante aquella única hora. Había sido evidente para los dos, y esa era la razón de que ella estuviera asustada. Había huido, y ahora tendría que convencerla de que confiara en él, algo que estaba seguro que podría hacer con el tiempo. Como era natural, probablemente tuviera que raptarla primero, porque lo más seguro es que ella no quisiera verlo si pasaba a visitarla formalmente. Por otro lado, podría ser que estuviera embarazada. Otra novedad para él, admitió con una abierta sonrisa. Su mayor temor en la vida había sido siempre dejar a una mujer con un hijo, y en ese momento se le ocurrió que, en esas circunstancias, aquello sería lo mejor que podría haberle ocurrido jamás.

Se frotó los ojos con las yemas de los dedos y los volvió a abrir. El grupo que se estaba reuniendo en el salón había aumentado, y el ambiente se iba haciendo más caluroso y viciado. A lo lejos, un cuarteto interpretaba un minueto de Bach, pero no bailaba nadie. Todo el mundo charlaba, y Jonathan supuso que también tendría que hacerlo, si quería mantener las apariencias. Observó con indiferencia a los hombres ataviados con brillantes chalecos bordados y chisteras negras, a las mujeres de arremolinadas faldas de seda roja, morada y amarilla, de tafetán verde lima, blanco y azul oscuro. Este último le recordó a Natalie, porque era su color preferido, y sabía que ella estaría arrebatadora con aquel vestido, con sus ojos color avellana, su sedosa piel y el pelo rubio rojizo cayéndole en ondas sobre los pechos.

Entonces se dio cuenta de que era Natalie la que llevaba el vestido azul oscuro y que se acercaba a él caminando lentamente con una media sonrisa en los labios, comiéndoselo con los ojos y luciendo las esmeraldas en el cuello.

Jonathan se la quedó mirando fijamente ante lo exageradamente ilusorio de la visión, y sin embargo era ella, ataviada con un vestido que se ajustaba perfectamente a su cintura larga y estrecha, con las mangas abullonadas en los hombros y un corpiño demasiado escotado sobre el exuberante pecho. Lo de enseñar tanto su espléndida figura con los vestidos de baile era algo que iba a tener que discutir con ella, y durante un instante de absurdidad se preguntó por qué pensaba en semejante cosa de repente.

Su primer impulso fue agarrarla de la muñeca y atraerla hacia él con una sacudida, pero eso solo habría despertado la curiosidad de los demás y probablemente no serviría para nada, aparte de irritarla. Natalie casi había llegado hasta donde él se encontraba antes de que Jonathan tuviera tiempo de erguirse de nuevo y disimular su asombro, lo cual lo irritó, porque era casi seguro que ella ya lo había advertido. A Jonathan empezó a latirle el corazón con fuerza, y las manos comenzaron a temblarle; se llevó una a la espalda y bajó la otra para atrapar el vaso que contenía su whisky intacto a fin de que ella no pudiera advertirlo.

Natalie se acercó a él como si tal cosa, con una expresión inescrutable, y Jonathan se llevó el vaso a los labios y le dio un buen trago para calmar los nervios, para disimularlos. Pero en ningún momento apartó la vista de la cara de Natalie.

Nunca la había visto tan impresionante. Iba magníficamente vestida y arreglada, y las esmeraldas le añadían un toque de elegancia que atraía las miradas hacia su cuello blanco y estilizado. Se había recogido el pelo en lo alto de la cabeza, permitiendo que unos cuantos rizos cayeran sueltos alrededor de la frente y las mejillas y por la espalda. E iba muy maquillada, lo que regocijó enormemente a Jonathan. Aquello era un toque de Madeleine.

—Hola —dijo ella en voz baja, ateniéndose delante de él por fin.

—Hola —contestó Jonathan en el mismo tono de voz.

Después, Natalie titubeó, observándolo con atención.

—Llevas puestas mis esmeraldas —observó él para romper el hielo.

Natalie sonrió con torpeza y echó una rápida mirada hacia la mesa del bufé.

—Pensé que podrían ser de ayuda esta noche.

Aquella afirmación fue el toque definitivo. Había tomado

una decisión, y estar allí en ese momento era la prueba de todo lo que sentía por él. Tal vez nunca expresara sus sentimientos en palabras que él pudiera oír, pero sus actos, el hecho de que estuviera en el banquete, en lugar de en un barco rumbo a Inglaterra, disipó el último resto de duda que pudiera albergar Jonathan.

Pero disfrutaría de su alegría por dentro. Por el momento. Jonathan le dio otro sorbo a su whisky.

—Sin duda provocarán un revuelo cuando aparezca el conde de Arlés y vea que llevas puesto su collar.

Natalie se retorció sus dedos enguantados por delante de ella.

—Esa fue mi idea exactamente. Yo… pensé que esto podría hacerlos hablar.

—¡Qué inteligente eres, Natalie!

—Eso he pensado siempre —convino ella, y sonrió con sus labios pintados con coqueta timidez.

Era increíblemente dulce. Jonathan sintió muchísima pena y deseó tocarla, abrazarla y frotar su mejilla con la suya y aspirar el olor de su pelo…

—Pensé que le apetecería un poco de champán. —Madeleine interrumpió los pensamientos de Jonathan, deteniéndose al lado de ellos tan exquisita como siempre, adornada con unos brillantes rubíes y ataviada con un vestido de un burdeos intenso.

Alargó una copa hacia Natalie, que le dio las gracias rápidamente entre dientes y la cogió con cuidado.

Madeleine resplandecía cuando alzó sus calculadores ojos hacia Jonathan.

—He visto a varios conocidos míos, Jonathan, así que me perdonará si los dejo a solas. Que tengan una encantadora charla. —Sin esperar contestación, se recogió las faldas con sus delicados dedos y se alejó rápidamente.

Muy diplomática, reflexionó Jonathan, y se impuso darle las gracias por aquello en alguna ocasión. Volvió a concentrarse en Natalie.

—Has estado con ella desde ayer, supongo.

—Sí —le contestó Natalie sin evasivas—. La encontré en su suite del hotel, y hemos pasado juntas unos momentos muy agradables.

—Se diría que ejerce bastante influencia sobre ti.

—¿Te refieres al maquillaje?

—Mmm…

—¿No te gusta, Jonathan?

Él inclinó la cabeza y la observó. Estaba aplicado con sutileza, solo un poco de brillo rosa en los labios y mejillas y un trazo amarronado para perfilar los ojos. Jonathan hizo un imperceptible encogimiento de hombros.

—Supongo que no me disgusta.

Natalie pareció satisfecha con aquello.

—No es que me importe que lo apruebes…

—Por supuesto que no.

—… pero esta noche será la primera vez en mi vida que lo lleve, de eso estoy segura. Mi madre me repudiaría si me viera, pero estoy en Francia, hago lo que hacen las damas francesas, y Madeleine me dijo que resaltaría mis rasgos más notables.

—¿Eso dijo? —Jonathan adelantó una mano y le levantó un rizo que le colgaba sobre el pecho derecho, acariciándolo con sus dedos—. No debió de darse cuenta de que tus rasgos más notables nunca ven la luz del día.

Natalie entrecerró los ojos, sacudiendo la cabeza con reprobación.

—Jonathan…

—Me enfureció que me dejaras —la interrumpió en voz baja—. Y me hirió.

Natalie se puso tensa cuando la conversación se hizo seria, respirando hondo y bajando la mirada hasta que todo lo que pudo ver fue el chaleco de Jonathan.

—Lamento mucho lo que dije —admitió ella con voz temblorosa—. Estaba… abrumada por todo lo ocurrido. Confundida.

El impulso de atraerla hacia él fue tan poderoso en ese momento que apretó el vaso hasta que sus dedos se pusieron blancos.

—Yo también estaba abrumado, Natalie —confesó él a su vez—. Fue una noche de novedades para los dos.

Ella alzó la vista, incrédula. Durante unos segundos no supo qué responder ni qué había querido decir exactamente con aquello, pero le sostuvo la mirada, y Jonathan se negó a apartar los ojos.

Con una voz tan áspera como tierna, él susurró:

—Dime lo que sientes en tu corazón, y te perdonaré.

Unas estridentes risotadas atravesaron el aire, seguidas de un grito o dos de un extremo a otro del salón. El hecho no pudo ser más espantosamente inoportuno y deshizo el hechizo que había entre ambos.

Natalie levantó la cabeza de golpe al oír el sonido, echando una ojeada alrededor con incomodidad.

—Esta no es una fiesta normal, ¿verdad, Jonathan?

—No —respondió él con un suspiro—. Y tal vez tampoco deberías estar aquí. Es probable que más tarde… se anime.

Aquello la enojó un poco. Apretó la boca y dio unos rápidos toquecitos sobre el borde de su copa de champán.

—No puedes pasarte la vida protegiéndome de las contingencias.

Jonathan no supo cómo tomarse eso. Una parte de él se sobresaltó al oír semejante insinuación de boca de Natalie. Pero ella seguía mirando hacia el salón, inspeccionando a los invitados a la fiesta, lo cual, supuso Jonathan, era lo que le producía la incertidumbre, porque no podía verle los ojos.

—Tal vez disfrutara con ello —replicó él.

Durante un instante Natalie no hizo nada. Entonces, con otra profunda inspiración, alzó la vista para mirarle de nuevo a los ojos.

—Madeleine me dijo que tú, como hombre que eres, me perdonarías lo que te dije ayer por la mañana, si te decía el magnífico amante que eres.

Jonathan le dio un sorbo a su whisky para ocultar su expresión de disgusto.

—¿De verdad? Miedo me da casi saber qué es lo que te ha estado enseñando.

—Probablemente no llegues a saberlo nunca —le insinuó Natalie en un tono triunfal. Se llevó el champán a los labios, inclinó ligeramente la copa hacia su boca y la volvió a bajar con lentitud. Resueltamente, admitió—: Sin embargo, es verdad que pienso que eres un amante magnífico.

Jonathan se tambaleó al oír eso, ablandándose por dentro.

—Estás perdonada. —Y sonriendo con picardía, añadió—: Pero no tienes nada con qué compararlo, mi querida Natalie.

Ella desoyó el comentario, le dio otro largo trago al champán, se lamió los labios pintados y continuó:

—He tomado algunas decisiones al respecto.

Jonathan tensó los músculos de los hombros a causa del inmediato aumento de la ansiedad, y cambió el peso de un pie a otro, sintiendo la piel cada vez más caliente bajo su traje de etiqueta.

—Tienes toda mi atención, así que, por favor, ilústrame.

Natalie bajó los párpados con serenidad y susurró:

—He decidido convertirme en tu amante...

—¿Qué?

Ella alargó una mano y colocó levemente la palma en el pecho de Jonathan.

—Quiero despertarme todas las mañanas en tu casa de la ciudad, y ponerme una bata de seda y tomar café en tu cocina.

Como tenía los ojos cerrados y su expresión era inescrutable, Jonathan no fue capaz de discernir si estaba hablando en serio sobre algo tan escandaloso o le estaba tomando el pelo. Estuvo muy cerca de enmudecer.

Entonces, Natalie alzó los ojos para mirarle con atención, y su cara resplandeció con picardía.

—Pero me niego a llevar la que utilizaba tu última amante. La recuerdas, ¿verdad? Aquella criatura alta y de cuerpo perfecto con el pelo largo y negro. ¿Cómo se llamaba?

Jonathan apretó los labios para reprimir una carcajada. En ese instante, en el salón sofocante y abarrotado, donde solo se hablaba de política y por segundos cada vez más alto, todo se desvaneció menos ella.

—No recuerdo en este momento —masculló él con voz susurrante.

Natalie dejó caer la barbilla apenas y levantó débilmente una de las comisuras de la boca.

—¡Qué inteligente eres, Jonathan!

—Eso he pensado siempre.

Ella sonrió abiertamente. Alguien la rozó al pasar, y Jonathan la agarró del codo, acercándosela tanto que la falda de tafetán le cubrió las piernas.

—Pero ¿sabes que puedo recordar vívidamente aquella mañana hasta el último detalle? —prosiguió él pensativamente, sintiendo cómo el calor del cuerpo de Natalie penetraba en el suyo.

Ella arqueó las cejas en señal de inocencia.

—Probablemente, jamás nada haya halagado tanto tu pomposo ego como tener a dos mujeres hablando de ti sentadas a la mesa de la cocina ante una taza de café.

—Qué va, eso me ocurre todas las semanas —la corrigió con un suspiro exagerado.

—No me cabe ninguna duda.

Él le rozó el codo con el pulgar con unas largas y suaves caricias.

—Lo que recuerdo sobre esa mañana en particular es tu vestido color melocotón pegado a tu maravilloso pecho. Recuerdo que te cortaste tontamente en la mano con una espada. Recuerdo tu candor, tu pequeña mente manipuladora y tus asombrosos y suplicantes ojos, todo trabajando a la vez para convencerme de algo tan irracional como que te llevara conmigo hasta Francia. Pero, por encima de todo, recuerdo mi estupor al encontrar el hocico de mi perro entre tus muslos perfectamente formados y cómo, en aquel preciso instante, habría hecho cualquier condenada cosa para cambiarle el sitio.

Natalie se ruborizó y apretó los labios.

—Eres despreciable.

—Y tú eres preciosa —le susurró con voz áspera.

Aquel giro la sorprendió, pero se contuvo, frotándose la frente con la palma de la mano y negando rígidamente con la cabeza.

—Preciosa es Madeleine. Yo tengo una cara llena de pecas por el exceso de sol y un pelo abundante tan lleno de rizos que en modo alguno lo puedo controlar.

Jonathan se abstuvo de llevarle la contraria, porque se le ocurrió de repente que le había dado la oportunidad que necesitaba. Y la utilizaría. Había llegado el momento de hacerla comprender.

Le dio uno o dos tragos más al whisky en un intento de calmar una ansiedad inesperada que le tensó todo el cuerpo. Entonces, casi metódicamente, depositó el vaso sobre la mesa del bufé y volvió a mirarla a los ojos, entreteniéndose solo un instante para ordenar sus pensamientos.

—Natalie, creo que Madeleine DuMais es probablemente la mujer más hermosa, físicamente hablando, que he conocido en mi vida.

Natalie parpadeó, desorientada por semejante reconocimiento que la dejó visiblemente consternada, lo cual, tuvo que admitir Jonathan, lo emocionó de una manera un tanto extraña.

Antes de que ella pudiera hacer cualquier comentario, Jonathan continuó concentrándose en cada palabra:

—Y tienes razón, no es como tú. Ella es exótica e inalcanzable. Por tu parte, eres accesible y placentera. Ella es la clase de mujer cuyo recuerdo perdurará a través de los años, porque los hombres le escribirán canciones. Tú, en cambio, eres la clase de mujer junto a la que desean acurrucarse y envolverse los hombres. Ella es majestuosa y elegante. Tú eres divertida y vibrante. Eres la clase de mujer que quiero en mi cama para abrazarla y hacerle el amor y darle satisfacción. Ella es la clase de mujer que me gustaría... disecar y colgar encima de la repisa de la chimenea de mi estudio para admirarla cuando trabajo.

Natalie soltó una risita al oír eso, y Jonathan sonrió con satisfacción mirándola a los ojos.

—Eres la clase de mujer que suda...

Natalie rió entrecortadamente, horrorizada.

—Yo no sudo. Los caballos sudan.

Jonathan le bajó la mano desde el codo por todo el brazo para tomarle los dedos ligeramente. A ella no pareció importarle, porque los cerró alrededor de los suyos.

—Lo que quiero decir es que tú eres real —le explicó con un nerviosismo creciente que se negó a permitir que ella advirtiera—. Madeleine es una muñeca. Cuando me mira, veo una belleza notable, como la de una valiosa pintura de delicados trazos y brillantes colores digna de contemplar y apreciar. Cuando tú me miras, veo una pasión ardiente, una belleza vivificante y un deseo que complacer.

Su tono se hizo reflexivo, su mirada se intensificó y bajó la voz.

—Cuando me miras con tus asombrosos ojos y tus expresiones de vivo deseo, mi corazón se acelera, y en lo único en que puedo pensar es en cogerte entre mis brazos y besarte hasta quedarme sin resuello, en abrazarte y en reconfortarte de tus penas y reírme con tus alegrías.

Una oleada de desasosiego descendió sobre Natalie. Movió los dedos e intentó soltarse de Jonathan.

Él no lo permitió. El ruido se hizo atronador en torno a ellos, la sala estaba llena de humo y resultaba sofocante, la gente iba perdiendo la mesura a medida que ingerían grandes cantidades de selectas bebidas alcohólicas. Un sitio de lo más insólito para reivindicarse, pero considerando lo insólita que había sido siempre la relación entre ambos, parecía adecuado. No. Era perfecto. Natalie intuyó lo que estaba a punto de suceder. Él lo supo y se maravilló.

Acercándose mucho a ella, le quitó cuidadosamente la copa de champán de la mano y la colocó junto a la suya encima de la mesa. Luego, levantó la mano y le tomó con delicadeza la barbilla, obligándola a permanecer cara a cara con él, mirándola fijamente a los ojos.

—Madeleine es una mujer encantadora, Natalie —le confesó en un susurro—. Pero tú eres la luz de mi vida, ¿entiendes esto?

Natalie empezó a temblar, y eso conmovió a Jonathan con un sentimiento de tierna emoción.

—Eres todo lo que necesito. Eres la belleza que me pertenece. No siento nada especial por ella, pero tú alimentas todos mis sentidos. Me trae sin cuidado Madeleine o cualquier otra mujer en el mundo tan bella como ella. Yo te quiero a ti, y te quiero mucho.

Natalie se quedó embelesada por sus palabras y empezó a temblar descontroladamente, incapaz casi de respirar, con los ojos abiertos como platos y sin pestañear.

Jonathan se tranquilizó por dentro, sabiendo que ella al fin lo había comprendido. Natalie no contestó nada, pero irradiaba una mezcla de complejos sentimientos que se filtraron a través de la piel de Jonathan y lo reconfortaron. Y por encima de todo, y gracias al placer de una confianza absoluta, él supo que ella lo creía.

Jonathan sonrió con dulzura, acariciándole el mentón con el pulgar.

—Supe que te amaba hace dos noches, cuando nos sentamos juntos en el jardín. Y también creo que tú supiste lo que sentía entonces o no me habrías dejado hacerte el amor. Nunca me ha caído del cielo algo tan maravilloso ni que me haya sorprendido tanto.

Con la mirada titubeante, Natalie pestañeó al fin, pero él siguió sujetándole la cara casi pegada a la suya.

La boca de Jonathan se ensanchó en una sonrisa traviesa.

—Tal vez sea más exacto decir que nunca he tenido nada tan maravilloso sobre mi regazo.

Un atisbo de sonrisa temblorosa iluminó la cara de Natalie, pero se le llenaron los ojos de lágrimas, y él se dio cuenta de que ella estaba a punto de perder el control.

Jonathan tragó saliva con dificultad para contener sus propios sentimientos, tan poderosos e indescriptibles. Luego, se inclinó y le tocó la frente con la suya.

—Si te echas a llorar ahora, mi dulce Natalie, se te correrá por las mejillas todo el maquillaje que tan minuciosamente te has aplicado en la cara.

Ella se rió en voz baja al oír eso, sujetando con fuerza los dedos de Jonathan y colocándole la palma de la mano que tenía libre en el pecho, y a pesar del calor reinante en el salón y de la escandalosa actividad que los rodeaba, tuvo un escalofrío.

Jonathan le limpió una lágrima furtiva con el pulgar, deseando poder abrazarla por completo, deseando estar lejos de allí, de nuevo juntos en la posada, y poder haberle dicho aquellas cosas en el jardín de rosas donde él las había descubierto.

La besó dulcemente en la frente, y acto seguido se inclinó hasta su mejilla, acariciándola con los labios, oliendo las flores en su piel, consciente de que los dedos de Natalie se enroscaban en los suyos, del sentimiento que fluía de ella y lo bañaba de satisfacción.

—Sé que tú también me amas, Natalie —le susurró al oído—. Empezaste a amarme hace años.

Natalie negó con la cabeza vehementemente.

—Chist... —Jonathan sabía que la reacción de Natalie era fruto de la confusión, no de la contradicción, y le ahuecó la mano en la mejilla, sujetándola con firmeza contra él, mientras le rozaba la sien con los labios—. Sé que me amas. Confía en mí, Natalie.

—Jonathan...

La voz de Natalie pareció tan afligida, tan pequeña, que le produjo compasión. En ese momento alcanzó a ver a Madeleine, que se dirigía hacia ellos seguida del conde de Arlés y de cuatro o cinco hombres más vestidos impecablemente y, si la dureza de sus rasgos era indicativa de algo, prestos a la batalla.

—Estamos a punto de ser interrumpidos groseramente —le susurró él con un suspiro de fastidio—. En este romance nuestro, el don de la oportunidad ha sido siempre ridículo. —Le apoyó la mano en la cara y la miró—. Mi vida, con independencia de lo que está a punto de ocurrir, cree en lo que te acabo de decir. Ahora, sígueme la corriente hasta el final y de ninguna manera sigas furiosa conmigo.

Natalie no pudo responder a este último comentario. Tenía la mente embotada; el cuerpo le temblaba por el desconcierto y la impresión provocada por las apasionadas intimidades que él acababa de confesarle y que jamás había esperado oír de sus labios, pero eso sí, le creyó porque así lo quería de manera desesperada. Él exacerbó la sensibilidad de Natalie al máximo con su sonrisa, sus leves caricias, su voz profunda y aterciopelada que resonaba con añoranza y deseo y con su devoción a algo nuevo y maravilloso.

Y entonces, Jonathan se echó ligeramente a la izquierda de ella, dejándola a plena vista de los que se acercaban. Natalie había imaginado que la velada estaría cargada de tensión con una excitación única y había estado esperando el momento con ilusión con su parte racional, confiando en sorprender a Jonathan con su aparición adornada con las valiosas gemas, y sabía que al menos eso sí lo había conseguido. Jonathan se había quedado absolutamente sorprendido de verla, incluso había parecido quedarse estupefacto, si es que la expresión de su semblante se podía describir con exactitud, y eso no había hecho más que colmarla de seguridad en sí misma y de placer.

Entonces, él lo había sacado todo en cuestión de minutos con su verborrea amable y sus palabras acariciadoras, para dejarla sintiéndose terroríficamente al descubierto en presencia del conde de Arlés y de los otros que buscaban alterar la historia con la venta de las esmeraldas que llevaba prendidas alrededor del cuello. Su única protección en ese momento era Jonathan, porque su mente se había desmenuzado hasta quedar reducida a la nada con la declaración de amor, extrañamente inoportuna, de Jonathan. Le entraron ganas de atizarlo. Quiso echarse a llorar. Deseó acurrucarse entre los brazos de Jonathan y no abandonarlos jamás. En su lugar, se preparó para el enfrentamiento inminente y se limpió las mejillas con los blancos guantes con que se cubría los dedos, encantada al comprobar que, en contra de lo que temía, el maquillaje de los ojos no se le había corrido.

De pronto, los dos se vieron rodeados de varios franceses coléricos y de Madeleine, que se había movido cuidadosamente para colocarse de manera protectora a la derecha de Natalie. Las patillas del conde se ensancharon a causa de las mandíbulas apretadas, y sus ojos negros le sostuvieron la mirada a Natalie durante un largo instante de estatismo, antes de que el conde los levantara hacia Jonathan.

—Monsieur Drake —empezó a decir Henri con un tono de voz controlado, aunque gélido—, qué coincidencia que le veamos aquí, en mi casa de París, esta noche. Y con su esposa, que lleva mis joyas. ¿He de suponer que las encontró y ha venido a devolvérmelas?

En el pequeño y amenazante grupo alguien tosió al oír la ofensiva insinuación de que, hablando con propiedad, el inglés las había robado. De repente, Natalie se percató de la tontería que había hecho al ponérselas para ir allí. Ella y Jonathan estaban de pie contra la pared, rodeados por los legitimistas que querían ver muerto a su rey y que utilizarían las esmeraldas para financiar el asesinato, y que serían capaces de hacer lo que fuera por su causa. Solo había dos salidas a aquella situación: que los embusteros que tenía delante le arrancaran físicamente el collar del cuello o que ella se lo entregara. En uno u otro caso, Jonathan saldría perdiendo, y por primera vez, mientras la bruma de su cabeza empezaba a disiparse, se preguntó por qué no se había enfurecido con ella por su falta de juicio.

Desde un lejano rincón de la sala alguien exclamó: «¡Muerte a Luis Felipe!», a lo que los demás respondieron gritando con entusiasmo. Un rumor sordo recorrió el salón, y Madeleine, de pie entre Natalie y Henri, fue la primera en reaccionar con cortesía a la pregunta del conde, tocándole cuidadosamente el brazo con una mano recubierta de satén negro.

—Estoy segura, conde, de que no fue su intención ser tan brusco…

—¡Por favor, madame DuMais, manténgase al margen! —bramó el hombre en francés—. No le he pedido su opinión.

Madeleine retiró la mano, fingiendo haberse asustado, aunque Natalie sabía que probablemente esperaba semejante reacción a su comentario.

Jonathan se aclaró la garganta para hablar por fin, y sin soltar todavía los dedos de Natalie, se los apretó para tranquilizarla.

—Creo que es usted víctima de un grave malentendido, monsieur conde.

Natalie se puso rígida ante tanta audacia. El tono de Jonathan fue firme y directo, aunque no descortés, porque había devuelto sutilmente el insulto sin que nadie tuviera clara conciencia de que así lo había hecho.

El conde parpadeó, pasajeramente perplejo por la contestación, mientras sus fofas mejillas se cubrían de manchas rojas. Su cuerpo, cubierto con un atuendo de primerísima calidad de color gris, sobresalía como un escudo, y su semblante mostraba una expresión asesina. Si Natalie hubiera estado a solas con él de esa guisa, se habría muerto de miedo.

El hombre alto de ojos caídos que había sido tan descarado y se había enfurecido tanto en Marsella alargó la mano entre el conde y Madeleine y agarró las esmeraldas en su cuello con unos dedos largos y huesudos.

Natalie ahogó un grito y retrocedió un poco. Jonathan reaccionó con la rapidez suficiente para agarrar al hombre por la muñeca.

—Yo no cometería ninguna imprudencia —le advirtió con una mirada clara y una voz peligrosamente sombría.

Madeleine intervino en el momento justo.

—Vamos, monsieur Faille, ya es suficiente. Al menos deberíamos permitir al inglés que se explique.

—¿Que se explique? —dijo con furia, desviando la mirada de Jonathan a Madeleine y de esta a Natalie. El hombre enrojeció, y los músculos de su cuello se proyectaron contra su fular negro, pero, con un tirón, se soltó la muñeca que Jonathan le sujetaba y volvió a dejar caer torpemente el brazo a su costado—. ¿Cómo puede explicar su estupidez al permitir que su esposa se luzca aquí esta noche con eso?

Un argumento lógico, consideró Natalie, y eso dejaba a Jonathan en una situación difícil. Sintió su calor junto a ella, sus dedos envolviendo firmemente los suyos, y sintió su enfado ante la situación a la que se enfrentaban. Pero, por sorprendente que pareciera, en su actitud no dejaba traslucir preocupación o ni siquiera nerviosismo. Su voz era suave, y su porte, seguro.

Desoyendo a Faille, Jonathan miró directamente a Henri para, por fin, divulgar su secreto.

—Estas esmeraldas no le han sido robadas...

Una aclamación estruendosa estalló en el salón, seguida de varios gritos airados que provocaron que las palabras de Jonathan quedaran interrumpidas. Dos o tres de los circundantes se volvieron espontáneamente al oír el ruido, pero tanto Natalie como Jonathan no apartaron los ojos del conde, quien los estaba fulminado con una mirada de intensa furia, el grueso cuerpo rígido, la frente bañada en sudor y los ojos inyectados en sangre a causa de la bebida y del denso humo de tabaco que saturaba el aire.

Jonathan permaneció relajado, esperando el momento de atacar. Natalie lo supo porque lo conocía. Estaba preparado, dispuesto, y sabía exactamente lo que estaba haciendo. Ella confió en él.

—En efecto, conde —prosiguió Jonathan mientras el jaleo disminuía un poco—. Estas no son, ni mucho menos, sus esmeraldas. Este collar es de fantasía. Encargué que lo hicieran para mi esposa en París, hace solo unos días. Se quedó prendada del que llevaba su hija en el baile de Marsella, así que me pareció adecuado darle ese capricho.

Natalie se quedó paralizada y volvió lentamente la cabeza para mirarlo de hito en hito.

Jonathan torció la boca en una sonrisa cáustica dirigida exclusivamente a Henri.

—Robar piedras preciosas es algo arriesgado, conde. De la misma manera que solo un idiota se arriesgaría a permitir que la persona amada portara unas valiosas joyas robadas en público. Lo que mi esposa luce en este momento es un montón de vidrios verdes que valen un poco menos que esa aguja rematada en perla que lleva en la solapa.

Natalie se enfureció a su lado, con los pies apoyados rígidamente y el cuerpo como una piedra fría. Registró la revelación como un puñetazo en el estómago, y se lo aclaró todo: las mentiras, el engaño, la humillación y el dolor. Durante dos semanas había permitido que ella pensara que lo había vencido, solo para hacerla quedar como una idiota al final. Jonathan la miró, pero sintió la reacción de Natalie, porque encogió los dedos alrededor de los suyos aún con más fuerza, negándose a soltarlos.

Luego, el desconcierto más absoluto se extendió entre los que estaban en los alrededores. En el salón alguien se subió a una mesa y, levantando una copa que rebosada de un líquido ambarino, dio comienzo a una extensa y etílica discusión sobre la política del gobierno en el poder y la de aquellos que gobernaron en tiempos mejores. Muchos manifestaron su acuerdo a gritos, mientras que otros se subieron a las sillas para responderle. Natalie nunca había visto algo igual, y en cualquier otra parte se habría sentido fascinada al observar a los caballeros, e incluso a algunas damas, comportándose con tanta desvergüenza. Pero en ese momento su atención permanecía clavada en aquellos que tenía directamente enfrente, sobre el conde de Arlés y sus compañeros legitimistas; sobre Madeleine y Jonathan... el mayor mentiroso del mundo.

—No le creo —le espetó el conde con una tranquilidad absoluta—. Ni su credibilidad ni mi imaginación y tolerancia pueden dar tanto de sí, monsieur Drake.

Faille se acercó, obstruyendo el paso a la luz del gran candelabro con su cabeza.

—Está mintiendo, Henri —dijo otro francés corpulento—. Nadie podría hacer una copia de fantasía tan perfecta en menos de quince días.

Eso tal vez fuera verdad. Sin embargo, Jonathan no hizo caso, lanzando una mirada ferozmente sutil a Henri.

—Y sin embargo, le garantizo que este collar no es más que una falsificación muy lograda.

Natalie se estremeció, enfurecida por su arrogancia y la artera utilización de su inteligencia. Pero, precisamente por eso, le creyó. Las gemas que llevaba alrededor del cuello eran de vidrio. Ese era el Caballero Negro en todo su esplendor: impresionando a todo el mundo con revelaciones audaces e imprevistas. Y sí, ella le seguiría la corriente hasta el final, porque así se lo había pedido él. Y no lo habría hecho a menos que confiara en que ella no arruinaría el trabajo de su vida en un ruidoso y multitudinario salón de banquetes de París. Ella nunca le haría eso, y él lo sabía.

Natalie ladeó el cuerpo para dar un paso al frente y quedarse delante del ingenioso ladrón de su loco deseo. Le acarició los nudillos con el pulgar para tranquilizarlo, y, con aquel gesto mudo, él la soltó por fin.

—¡Por Dios bendito, caballeros, qué gran malentendido sin motivo alguno! —exclamó como una mujer que no soportara las tonterías de los hombres. Con una sonrisa forzada, puso la palma de la mano en el brazo de Henri. El hombre se estremeció, pero ella fingió no darse cuenta—. Por favor, monsieur, insisto en que se las quede.

—Natalie, querida —dijo, aterrado, Jonathan en tono de súplica.

Ella le dirigió una gélida sonrisa.

—No pasa absolutamente nada, querido. La prueba es necesaria, y en las actuales circunstancias, no podemos esperar marcharnos de aquí esta noche con ella. —Sus ojos se fundieron con los de él con fingido candor—. Ya me comprarás muchos, muchos otros, estoy segura. —Durante un segundo Natalie pensó que Jonathan estropearía su personaje y soltaría una carcajada.

Natalie suspiró y volvió su atención de nuevo al conde, que en ese momento parecía estar genuinamente desconcertado por la sugerencia de Natalie de que pudiera ser convencida con tanta facilidad. En realidad, todos parecieron incómodos cuando cayeron en la cuenta de que, con el ofrecimiento de Natalie de entregar las falsas joyas sin discutir, se habían equivocado en sus suposiciones y habían insultado a un influyente inglés y a su inocente esposa en la casa parisina del conde. Natalie puso fin a todo ello de inmediato y explotó la coyuntura al darle unas palmaditas en el brazo a Henri con cierta condescendencia con la que quiso expresar una muda comprensión hacia las absurdas complejidades del ego masculino.

Entonces, sin esperar más respuesta, levantó los dedos hasta su cuello y desabrochó el collar, sacándoselo por delante y alargándoselo al conde.

El verde esmeralda y el oro resplandecieron a la luz de los candelabros; una magnífica falsificación que Natalie odió perder.

Henri se lo cogió con sus dedos regordetes, lo agarró con fuerza, y sus pobladas cejas se juntaron mientras daba la vuelta al collar para estudiar su estructura.

—Vaya, para ser mujer —carraspeó— es usted astuta, madame Drake. Y también honrada.

—Como lo es su marido —terció Madeleine dejando caer la barbilla con tacto.

Aquella fue la ofensa definitiva. El conde y los demás distinguidos nobles se habían comportado vergonzosamente con ella y con Jonathan, y tal reconocimiento había provenido de una francesa. Un toque magnífico. Natalie sintió que el aire ganaba densidad con la vergüenza y el triunfo.

Alguien gritó unas obscenidades, y todos se volvieron.

Y entonces Natalie oyó los estallidos, dos, seguidos de gritos y de una gran confusión.

Jonathan la agarró de la muñeca y tiró de ella hacia el suelo, y los pies de Natalie se enredaron en las enaguas y en metros de tafetán azul mientras intentaba mantener el equilibrio. Oyó gritos a lo lejos, y gemidos. Natalie oyó a Madeleine gritar algo en francés detrás de ella, pero no pudo entenderlo. El conde giró sobre sus talones perdiendo el equilibrio, golpeado en la espalda por varias personas que se abrieron paso entre la muchedumbre. Faille arrancó el collar de las manos de Henri y echó a correr a toda velocidad junto al borde de la mesa del bufé, en dirección a una entrada lateral, tropezando con sus largas piernas y cayéndose por dos veces antes de alcanzarla.

El griterío continuó, la confusión aumentó, y por encima del ruido se produjo otro estallido, que en ese momento Natalie identificó como el disparo de una pistola. Jonathan la empujó a lo largo de la mesa del bufé, de manera que no pudo ver gran cosa excepto a él y unos cuantos pies en desbandada. Él le dijo algo a Madeleine en francés, se volvió hacia Natalie y le agarró la cara con dedos firmes.

—Madeleine te sacará de Francia…

—¡No me iré! —exclamó furiosa y confusa, intentando afirmar su figura desequilibrada para no tropezar y darse de bruces con la mesa.

Jonathan hizo rechinar los dientes.

—Las autoridades no tardarán en llegar, tal vez incluso hasta la Guardia Nacional, si las cosas se ponen más feas. —Le aferró la cara con más fuerza—. No te pueden detener, ¿lo entiendes?

Natalie hizo una mueca hacia la dura expresión de Jonathan, mientras echaba chispas por la determinación que mostraba. Alguien cayó contra la mesa, tirando las copas abandonadas de champán y de whisky y provocando que los contenidos se derramaran sobre el lateral y la parte delantera del vestido de Natalie.

El ruido aumentó. Una silla lanzada por los aires hizo añicos una ventana a pocos metros de ella, y Natalie empezó a ponerse tensa por el miedo.

—Me marcharé, pero vendrás conmigo…

—No puedo —adujo él, mirándola directamente a los ojos—. Tengo que contarle a alguien con autoridad lo de mañana.

—Madeleine puede hacer eso.

Él negó con la cabeza.

—Nadie la creerá. Es francesa y mujer, y o sospecharán que está involucrada o la ningunearán. A mí probablemente me tomen en serio, pero eso significa que no me puedo ir hasta mañana como muy pronto. Ella puede sacarte del país esta noche.

—¡Debemos irnos mientras la gente siga desorientada! —les interrumpió Madeleine con un grito por encima de la barahúnda, arrodillándose detrás de Jonathan.

Natalie se negó a mirar a la mujer o a rendirse tan fácilmente.

—Me quedaré en el hotel con ella hasta que vengas a buscarme…

—¡Maldita sea, Natalie, no! Tú… —Jonathan se interrumpió, le soltó la cara y se pasó ásperamente los dedos de una mano por el pelo para tranquilizarse—. Si esa gente intenta asesinar al rey, las calles serán un hervidero de agitación, y podría ser que no consiguieras marcharte. Las cosas ya son lo bastante peligrosas. Hiciste un trabajo maravilloso para mí, corazón, pero se acabó. Vete a casa ya.

Natalie lo miró con ferocidad y le golpeó con un puño en el pecho.

—¡Te odio, Jonathan!

Jonathan sonrió, avergonzado.

—Lo sé. Ahora, vete.

Se volvió hacia Madeleine, y Natalie le agarró de la manga de la levita.

—No pierdas la vida…

El griterío aumentó, y los quejidos se hicieron estridentes.

Jonathan puso los ojos en blanco en señal de exasperación.

—Nunca te privaría del placer de arrebatármela tú misma.

Ella abrió la boca para decir algo ingenioso, pero la volvió a cerrar. Entonces Jonathan la besó con fuerza en los labios.

—Sal de Francia, Natalie, antes de que te retengan o seas detenida. Tu madre no lo aprobaría.

—Tampoco te aprobaría a ti —dijo, casi gritando.

Él la miró por última vez.

—Sí, sí que lo hará.

Entonces, Jonathan desapareció entre el tumulto, mientras Madeleine la arrastraba por el brazo hasta que se encontró fuera de la casa, de pie en la oscura y peligrosa calle.

18

Las cortinas de gasa tamizaban el claro de luna que iluminaba el vestíbulo cuando Jonathan entró en su casa de la ciudad. Pagó al conductor de alquiler después de que el hombre dejara su baúl en el suelo, lo despidió y cerró la puerta al mundo exterior. Era casi medianoche, y estaba agotado, aunque aliviado por estar en casa.

Tras aflojarse el fular, cruzó en silencio la primera planta hasta la escalera principal, decidiendo no encender la luz. No había necesidad. No tenía otra intención que la de dejarse caer en la cama y dormir hasta recuperarse del agotamiento de las últimas semanas. Al día siguiente, bien descansado y preparado para enfrentarse a su futuro, haría su primera visita formal a la señorita Natalie Haislett.

Por lo que sabía, había llegado a casa sana y salva, pero quién sabía si volvería a hablarle pronto. Había pasado casi una semana desde la desastrosa fiesta de París, y a los legitimistas les había salido todo mal. Pero estaba cansado de inmiscuirse en los asuntos de aquella gente. Su vida estaba en Londres o, más exactamente, la que estaba en Londres era Natalie, y su vida estaba con ella.

La echaba de menos, y nunca antes había echado de menos a una mujer. Natalie se le había metido en el corazón, y él había sucumbido. Ella le perdonaría por la última pequeña mentira sobre las esmeraldas, no solo porque su egocéntrica mente no aceptaría algo menos, sino porque ella también lo amaba, y él lo sabía.

Subió las escaleras hasta el descansillo de la segunda planta, desabotonándose los gemelos y siguiendo por los botones inferiores de la camisa mientras penetraba en la oscuridad de su dormitorio. La vio inmediatamente y se detuvo en seco.

Su cuerpo estaba cubierto por la colcha; un resplandor plateado resaltaba la curva de su figura mientras el brillo de la luna entraba a raudales por la alta ventana situada detrás. Ella se movió y se volvió hacia Jonathan, advirtiendo su presencia cuando él se detuvo observándola fijamente. Se sentó en silencio y saltó a la alfombra para dirigirse hacia él, completamente desnuda.

—¿Jonathan?

El cuerpo de él reaccionó con jubiloso asombro al encontrarla entre sus sábanas, por el tono íntimo y grave con que había pronunciado su nombre y por la visión de verla acercarse desnuda hasta su lado.

—¿Esperabas a otro? —bromeó él en voz baja.

—Sí, estaba esperando a mi amante —respondió ella con aire despreocupado, echándose los rizos hacia atrás con un brusco movimiento de cabeza—. Aunque todavía no ha llegado, así que supongo que tendré que conformarme contigo.

Jonathan levantó una de las comisuras de la boca.

—Creo que puedo hacer que te olvides de él.

Ella levantó las cejas.

—¿De verdad? Cuánta arrogancia. —Y con alegre irritación, añadió—: Aunque, por otro lado, ya que eres el que está aquí y el único que tengo a mano, supongo que puedo asumir la responsabilidad de hacer que te olvides de todas las demás amantes que has tenido en esta cama.

La sonrisa de Jonathan se ensanchó.

—Ya lo hiciste en París, Natalie. Ahora no soy capaz de recordar si he tenido alguna amante antes que tú.

Natalie suspiró y movió el cuerpo lentamente hasta acercarse tanto al de Jonathan que sintió el calor que desprendía.

—Esa es la respuesta correcta, Jonathan, y, por supuesto, lo que pensaba que dirías.

Él le tocó la mejilla con la palma de la mano, y Natalie la cubrió enseguida con la suya, volviendo la cara contra ella y besándosela. Se puso delante de él como una diosa salida de sus fantasías más entusiastas: la piel brillando como si fuera de madreperla, el cuerpo sensual y suave, el pelo abundante y rizado sobre los senos y los ojos negros por las sombras.

—Te he echado de menos —susurró ella.

Y Jonathan se perdió.

La cogió por un codo, la atrajo hacia él y le rodeó la cintura con los brazos, pegándosela tanto al cuerpo que Natalie pudo percibir la evidencia de su deseo, y bajó los labios para rozarle los suyos.

—Madeleine me dijo…

—No quiero hablar de Madeleine —le murmuró él junto a la boca—. Quiero que me digas lo que sientes en tu corazón, Natalie.

Natalie levantó las manos y le colocó las palmas en las mejillas.

—Estoy furiosa contigo.

—Eso ya lo sé.

Ella le rozó los labios con unos besos delicados.

—Te necesito.

—Eso también lo sé.

Natalie tuvo un estremecimiento cuando él le subió las yemas de los dedos arrastrándoselas desde la cintura hasta el pecho. Le puso la mano encima y se lo acarició, sintiendo cómo la piel caliente que tenía debajo se estremecía y haciéndola jadear cuando le apretó dulcemente el pezón hasta conseguir que se excitara.

—Dime lo que necesito oír —le rogó en un susurro.

Con voz aterciopelada y llena de pasión, Natalie suplicó:

—Ámame, Jonathan…

Al oír aquella pequeña petición, la urgencia lo dominó. Se apoderó completamente de su boca con una avidez descarada, dejándola sin resuello con un beso violento de fuerza frente a la suavidad, de pasión y deseo vehemente frente a la dulzura, el perdón y la aceptación. Natalie separó los labios sin insistencia, dando la bienvenida con avidez a la lengua de Jonathan con un amplio movimiento de la suya, y la sangre de él empezó a hervirle.

La empujó dulcemente hacia la cama con una mano, mientras que con la otra se ocupaba de los botones de su camisa que todavía permanecían abrochados. Natalie le agarró de los hombros mientras la guiaba, saboreándolo con una creciente impaciencia por sentir.

Las pantorrillas de Natalie rozaron el edredón de Jonathan, y al sentirlo, interrumpió el beso. Jonathan la miró fijamente a la cara oculta en las sombras y los rasgos inescrutables, y sin embargo percibió todo lo que ella sentía por él. Irradiaba de ella y lo envolvía de calidez y gozo, como si fuera el sol de verano bañándole la piel.

Natalie se tumbó en la cama mientras él se deshacía con rapidez de la ropa, y sin que se diera cuenta ya lo tenía a su lado, tocándola, besándola en la boca y el cuello, en las mejillas y las cejas y en las pestañas.

Ella gimoteó en voz baja cuando Jonathan volvió a tomarle un pecho con las manos y le pasó los dedos por la base, acariciándoselo tiernamente.

Su verga, dura, caliente y dispuesta, rozó la cadera de Natalie. Pero en lugar de apartarse tímidamente, como había hecho la primera vez, se apretó contra el miembro, cerrando las piernas alrededor de Jonathan para amoldarlo a ella con fuerza. Él gruñó al sentir el contacto y le rodeó la cintura con el brazo, porque ya estaban tumbados uno al lado del otro muy cerca, y la besó intensamente, respirando con rapidez y dificultad.

Natalie le apoyó las palmas de las manos en el pecho y le masajeó los músculos con energía; luego, las bajó entre sus cuerpos hasta que encontró los rizos de su bajo vientre.

Jonathan se retiró, soltándole la boca y tomando aire con

fuerza ante la audacia que no esperaba de Natalie. Ella le tocó aquella suave y caliente parte de su cuerpo, y su expresión de incertidumbre solo fue ligeramente discernible bajo la tamizada luz de la luna.

Sí —la tranquilizó él con un susurro ronco, acariciándole la suavidad de su pecho.

Con cuidado, ella lo exploró con los dedos, moviéndolos arriba y abajo por su exigente erección, jugueteando con los rizos de la base y rozándole con las uñas por la parte exterior. Entonces, ella cerró la mano completamente sobre el pene, y su pulgar encontró una emergente gota satinada en la superficie, que extendió con suavidad por la punta trazando un lento círculo.

Jonathan tuvo problemas para respirar, para contenerse. Ansiaba copular con ella, enterrarse en el calor de su suavidad, pero en ese momento deseaba aún más desesperadamente que ella descubriera las duras aristas y la fuerza de su cuerpo, las diferencias físicas que había entre ellos. Bajó la mano y con ella cubrió las de Natalie, mirándola seriamente a los ojos, y le enseñó a acariciarlo, moviéndole la mano lentamente arriba y abajo a lo largo de su erección, hasta que ella adquirió confianza en el movimiento.

Jonathan volvió a subir la mano a un pecho de Natalie, donde le acarició la punta dura y rosácea con los dedos. La otra se la apoyó en la frente, retirándole con suavidad el pelo de su preciosa cara y tomando nota de todos sus rasgos bajo el débil haz de luz.

—Dime cómo te sientes —la instó de nuevo en voz baja, con la voz pastosa a causa del deseo.

El cuerpo de Natalie tembló, mientras su respiración se convertía en un jadeo a causa de las caricias constantes de Jonathan.

—No me dejes nunca, Jonathan.

Aquellas palabras casi inaudibles salieron de muy dentro en alas de un anhelo de algo que ella no era capaz todavía de definir para Jonathan. Él se obligó a mantener la calma, a contener su eyaculación, mientras Natalie seguía acariciándole con la mano, tragando saliva con dificultad, maravillado por tenerla a su lado deseándolo y queriéndolo siempre.

—Te amo, Natalie.

Ella respiró entrecortadamente por la fuerza de sus sentimientos, y él ya no pudo esperar más.

Le cubrió la boca con la suya, besándola delicadamente al principio, abriéndole después los labios con la lengua e invadiendo su boca caliente con una necesidad creciente. Bajó la mano y volvió a tocar las de Natalie, que seguía acariciándolo íntimamente, rozándole los dedos con las yemas de los suyos. Al final, la necesidad lo invadió; el corazón le latió con fuerza y supo que estaba a punto de no poder contenerse. Cerró la mano sobre los nudillos de Natalie para que parase el movimiento, y ella obedeció. La besó con intensidad, le rozó la frente con el pulgar y le apartó la mano con que ella le estaba tocando, colocándosela a un lado.

Jonathan le soltó la boca y empezó una senda de suaves besos bajándole por el cuello y el pecho, donde le rodeó la cúspide de un seno con la lengua, se metió el pezón en la boca y se lo besó y chupó hasta que Natalie soltó un gemido. Bajó entonces la mano hasta los rizos del pubis de Natalie, y allí le rozó la carne suave del interior de los muslos con las yemas de los dedos, antes de encontrar los pliegues calientes y resbaladizos y separarlos para acariciarla lenta y deliberadamente allí.

Natalie jadeó y se arqueó contra la mano de Jonathan, moviéndole los dedos por el pelo a medida que crecían sus expectativas. Él incrementó el ritmo, chupándole los pezones, uno tras otro, aumentando la presión de los dedos y, finalmente, metiendo uno dentro de ella cuando encontró el nudo oculto del placer de Natalie y empezó a trazar círculos encima con el pulgar.

Natalie se apretó contra él y levantó las caderas rítmicamente, con su propia cadencia, cerrando los ojos una vez más para sentir la excitante invasión de Jonathan.

Él le deslizó los labios por el vientre, y se detuvo para frotar la mejilla entre los rizos de la entrepierna de Natalie al tiempo que aspiraba su olor, refocilándose en su belleza mientras la acercaba a su maravilloso punto álgido. Le rozó los muslos con los labios, y Natalie se puso ligeramente tensa, confundida por la niebla del deseo sin saber muy bien cuáles eran las intenciones de Jonathan.

—Limítate a sentirme —le susurró él antes de retirar la mano y sustituirla rápidamente por la boca, saboreándola y penetrándola con la lengua.

—Jonathan…

Él desoyó la pasajera conmoción de Natalie y le deslizó las palmas de las manos por debajo para mantenerla inmóvil mientras la lamía por dentro, hasta que ella terminó por aceptar la intrusión y empezó a arder de nuevo con una fiebre de ansiedad.

Se aferró a él, entrelazándole los dedos en el pelo, y su respiración se hizo rápida e irregular mientras empezaba a impulsar las caderas contra la boca de Jonathan. Este jugueteaba sin cesar con la lengua en el centro de ella, llevándola al borde de la satisfacción y aflojando entonces la presión, una vez, y luego otra.

Al final, Natalie pronunció gimiendo su nombre en aquel delicioso tormento, y Jonathan dejó de juguetear y la llevó hasta allí. Natalie cerró los muslos con fuerza, apretándole la cabeza entre ellos. Entonces el placer estalló en su interior, y gritó, girando las caderas mientras Jonathan seguía moviendo la lengua, acariciándola y lamiéndola.

Cuando sintió que los temblores de Natalie amainaban, se apresuró a cubrirla con su cuerpo, bajándose entre sus piernas y amoldando las caderas de Natalie a las suyas. Titubeó durante unos segundos, oyéndola respirar agitadamente y sintiendo su humedad en la piel, y al final Natalie abrió los ojos para mirarlo.

Jonathan contempló su cara casi oscurecida y le acarició los labios con las yemas de los dedos mientras la penetraba, profundamente, resistiéndose a moverse más mientras ella se acostumbraba a la presión y a su ocupación. Ella le rodeó los muslos con las piernas, y el cuello con los brazos, atrayéndolo hacia sí cuanto pudo.

Todo lo de ella lo cautivaba, como siempre había ocurrido: el pelo brillante que se desparramaba con un lustre plateado por las almohadas; sus ojos magníficos, en ese momento unos círculos de satén negro que lo acariciaban, hipnotizándolo; su tacto suave, su olor seductor y, por primera vez, el dulce sabor de su femineidad, que permanecía en sus labios como un néctar melifluo.

—Nunca te dejaré —susurró Jonathan con una intensidad que lo dejó estupefacto incluso a él.

Natalie respiró hondo y entrecortadamente, sintiendo la fuerza radiante que había entre ellos, comprendiéndola.

—Lo sé.

Jonathan le apoyó la frente en la suya, enredando los dedos en su pelo, y empezó a deslizarse afuera y adentro de ella sin cesar con pequeños y lentos movimientos, hasta que sintió que ella relajaba los muslos y se acostumbraba a la sensación.

Natalie empezó sus pequeños movimientos contra él, frotando la cara interior de los muslos contra los suyos, y Jonathan fue aumentando gradualmente el ritmo, hundiéndose más a cada penetración. Natalie arqueó el cuerpo lo suficiente para que él se diera cuenta de que quería más, y se lo dio, cambiando el ritmo hasta que ella se acostumbró, haciendo girar las caderas en círculo para ayudarla a llegar al éxtasis otra vez.

Natalie ajustó la fuerza de cada impulso a medida que crecía la pasión, apoyándole las palmas de la mano en el cuello, y su respiración volvió a hacerse superficial. Jonathan le puso las manos en un pecho y lo agarró posesivamente, deslizando los dedos por el pezón, rodeándolo y apretándolo.

Natalie hundió la cara en la almohada, y él incrementó el ritmo, girando las caderas contra ella, besándola en la sien, en la mejilla y en el arco del cuello.

Se contuvo por ella, concentrándose, y la besó en la cara, y el lóbulo, que rozó con los dientes, y le acarició los senos con dedos expertos. El calor que irradiaba Natalie le quemó la piel, y su respiración le acarició la mejilla; y el cuerpo de Jonathan se tensó con su propio fuego a punto de alcanzar el clímax.

Natalie se retorció frenéticamente debajo de él entre gemidos, y, al final, él ya no pudo aguantar más. Llegando a los límites de la cordura, alzó el cuerpo para contemplar la belleza de la cara de Natalie, y, con la misma rapidez, esta le agarró de las caderas con manos fuertes y lo obligó a permanecer dentro de ella.

El cuerpo de Jonathan se tensó; luego, se relajó y explotó por dentro. Natalie siguió moviendo las caderas, moviéndolas en círculo contra él, impulsándose contra él, hundiéndole las uñas en la piel, hasta que por fin susurró su nombre y alcanzó el exquisito placer por segunda vez. Sus piernas se sacudieron salvajemente, los músculos íntimos se contrajeron alrededor de él, y Jonathan la observó y lo sintió todo, lo saboreó todo, lo amó todo.

Y la amó a ella.

19

Jonathan se movió, cerrando los ojos con fuerza al resplandor de primeras horas de la mañana. Sintió el cuerpo entumecido bajo las sábanas y la mente embotada, y entonces volvió el recuerdo de la noche previa, y supo que en su cara relucía una sonrisa que lo avergonzaría delante de cualquiera.

Levantó un párpado, sin abrir del todo el ojo, y alargó la palma de la mano hacia ella, pero no la encontró a su lado. Entonces la oyó moverse abajo, en la cocina, y el dulce zumbido de su voz fue suficiente para sacarlo de debajo de la colcha.

Se vistió de cintura para abajo, se salpicó la cara con agua fría de la jarra llena de la jofaina, se pasó los dedos todavía húmedos por el pelo y salió del dormitorio.

Bajó las escaleras deprisa y recorrió el pasillo a grandes zancadas, pero se detuvo en la puerta de su cocina, porque la repentina visión de Natalie lo deslumbró.

Estaba de pie junto a la cocina, vuelta hacia él con las manos a la espalda y vestida solo con un salto de cama rojo oscuro, atado a la cintura con un fajín, lo que dejaba la prenda abierta desde los muslos hasta abajo y con un gran escote entre los pechos. Se había recogido el pelo suelto con pinzas en lo alto de la cabeza, aunque unos cuantos mechones rizados le caían desordenadamente por las sienes, el cuello y la espalda.

Natalie le lanzó una sonrisa titubeante, y sus mejillas se

tiñeron ligeramente de rosa cuando se dio cuenta de la presencia de Jonathan, mirándolo a través de unas pestañas medio levantadas; él tuvo la certeza de que no había visto jamás nada más seductor en su vida.

¡Dios santo!, era tan hermosa, tan dulce, tan suave y femenina que lo conmovía en aspectos que jamás habría imaginado. Jonathan sintió el cuerpo tenso, se le cortó la respiración, y se preguntó qué pensaría ella si le tirara lentamente del fajín y le bajara la lengua por el hombro hasta hacerla gemir y entonces la poseyera…

—Te he hecho el café —dijo ella con timidez.

—Feliz y satisfecho como jamás había estado antes es lo que me has hecho, Natalie —la corrigió, arrastrando lentamente las palabras con voz susurrante.

Una sonrisa volvió a iluminar el rostro de Natalie, quien miró hacia sus pies descalzos para huir de la ardiente mirada de Jonathan.

—Estás delirando.

Él rió entre dientes y se acercó lentamente hacia ella.

—Creo que sería más exacto decir que soy dichoso y que lo sé.

Ella negó con la cabeza y susurró:

—Jonathan, anoche…

—Fue perfecto —terminó por ella.

Natalie casi soltó una carcajada, pero logró contenerse con dificultad.

—Eso no era lo que iba a decir.

Él le cogió la barbilla entre los dedos y le levantó la cara para que no pudiera rehuir su mirada.

—¿Ibas a decir que fue menos que perfecto? —Los ojos de Jonathan se abrieron con una pena ingenua—. Estoy desolado.

El cuello de la bata de Natalie amenazaba con deslizársele por el brazo, y ella tiró de la prenda para subírselo en un intento de mantener la seriedad, aun cuando sus ojos se entrecerraron divertidos.

—Tenemos que hablar de temas serios, antes de que nos metamos en algo… íntimo.

—Ah… por supuesto. —Él le soltó la barbilla y miró por encima del hombro de Natalie—. Está hirviendo.

Natalie se volvió con torpeza en el exiguo espacio que quedaba entre el pecho desnudo de Jonathan y la cocina.

—Al fin. Ve a sentarte a la mesa.

Jonathan consideró lo de apartarse de la calidez absorbente de su cuerpo y del olor a lilas de su pelo, pero hacerlo era muy difícil. ¿Y eran lilas? No era capaz de recordar cómo olían las lilas exactamente, pero se suponía que tenían un olor fuerte, y el pelo de Natalie olía a limpio y a flores, por supuesto, y él lo percibía con fuerza contra su…

—Jonathan, siéntate —le ordenó, encogiendo y levantando un hombro contra su cara entrometida—. Me estás respirando en el cuello.

Él suspiró ruidosamente y masculló:

—Si insistes.

—Insisto.

Jonathan le deslizó la lengua por el suave borde de la oreja. Ella se estremeció, pero no hizo caso, y él se apartó por fin del sensual tacto de la bata de seda, que le rozaba el pecho, y se dirigió a la mesa de roble, donde habían tomado su primer café juntos hacía más de dos meses.

Sin embargo, esa mañana ella ya había preparado servicios para dos, con platos, cucharas, un azucarero y una jarrita de crema que había colocado entre ellos. En el centro de la mesa había unos bombones, dispuestos en un plato formando un corazón.

Jonathan se los quedó mirando desconcertado, con la cabeza ladeada y una sonrisa sinuosa en la boca.

—¿Bombones para desayunar?

Ella no dijo nada, y al cabo de uno o dos segundos, Jonathan se volvió para mirarla. Natalie llevaba las tazas en las manos mientras caminaba en dirección a Jonathan, procurando no mirarlo.

—¿Qué es esto? —preguntó él con suspicacia, sacando la silla para que se sentara Natalie.

Ella la lanzó una mirada maliciosa y colocó las tazas de café llenas sobre los platos.

—Es simbólico, pero te lo explicaré dentro de un momento.

Absteniéndose de hacer comentarios sobre el simbolismo de los bombones a las siete y media de la mañana, se sentó después de que lo hiciera ella, a su lado, estudiándola y observando el nacarado escote expuesto entre la seda carmesí, las largas pestañas, en ese momento bajadas, la forma que tenía su frente de arrugarse formando dos líneas de concentración mientras añadía media taza de nata y al menos tres cucharadas de azúcar.

Embelesado, Jonathan se llevó la taza a los labios y de repente sintió deseos de haber añadido lo mismo. El café estaba muy amargo, casi imbebible, pero lo había hecho ella, y Jonathan fingió no notarlo.

—Esta mañana me has estado observando —lo amonestó en voz baja.

Él esbozó una sonrisita.

—Una fea costumbre que, imagino, me perseguirá durante los próximos cincuenta años.

Ella sonrió, bajando la mirada mientras se recostaba en la silla.

—Así lo espero.

Era su primera concesión verbal a su aceptación de pasar toda una vida junto a él, y el pensamiento, la mera idea hizo que el corazón de Jonathan se desbocara. Le dio otro trago a aquel café increíblemente horrible para ocultar su expresión de euforia, por si ella decidía levantar la vista.

—¿Cómo entraste aquí, Natalie?

Ella miró fijamente los bombones.

—Encontré una llave debajo de una maceta, en los escalones de piedra que llevan a la entrada del servicio.

—Mi ama de llaves, Gerty, es bastante olvidadiza —le explicó sin mostrar ninguna sorpresa.

—Eso supuse.

—¿En serio?

Ella desoyó la insinuación contenida en la sencilla pregunta, decidiendo en apariencia que él no tenía que decir en voz alta que nunca dejaría una llave a una amante para que entrara por la puerta de servicio. Eso era exagerado, y ella lo sabía.

Natalie le dio por fin un sorbo al café, y puso cara de asco.

—No está muy bueno...

—Está excelente —la contradijo Jonathan, llevándose la taza a los labios sin expresión—. ¿Cuánto tiempo llevas aquí?

Aquello la hizo sentir incómoda, y se retorció en la silla lo suficiente para que la seda se abriera un poco más, dejando al descubierto el pecho derecho casi hasta el pezón. Aunque ella no se dio cuenta, y Jonathan no se sintió inclinado a decírselo.

Natalie miró a través de la ventana.

—Llevo aquí desde el martes.

Eso lo sobresaltó.

—¿No has ido a tu casa?

—No. Te he estado esperando.

Jonathan supo que había sonreído abiertamente al oír la contestación. Tal vez demasiado.

Natalie se tocó un mechón suelto del pelo y se lo enrolló en el dedo con aire ausente.

—Tus criados volverán pronto, ¿no es así?

—Quizá les pida que vuelvan el lunes —contestó—. Solo son dos, y les pago de todas maneras.

—Entonces me puedo quedar el fin de semana.

No era una pregunta fortuita, sino una afirmación intencionada llena de esperanza, y de pronto, quiso sentársela en el regazo, que su boca se demorase en la suya, que su desnudo trasero se frotara contra él.

—Tengo que saber algunas cosas, Jonathan.

Este se llevó la taza a los labios.

—¿Mmm?

Segundos más tarde, Natalie volvió a mirarle a los ojos inquisitivamente.

—Primero —empezó ella con aire pensativo—, más allá del hecho de que sé que Luis Felipe está vivo y a salvo y que sigue en el poder, no tengo ni idea de qué ocurrió en París después de mi partida.

Jonathan levantó las cejas y se relajó en la silla.

—Bueno, la verdad es que no pasó gran cosa. El conde de Arlés y otros seis o siete legitimistas fueron detenidos el domingo por la mañana temprano. El intento de asesinato se llevó a cabo según lo planeado, y hubo una refriega entre la multitud. Pero el rey no llegó a estar nunca en verdadero peligro.

—Gracias a ti, supongo —lo dijo con una orgullosa inclinación de cabeza.

Él volvió a sonreír abiertamente.

—En realidad, no, pues de todos modos estaba bastante bien custodiado.

—Qué modesto estás hoy, Jonathan.

Con un insignificante encogimiento de hombros, él admitió:

—Acepto el mérito cuando me corresponde.

Aquello casi la hizo soltar una carcajada.

—Sí, por supuesto que lo haces. Eres muy bueno en eso.

Jonathan centró la atención en su taza, pasando la yema de un dedo por el borde.

—Aunque a lo largo de la ruta del desfile, resultaron heridas varias personas. Dos o tres de gravedad. La escasa información que revelé no pudo evitar la agitación. —Su expresión se hizo cautelosa, y su voz adquirió un tono de mayor seriedad—. Luis Felipe no durará más de un año, Natalie. Su reinado, si es que se le puede llamar así, está a punto de extinguirse ya. La gente está inquieta y preparada para el cambio.

—¿Y tu buen amigo el conde de Arlés?

Jonathan sacudió la cabeza, frunciendo el ceño.

—Probablemente esté en su casa de Marsella, y que ya se haya olvidado todo el episodio. Él y los demás nobles de su generación son demasiado importantes para mantenerlos detenidos durante una época de tanta agitación civil. El gobierno francés se juega demasiado para intentar perseguir a unos hombres ricos e influyentes por una conspiración de asesinato con la que es difícil relacionarlos directamente. —Volvió a mirarla a los ojos—. Los legitimistas quieren a Enrique en el trono, y quizá acaben cumpliendo sus deseos.

Natalie reflexionó sobre aquello un instante, dándole sorbos al café y mirando fijamente a la mesa.

—¿Vas a decirme lo de los bombones? —insistió él por fin.

—¿Vas a contarme lo de las esmeraldas? —respondió ella con total naturalidad.

Jonathan suspiró y se frotó la frente con las yemas de los dedos.

—Me había olvidado de las esmeraldas.

—¿Otra vez? —atacó ella con sarcasmo. Añadió otra cucharada más de azúcar al café y escudriñó el rostro de Jonathan como haría con un niño travieso—. Esa también es uno de tus feas costumbres, Jonathan. Un ladrón decente no debería olvidarse de los objetos de su trabajo con tanta frecuencia.

—Esa es la razón de que te necesite, Natalie —admitió—. Me estoy haciendo demasiado viejo para hacer este trabajo solo. Me estoy volviendo olvidadizo.

Ella lo miró fijamente con severidad.

—Ni siquiera has cumplido los treinta. Y no cambies de tema.

Conteniendo una sonrisa, Jonathan se inclinó hacia delante, apoyó los antebrazos en la dura superficie de roble de la mesa y empezó a darle vueltas a la taza en las manos.

—Entregué las esmeraldas auténticas a Madeleine en Marsella, al día siguiente de robarlas. Ella las sacó de Francia... antes del baile. No podíamos arriesgarnos a que nos las encontraran encima, una vez que el conde se diera cuenta de que tenía unas joyas de vidrio en su poder.

Natalie apoyó los codos en la mesa y se cubrió el rostro con las manos.

—Así que llevaste dos falsificaciones idénticas a Francia.

—Dos falsificaciones y el collar de ónice —contestó—. No sabía lo que iba a necesitar ni lo que iba a dejar en la caja fuerte la noche del baile. Al final, escogí el de ónice.

—Así que robé un collar de vidrio de tu baúl. Qué ridícula debí de parecerte.

—No te avergüences —dijo él en voz baja, observando un atisbo de rubor que se extendía por las mejillas de Natalie y que ella intentó ocultar—. Tu habilidad me cogió completamente por sorpresa.

—Eso explica por qué no te enfadaste conmigo.

—No me habría enfadado contigo por robarme las esmeraldas auténticas, Natalie —le aseguró en un tono cargado de profundos significados—. Estaba fascinado con todo lo relacionado contigo en tu pequeña aventura.

Natalie pensó en eso durante un minuto, y entonces sacudió la cabeza entre sus manos.

—Estoy furiosa. Madeleine lo sabía todo desde el principio, y sin embargo dejó que creyera que tenía las joyas auténticas, animándome a que asistiera a aquella horrible fiesta en París.

Jonathan esperó antes de alargar la mano para cogerle la muñeca, lo que Natalie intentó evitar en vano. Él tiró de ella y le rodeó la mano pequeña y suave con su manaza.

—Madeleine es lista, Natalie.

Ella gruñó y cerró fugazmente los ojos, con una mano entrelazada con la de Jonathan en el borde de la mesa y la otra apoyada en la frente.

—No, es una mujer increíble. Los dos formáis un equipo magnífico.

Jonathan no supo si estaba hablando en serio o si estaba siendo sarcástica, pero le frotó los dedos con el pulgar y bajó la voz hasta convertirla en una caricia tranquilizadora.

—Madeleine trabaja por su cuenta. Siempre lo ha hecho, y probablemente siempre lo haga así. Pero ella vio y comprendió enseguida que estaba consagrado a ti... que quería trabajar contigo, estar contigo. Que estaba enamorado de ti.

Los cálidos dedos de Natalie se tensaron en su mano, pero Jonathan los sujetó con firmeza.

—Tú y yo somos el equipo, Natalie. Y tú lo sabes o no estarías ahora aquí con esa seda roja sobre la piel desnuda, oliendo a flores y sábanas calientes y a una noche de sexo, provocándome con tu sonrisa y tus ojos. —Con voz grave, susurró—: Creo que es hora de que me lo digas.

El aire se inmovilizó, y sintiendo una repentina tensión en el vientre, Natalie supo que había llegado el momento de su confesión. De hecho, había llegado hacía ya varias semanas. Sentado con aire de suficiencia a su lado, frotándole los dedos con los suyos, esperando con arrogancia a que ella revelara sus secretos ocultos, Jonathan también fue consciente del hecho.

Natalie se irguió un poco y cubrió su taza de café con la mano derecha, cerrándola sobre ella mientras se le aceleraba el pulso por lo que se avecinaba y por un paralizador miedo a lo desconocido. Jonathan percibió su resistencia a empezar, pero no dijo nada, limitándose a observarla con intensidad con sus hermosos ojos, que tenía clavados en los de Natalie para acariciarle sus sentimientos más íntimos.

—Madeleine es inteligente, Jonathan —empezó con voz áspera.

Aquello no era lo que él quería oír. No había esperado que hablaran más de la francesa, y no pudo evitar la consternación que apareció en su expresión, la cual, tuvo que admitir Natalie, la complacía.

Ella intentó sonreír.

—Los bombones fueron idea de ella.

El interés y la confusión hicieron que Jonathan arrugara la frente en ese momento.

—Bueno, no exactamente —aclaró ella, negando imperceptiblemente con la cabeza. Natalie hizo una pausa para ordenar sus ideas, y él aumentó aún más la presión sobre sus dedos—. Le dije a Madeleine que pensaba que me habías roto el corazón aquella noche que me entregué a ti. Ella te defendió, diciendo que eso no podía haber ocurrido, a menos que también te hubiera entregado mi corazón. —Echó una rápida mirada a los bombones y volvió a mirar la cara de Jonathan, ya con un nudo en el estómago, el pulso desbocado y la boca seca—. Pero en realidad eso no lo hice nunca, ¿verdad Jonathan?

Con el cuerpo paralizado, Jonathan apenas respiró.

—No.

Ella le sostuvo la mirada.

—Para eso son los bombones —reveló ella con una respiración áspera y nerviosa—. Simbolizan mi corazón. Y te lo entrego en este momento.

Durante un instante interminable él la miró fijamente a los ojos, aferrado a sus dedos. Entonces, susurró:

—¿Por qué?

Natalie sucumbió a las lágrimas, incapaz ya de contenerlas.

—Porque te amo.

Fue como si en aquel instante a Jonathan se le hubieran revelado los misterios del universo. El aire silbó entre sus dientes cuando respiró, y sus ojos, sus rasgos, todas las partes de su cuerpo, sonrieron con un placer intenso, que Natalie sintió como un dolor en su pecho.

—Tengo miedo de hacerlo, Jonathan.

Él la acarició con la mirada, y su pulgar, los dedos.

—Ya lo sé.

Natalie bajó las pestañas finalmente, clavando la mirada en la taza de café con una visión borrosa y unos recuerdos muy lejanos.

—También tuviste razón. En París. Me dijiste que había empezado a quererte hace años, y es cierto. Pero no podía hablar de aquella noche, porque estaba avergonzada por lo ocurrido; por la manera en que te besé y las cosas que te dije. Todo lo ocurrido aquel día me avergonzaba. —Sacudió la cabeza—. Fui tan tonta entonces…

—No me pareció que fueras tonta. Me pareciste encantadora y preciosa, todo candidez.

Aquellas palabras, murmuradas en voz baja, tenían la intención de tranquilizarla, pero la derritieron.

—A mí también me pareció que eras hermoso, Jonathan, y gallardo y sofisticado. Después de aquella noche estuve meses soñando contigo. Soñaba con que posabas tus labios en los míos, y también con que me decías que me amabas.

—Eras muy joven, Natalie.

Ella levantó la vista para volver a mirarlo, y la mirada que él le dedicó —rebosante de una dulzura tan absoluta y de una comprensión tan entusiasta de sus sentimientos— casi la dejó sin resuello. Se le hizo un nudo en la garganta, y tragó con dificultad, mientras se limpiaba una lágrima solitaria que se deslizó por su mejilla.

—Sí, era joven —afirmó ella con voz ausente y ronca—. E ingenua. Entonces no te conocía, en realidad no sabía nada, excepto que en mi corazón te quería con un amor inocente y pequeño… como el que se siente por la belleza de una rosa o por la suave melodía de un violín o un arpa. —Su mirada se hizo intensa—. Pero el amor que siento por ti ahora es diferente. Conozco tus vicios y tus virtudes, y tus estados de ánimo. Sé lo mucho que te adoran las mujeres…

—Natalie…

—Chist… Déjame terminar, Jonathan, cariño mío, antes de que pierda los nervios.

Él se llevó una mano de Natalie a los labios y le besó tiernamente los dedos, los nudillos y la muñeca hasta hacerla sentir un hormigueo dentro de sí. Sin embargo, Jonathan no apartó los ojos de su cara ni un instante.

—Te quiero mucho más tal como eres hoy —prosiguió ella con apasionamiento—. No serías quien eres sin la experiencia de tu pasado, y este incluye las mujeres que has conocido. Te quiero por tu humor ingenioso y la manera tan inteligente de funcionar que tiene tu cabeza para poner de relieve el bien supremo. Amo la manera que tienes de discutir conmigo sobre tonterías, como cuál es el vino adecuado para comer o cómo robar una caja fuerte. Adoro la manera que tienes de halagarme con una pequeña y sugerente mirada, y de tomarme el pelo con la voz, y de hacerme el amor como si estuvieras compartiendo los secretos y anhelos de tu corazón. Sé cuánto adoras tu ridícula colección de armas, y el teatro, y el buen brandy y las ropas caras. Sé que tu color favorito es el rojo rubí brillante y que tu mayor preocupación, tu mayor temor, es perderme.

Él dejó de besarla gradualmente a medida que Natalie fue desgranando su íntima revelación, y su respiración empezó a hacerse irregular y áspera, lo que ella sintió en la muñeca. Durante uno o dos segundos Natalie tuvo la seguridad de que él estaba a punto de perder la serenidad delante de ella.

Natalie sonrió con labios temblorosos y le apretó la mano, y su voz volvió a descender hasta convertirse de nuevo en un susurro de profunda intención y ferviente convicción.

—Te he dicho que entonces te amaba como a una rosa o a un arpa (algo inocente y deliciosamente dulce), y así era. Pero ahora, Jonathan, te quiero como… a un invernadero rebosante del resplandeciente color y el aroma de cientos de flores exóticas; como a una orquesta sinfónica, desde las flautas hasta las trompas, pasando por los violoncelos, que interpretara brillantes conciertos y valses hermosos.

Se inclinó hacia él, y le acarició los nudillos con el pulgar.

—No necesito prometer que te quiero, Jonathan. Mi amor es suficiente para toda una vida, y tú lo sabes. —Con los ojos llenos de lágrimas una vez más, confesó con calidez—: Pero, en este mismo instante, te juro que si prometes cuidar mi corazón con todo tu amor y bondad, me entregaré a ti completamente, te seré absolutamente fiel y confiaré en ti siempre con todo mi ser.

Jonathan permaneció un buen rato mirándola fijamente. Le había dado más de lo que esperaba oír, mucho más. Natalie percibió la perplejidad en la mirada de Jonathan, la sintió fluir desde él a raudales, y de repente, la emoción afloró, y el amor que él sentía hacia ella se convirtió en una fuerza evidente que irradió de él con alegría, envolviendo a Natalie para arrasar con el pasado. Eternamente.

—Natalie…

Fue una súplica susurrada para que se acercara a él, y ella respondió levantándose sobre unas piernas inseguras y dando dos pasos para rodear la mesa hasta su lado. Jonathan se llevó los nudillos de Natalie a la boca, esta vez sin besarlos, solo apoyándolos contra él, y deslizó los dedos de la mano libre por el salto de cama de seda, cuando ella se detuvo delante de él, desde el lateral del pecho hasta la cadera, y de ahí al muslo. Entonces, tiró de ella para sentársela por fin sobre el regazo.

Natalie se acomodó encima de él, y con el poderoso abrazo de Jonathan el mundo exterior empezó a diluirse, movió el trasero contra las caderas de él y le rodeó con los brazos, acurrucando la cabeza en su cuello.

—Jamás te romperé el corazón —le aseguró él con un juramento violento y susurrado, con la mejilla en su sien y los labios contra su oreja.

La fuerza de su convicción hizo que Natalie se desmoronara y empezara a llorar dulcemente y en silencio contra él.

Jonathan la abrazó con suavidad durante unos minutos, le quitó la pinza de la cabeza para que la mata de pelo le cayera libremente sobre los hombros y la espalda, y la acunó entre sus brazos.

—¿Sabes, Natalie, cariño, que desde aquella noche de hace cinco años en el jardín no he podido apartarte de mi mente ni un instante?

Ella gimoteó, pero no movió la cabeza del cuello de Jonathan.

—¿Con semejante variedad de mujeres al alcance de tu mano? No te creo.

Él se rió entre dientes con un temblor que sacudió la columna vertebral de Natalie.

—Te mentí en Marsella —admitió él, escogiendo las palabras con cuidado—. La verdad es que después de aquella noche, no pregunté por ti ocasionalmente… Estuve pensando en ti sin cesar durante meses, al cabo de los cuales empecé a hacer averiguaciones acerca de ti.

Ella se paralizó entre sus brazos, pero Jonathan prosiguió sin advertirlo.

—Sabía quiénes eran tus pretendientes, pero cuando más me irrité fue al enterarme de que Geoffrey Blythe iba con intenciones serias, porque me parecía evidente que no encajabais. —Con un atisbo de turbación, añadió lentamente—: Nada menos que siete veces durante los últimos cinco años, Natalie, me vestí para que te fijaras en mí y salí de esta casa decidido a visitarte formalmente.

Natalie se quedó pasmada al oír aquello y, asustada, levantó la cabeza para sostenerle la mirada.

Jonathan sonrió cínicamente.

—Conociendo mi reputación, y sobre todo después de compartir aquel increíble primer beso y tu inocente confesión de que me amabas, no estaba seguro de cómo me recibirías. Y por culpa de esa incertidumbre, nunca llegué ni a pasarme por tu calle, excepto una vez. Fue hace cosa de un año, y la verdad es que llegué a llamar al timbre y a hablar con la doncella, pero tú no estabas, y me puse tan nervioso que se me olvidó dejar una tarjeta de visita.

Ella le recorrió el rostro con la mirada, mientras Jonathan le deslizaba la palma por la mejilla húmeda.

—Te juro que fue el destino quien hizo que entraras en mi casa cuando lo hiciste. Te sentías avergonzada de estar aquí, pero hasta cierto punto lo esperaba. Fue una sorpresa descubrirte en mi estudio aquella mañana, aunque no lo fue tanto que volvieras a entrar en mi vida. —Le tomó firmemente el mentón con los dedos cuando su tono se llenó de pasión—. Es tanta la vitalidad que irradias, y tu presencia y amistad enriquece mi vida en tantos aspectos, dándome algo que jamás había experimentado con nadie… Soñaba con amarte de esta manera, Natalie, y sí, con cuidarte. Siempre lo haré.

Ella pensó que jamás en su vida la había conmovido tanto

una confesión. Los hermosos ojos gris azulado de Jonathan se clavaron en los suyos despertando en ella vívidos recuerdos y una esperanza honesta. Le colocó la palma de la mano en la mejilla y la arrastró sobre la barba de un día, y el cosquilleo que sintió en sus sensibles dedos hizo que los de los pies se le encogieran y que el deseo por Jonathan ardiera de nuevo. Luego, le rozó los labios con la boca, besándolos, saboreando el persistente rastro del café y aspirando el aroma cálido y masculino de su piel.

Él respondió de la misma manera, acercándosela y soltándole el fajín de la cintura, exigiendo más, mientras extendía las manos para acariciarle la espalda y las caderas con unas sensuales caricias.

—Cásate conmigo, Jonathan —le suplicó ella en su boca.

—Estaba empezando a temer que no me lo pidieras nunca —susurró él con rapidez.

Natalie sonrió para sí, retorciéndose contra la maravillosa sensación de su incipiente erección, apoyada ya con rigidez en la curva de sus nalgas.

—Nuestro noviazgo ha sido tan poco convencional…

Él desplazó las manos hasta el pecho de Natalie, deslizando la palma por el pezón en pequeños círculos hasta que este se endureció y Natalie suspiró por la deseada invasión.

—Para evitar los chismes —le dijo contra la boca—, le diremos a todo el mundo que te cortejé en Newburn mientras estabas visitando a tu tía abuela durante la temporada. Por supuesto, yo me encontraba allí buscando espadas inglesas antiguas.

Ella se rió en voz baja pegada a él, y Jonathan se apartó un poco.

—Diremos que nos conocimos… —Inclinó la cabeza en actitud reflexiva—. En la velada de la señora Peabody.

Ella arrugó el entrecejo.

—¿Quién es la señora Peabody?

—No tengo ni idea, pero estoy seguro de que hay más de una Newburn.

—Por más ingenioso que sea tu plan, mi madre no se lo creerá —le advirtió con socarronería, pasándole los dedos por el pelo.

Él abrió los ojos retadoramente.

—Me encantará convencerla. Puedo llegar a ser muy convincente.

—Seguro —dijo ella con sequedad—. Ya me imagino que te pasarás años utilizando tu convincente atractivo con ella.

Él frunció los labios.

—Me parece… que sería más exacto decir perfeccionarlo con ella. —A Natalie se le escapó otra pequeña carcajada, y él se inclinó de nuevo sobre ella para acariciarle el cuello con la nariz—. ¿Y qué pasa con tu padre?

Natalie inclinó la cabeza para facilitarle la labor.

—A estas alturas, mi padre consentiría que me casara con quien fuera.

Jonathan rió entre dientes.

—Entonces, tendrás que cargar conmigo, me temo.

—Creo que puedo llegar a ser feliz —dijo con un ronroneo.

Jonathan volvió a mover los labios provocativamente sobre su piel.

—Arreglado el asunto de la respetabilidad del noviazgo, podemos casarnos dentro de un mes.

—Eso no es tiempo suficiente para planificar una boca, Jonathan.

—Natalie, tenemos que evitar el escándalo —le aclaró, mientras le mordisqueaba el lóbulo—. No vaya a ser que te haya dejado embarazada.

Natalie se ruborizó.

—¡Oh!

Más que verla, Natalie sintió la amplia sonrisa de satisfacción de Jonathan, y le molestó que disfrutara poniéndola nerviosa con semejantes consideraciones.

—Y a propósito de tus padres —le susurró él con la boca sobre la piel—. Resolví el pequeño problema de tu madre.

—Le apartó la seda del hombro y le recorrió el cuello con la lengua.

—¿Cuál…?

—El problema de las cartas —le explicó al cabo de unos segundos, con su frío aliento contra la piel repentinamente ardiente de Natalie.

Volvió a encontrarle el pezón con la mano y jugueteó con él, acariciándolo ligeramente con la uña del pulgar. Luego, se inclinó y lo lamió, lo chupó, y ella reaccionó alargando la mano y pasándole los dedos por el pelo, disfrutando del penetrante y cosquilleante placer que sentía entre las piernas.

—Mmm…

—¿Me has oído, Natalie?

Dejó de torturarla con las manos y la boca hasta que ella abrió los ojos para mirarlo.

—¿Qué pasa con las cartas? —le preguntó ella con mucha prisa.

—¿Te acuerdas de un lacayo que trabajó en tu casa llamado John Russell?

Natalie se esforzó en aclararse las ideas, en concentrarse en lo que él había dicho exactamente.

—Creo que sí.

Pero Jonathan le estaba poniendo realmente difícil poder concentrarse. Le apartó la seda hasta que la bata se abrió completamente y se deslizó por los costados de Natalie. Entonces, le bajó y le bajó la mano por el vientre hasta que se la ahuecó entre los muslos.

—Jonathan…

—Russell fue despedido hace tres años por tu madre por robar la plata —prosiguió él, observándola, hablando ya trabajosamente a causa de su propio deseo.

Empezó a acariciarla de manera deliberada, mientras ella intentaba esforzarse en prestar atención a lo que él estaba diciendo.

—Oyó casualmente las discusiones entre tus padres, y cuando se le obligó a marcharse sin ninguna referencia, empezó a chantajear a tu madre con los rumores de su romance. Nunca hubo ninguna carta... al menos en Inglaterra.

A través de la niebla y de la persuasión cada vez más íntima del cuerpo de Jonathan, Natalie empezó a comprender sus palabras. Le cogió de la muñeca para inmovilizarle la mano.

—¿Qué estás diciendo, Jonathan?

Él sonrió casi con timidez.

—En menos de una hora, sir Guy Phillips y una o dos personas más van a pasar a visitar a Russell a su casa, donde descubrirán las valiosas esmeraldas del duque de Newark en un bote de harina. Informarán a ese tipo de que a cambio del silencio sobre tu madre, no lo detendrán ni lo juzgarán por el robo de un collar que, por supuesto, él no ha robado. Las esmeraldas serán devueltas a sus legítimos dueños, y tu madre se verá por fin libre de su escandaloso secreto.

El corazón de Natalie latió con fuerza de pura emoción, por la pasión física que él alimentaba dentro de ella con tanta ternura, por la euforia de la conquista del Caballero Negro en su honor, pero, sobre todo, por la alegría de descubrir el amor en Jonathan Drake.

—Has hecho eso por mí —dijo Natalie con un sobrecogimiento que no pudo ocultar.

La expresión de Jonathan se ablandó, mientras reanudaba las sensuales caricias con los dedos.

—Anoche, antes de volver a casa. —Le puso los labios en la boca una vez más para susurrar—: Haría lo que fuera por ti, Natalie.

Y ella lo creyó.

—Ámame...

—Ya lo hago.

—Llévame a la cama —le suplicó ella.

La agarró con fuerza de la nuca y le plantó la boca con firmeza en la suya para besarla con intensidad, invadiéndola con la lengua, que movió lentamente por sus labios haciendo que el cuerpo de Natalie se convirtiera en fuego líquido. La hizo esperar, la volvió loca de deseo mientras le deslizaba los dedos rítmicamente sobre el calor resbaladizo de su entrepierna.

Natalie consiguió apartar la cara a duras penas.

—Jonathan, ahora.

Él la levantó fácilmente en sus brazos.

—Dentro de cinco semanas partiré hacia Amsterdam —mencionó como si se acordara de repente, rozando la mejilla contra la de Natalie mientras la subía por la escalera—. Para robar en una subasta un Rembrandt previamente robado.

—Fantástico…

—¿Me acompañas?

—Qué pregunta más ridícula, Jonathan —contestó ella sin resuello, estrechando los brazos con más fuerza alrededor de su cuello y apretándole los senos contra el pecho. Tras deslizarle los labios por la oreja, admitió en un susurro—: Ya estoy eligiendo mentalmente mi vestuario.

Jonathan dio un traspié y a punto estuvo de dejarla caer antes de llegar al dormitorio.

Nota de la autora

Mientras escribía esta historia, me di cuenta de que hacer que Natalie escondiera un collar de esmeraldas en el tacón de su bota podría parecerle extraño a algunos lectores. Tal recurso argumental no fue un mero producto de mi imaginación. Según una leyenda familiar, unos antepasados míos —dos hermanos— abandonaron Alemania rumbo a Norteamérica a finales del siglo XVIII. Antes de embarcar hacia Nueva York, se les advirtió de que había muchas posibilidades de que su barco fuera abordado por los piratas, que a la sazón acostumbraban surcar aquellos mares, y que les podrían robar sus posesiones. Zapateros de profesión, hicieron caso de la advertencia, y antes de partir para empezar sus nuevas vidas en Norteamérica, cosieron todo su dinero en las suelas de sus zapatos. ¿Quién miraría ahí?

En efecto, al final, su barco fue asaltado por los piratas, y mientras otros perdían las fortunas de sus familias, estos hermanos llegaron sanos y salvos a Nueva York con su dinero escondido intacto.

Impreso en Talleres Gráficos
LIBERDÚPLEX, S.L.U.
Pol. Ind. Torrentfondo
Ctra. Gelida BV-2249 Km. 7,4
08791 Sant Llorenç d'Hortons (Barcelona)